2025年版
1000人の合格者が教える公務員試験合格法

はしがき

〈どんな業界を選ぶべきか〉

　「企業の寿命は30年」と言われていた時代がありました。今はもっと短くなり、ベンチャー企業の多くは３年も経たず消えていきます。大企業でも終身雇用は少なくなっています。１つの会社にずっと残るのではなく、自身の強み・キャリアを組織に依存しない形で自律的に作り上げる働き方が求められます。

　さらに、AI・デジタル技術やグローバル化の進展によって職業・業界そのものが丸ごと機械化され、人手が不要となる場面もあります。「リスキリング」という言葉がブームになっているように、社会人になった後も、定期的に自身の知識・経験を見直して、勉強し直すことが求められます。

　どんなに優れた技術を持つ航海士であっても、船が小さければ遠くには行けません。そもそも船がなくなってしまったらどこにも行くことができません。英語が得意で翻訳を仕事としていても、AIによって自動翻訳が可能となれば、仕事はなくなってしまうかもしれません。車の運転、プログラミングも機械に代替される可能性があります。

　キャリアの初期段階でどんな仕事に就くかは、アップデートしやすい技能を身につけることができるか否か、によって決めるべきです。これから衰退する産業、消えてしまう職業を選択したら、「リスキリング」がゼロからのスタートとなり、長期的なキャリア構築が難しくなります。

〈公務員になろう〉

　公務員は、単調な事務仕事が多く、安定はしているけれど成長の機会が少なく、その後のキャリア構築（アップデート）に役立たない、というイメージが多いかもしれません。

　しかし、その認識は間違っています。公務員こそ、自己鍛錬の場として最適といえます。例えば、一つひとつの事務仕事の背後には法律・規則があります。ルールを解釈して運用する技能はどんな業界・職種でも基礎となります。公務員試験の教養試験はパズルのような問題が出題されることがあります（数的処理）が、これは複雑なルールを読み解く技能があるかを試しています。また、ノルマや目先の売上に追われることなく、社会や国家にとっての根本的課題に取り組むことができる点もメリットです。身分保障（安定）がある分、ローテーションで異動があり、様々な部署・職種を経験できるので、自然と学び直し・知識のアップデートを行うことができます。

　わが国が直面する課題は、非常に厳しいものがあります。防衛・外交・経済・内政いずれにおいても問題は山積しています。米中対立の激化、周囲を専制国家が取り囲む地政学的状況、資源・食糧の海外依存、少子高齢化、子どもの貧困、人的資本投資の低迷、国際的競争力の低下……これらの課題に対して特効薬はありません。着実によりよい社会を目指すための政策立案・実行こそ、国家公務員の使命です。地方公務員は、法律という枠内ではありつつも、自治体独自の施策をもって、（外国人を含む）住民の幸福に資する政策を企

画・実行しています。業務のデジタル化・効率化(DX)や多様な人々の包摂(ダイバーシティ&インクルージョン)といった課題は、民間企業以上に地方自治体こそが真剣に取り組んでいます。

キャリアの初期段階において、公務員として様々な難題に取り組むことは、その後のキャリア構築の基盤作りに最も役立ちます。安定・社会貢献という文脈に加えて、自己成長の機会の多さ(定期的な異動)や、多様性ある人々（民間企業と違い、公務員の場合には顧客・関係者を制限できないので、幅広い階層・年代・経歴を持つ人々と一緒に仕事をすることになります）とコミュニケーションできる点も大きな魅力です。

〈先輩合格者の体験から学ぶ〉

ここまで読んでもらえれば、公務員に対する皆さんの当初の印象は変わってきたのではないでしょうか。

公務員試験には様々な職種・試験制度があり、ペーパーテストだけでなく面接対策も重要となるため、情報戦です。従来は、大学生が先輩から体験談を直に聞いて、自身に合う勉強法を探っていました。しかし、コロナ禍でオンライン授業が主になったり、キャンパスが閉鎖となったりした影響で、ここ数年は先輩との交流機会が少なくなってしまいました。

公務員には興味があるものの、どのように目指してよいか分からず、少ない情報で決めてしまう弊害がコロナ禍では多く見られました。例えば、民間就職と同じSPIだけで受験できる自治体だけを受験した結果、数十倍の倍率を突破できず、4年生の秋になってから民間就職への転向を余儀なくされたり、面接試験の対策を疎かにして民間就職と同じような対策で二次試験に臨んだために面接で厳しい評価を受けて自信喪失してしまったり、という事態は事前に十分な情報を得ておけば避けられたものです。

公務員試験は、大学受験と同じように、併願戦略を立てて、自身の成績・特性に合わせた受験スケジュールを立てることが必須です。選択肢を増やすためには、できるだけ早く準備を始めて、教養・専門科目の知識を効率よく学びつつ、記述対策・面接対策の時間を確保する必要があります。

本書では、1000人を超える公務員試験合格者の声を集めて、勉強法・受験スケジュール・面接の本番に臨む心構えなどを詳細に紹介しています。2023年の合格者に加えて、2022年の合格者の声も対比として紹介しています。本書を通読することによって、リアルな勉強法・試験対策を知ることができます。皆さんが人生100年時代のスタートにふさわしいキャリアとして、公務員試験の合格・内定を勝ち取り、輝ける未来を築かれることを祈念いたします。

2024年7月吉日

LEC東京リーガルマインド

代表取締役社長　反町 雄彦

本書の構成及び活用方法

本書の構成について

　本書は全8章で構成されています。これから就職活動をしていくにあたって、公務員試験の受験も視野に入れようとお考えの方に読んでいただきたい1冊です。

第1章　公務員とはどんなものなのか？
国家公務員・地方公務員の種類及び職種、それぞれどのような業務内容なのかについて記述しています。また、公務員の労働環境についてまとめました。本章で公務員として働くイメージをつかんでください。

第2章　職種ごとの試験内容の紹介
公務員の種類・職種ごとにどのような試験が課されるかについてまとめています。また、それぞれの試験に合格するためにはどのような部分に力を入れればよいかをまとめました。

第3章　科目ごとの勉強法
教養科目、専門科目、論文、面接について、科目ごとにどのように勉強を進めるべきなのか。その方法やポイントをLECで実際に講義を行っている講師が解説しています。本章を読むだけで各科目の勉強を進める上で何に気をつけて学習すればよいのかがわかります。

第4章　合格者1000人に聞く公務員試験合格法
LECでは毎年数千人の合格者を輩出しています。2023年度は1000人を超える合格者が合格体験記を提出してくださいました。その体験記の中から、合格者が語る「公務員を目指した理由」・「数ある予備校の中でLECを選んだ理由」・「学習方法について」・「面接対策について」の4つについて意見をまとめたも

のです。本章を読むことで、これから公務員試験の勉強を開始するにあたり何が必要なのかがわかります。

第5章 合格体験記

1000人を超える合格体験記の中から、厳選した15名のフルバージョンの合格体験記を掲載しました。

第6章 公務員本試験過去問紹介

2023年度試験で実際に出題された問題を掲載しています。解説の最初の部分には出典と、LECの本試験成績診断[※]で算出された正答率を載せています。正答率を見ることで、問題の難易度もわかります。本試験で出題された問題のレベル感や現状の知識でどのくらい解けるかを体験してみてください。

※成績診断：国家一般職試験などにおいて受験生に実際に解答した番号を入力してもらうことで平均点や得点のランクなどを無料で診断するサービスです。

第7章 合格者座談会

2023年実施試験の合格者が座談会形式で受験を振り返り、なぜ公務員を目指そうと思ったのか、勉強について(時期ごとの学習時間・開始時期など)、志望動機の作り方など、受験生の多くの方が気になっているポイントについて語ったイベントの様子を公開しています。

第8章 テキスト・問題集の紹介

LECの講義で実際に使用されていて、わかりやすいと定評のある「Kマスター」テキストと、「過去問解きまくり！」という問題集の抜粋を掲載しています。実際の教材を見ていただき、どの程度のレベルの勉強をすればよいのかを体験してください。

本書の効果的な読み方

　現在の皆さんの状況に応じて、本書をどの部分から読むのが最も効果的なのか、以下のフローチャートで確認してみましょう。次のページにはそれぞれの段階でどのように読み進めればよいかについてのアドバイスを記載しています。

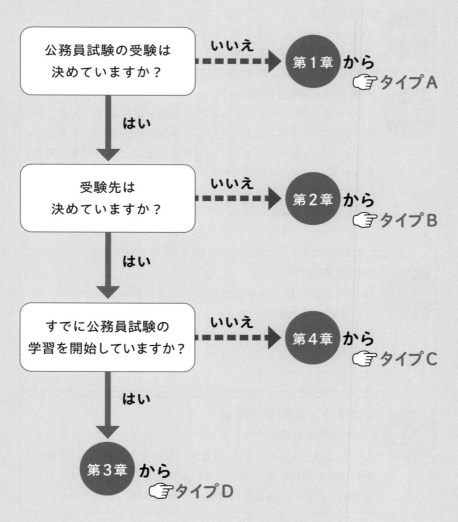

☞ タイプAの方

公務員試験の受験を迷っているあなたは、まず本書の第１章を読んで、公務員とはどういう仕事なのか、どんな受験先があるのかを調べましょう。民間企業と公務員を比較し、自分にはどちらが向いているのか、どこで働きたいかを考えてみるとよいでしょう。

☞ タイプBの方

すでに公務員になりたいと思っているあなたは、まず第２章を読んで、学習を開始するにあたりどんな勉強が必要になるのか、併願先はどこがよいかを調べてみましょう。併願先で迷ったら、第１章で様々な職種の業務内容を見て判断してください。

☞ タイプCの方

志望先もある程度決まり、これから公務員試験対策を開始するあなたは、まず第４章を読んでください。合格者がどのような点に苦労したのか、なぜLECで勉強を開始することにしたのかを見てみましょう。合格者がやってよかったというところは真似していただき、失敗してしまったこととして挙げられているものは反面教師にしてもらいたいと思います。

☞ タイプDの方

すでに学習を開始している方は、まず第３章を読んでください。長年公務員試験対策の指導をしているLEC専任講師が勧める科目ごとの学習方法やポイントを確認しましょう。今の学習方針が合っているのかを確認することはとても大切なことです。

LEC専任講師　岡田淳一郎

目次

はしがき

本書の構成及び活用方法

第5章 ▶▶ 合格体験記　213

第6章 ▶▶ 公務員本試験過去問紹介　245

第1章

公務員とは
どんなものなのか?

1 公務員の種類について

1 公務員とは？

公務員とは、国や地方自治体の職員として、「多くの人々のために安定した社会を作り、支えていくために働くこと」が仕事内容です。働くフィールドは各省庁や裁判所、立法府から地方自治体の庁舎や警察署・消防署、学校など様々です。

2 国家公務員と地方公務員の違い

国家公務員はまず、業務の性質において国家公務員法の適用を受ける一般職と、適用を受けない特別職に分けられます。一般職はさらに業務内容によって、総合職、一般職、専門職に分かれます。総合職は一般にキャリアと呼ばれ、中央省庁の幹部候補です。仕事内容は政策の企画・立案・調査、法律の制定や改廃などです。その一方で、一般職は政策の実施を担当します。具体的な業務内容は採用された省庁、地方支分部局により様々です。国家公務員全体にいえることですが、経済や教育、文化など自分の分担が専門特化しているため、自分は生涯をこの仕事にささげたいという志向の方に向いています。

特別職は、選挙で選ばれる国会議員・国務大臣・三権分立の観点や職務の性質から国家公務員法を適用することが適当ではない国家公務員（裁判官、裁判所職員、国会職員、防衛省の職員など）です。

一方、地方公務員の仕事内容は、役所の窓口業務から公共施設の整備・管理、防災対策などです。各自治体、3〜5年のサイクルで人事異動があります。そのため、様々な業務を体験できるのが特徴です。

また、国家総合職の場合は全国、全世界が活躍の舞台であり、国家一般職でも例えば関東甲信越地区などの区域内での比較的広い異動があるのに対し

て、地方公務員はその地域内での異動になります。

3 公務員試験の種類

国家公務員			地方公務員	
国家総合職 国税専門官 財務専門官 法務省専門職員 航空管制官 裁判所職員	国家一般職 労働基準監督官 皇宮護衛官 食品衛生監視員 海上保安官 衆参議員事務局職員 　　　　　　他	大卒程度	東京都職員Ⅰ類 特別区職員Ⅰ類 警視庁警察官Ⅰ類 東京消防庁消防官Ⅰ類	道府県職員上級 市町村職員上級 道府県警察官A 市町村消防官上級 　　　　　　他
国家一般職 航空管制官	財務専門官 　　　　　　他	短大卒程度	東京都職員Ⅱ類 特別区職員Ⅱ類 東京消防庁消防官Ⅱ類	道府県職員中級 市町村職員中級
国家一般職 皇宮護衛官 刑務官 入国警備官	税務職員 航空保安大学校生 海上保安学校生 気象大学校生 　　　　　　他	高卒程度	東京都職員Ⅲ類 特別区職員Ⅲ類 警視庁警察官Ⅲ類 東京消防庁消防官Ⅲ類	道府県職員初級 市町村職員初級 道府県警察官B 市町村消防官初級 　　　　　　他

1 - ① 国家総合職

1 仕事内容

国家公務員の採用試験を実施する人事院の記述によれば、国家総合職試験の趣旨は「政策の企画及び立案又は調査及び研究に関する事務をその職務とする係員の採用試験」とあります。法律は最終的に国会の議決によって成立しますが、その法律案の多くを作成するのは政府であり、それを主導するのは各省庁の職員です。国家総合職は各省庁が担当する業務分野に応じて、現在やこれまでの問題を整理したり、海外における類似制度を比較検討しつつ、日本の現状に合わせた政策を立案します。

また、法律の条文の素案を作るのも国家総合職職員の役割なので、高度な文章の作成能力も求められます。さらに、子育て支援であれば文部科学省や厚生労働省の両方に関わるなど、他省庁との調整が必要な業務も多数ありますので、他機関との連携・調整能力も高度なものが求められます。

一般に国家公務員は地方公務員に比べると「スペシャリスト」として扱われますが、国家総合職は所属する省庁の業務については幅広く担当し、将来設計を行っていく意味では、「ゼネラリスト」といえます。

2 勤務先

国家総合職の職員は中央省庁で政策の企画・立案を行うので、勤務地の中心は東京となります。しかし、地方の実情を把握するため、出先機関や自治体に出向することもあれば、海外に派遣されることも多いです。

3　昇進・キャリア

　昇進のペースは官庁によって若干異なりますが、一般職と比較して速くなります。最初は係員から始まるのは同じですが、係長への昇進は総合職であれば4～5年目から、一般職であれば7～8年目とされています。さらに、課長補佐への昇進は、総合職であれば7～9年、一般職であれば17～20年程度かかります。国家公務員の場合、本省課長級以上を幹部と呼びますが、一般職で幹部に昇進するケースは少ないです。しかし、総合職では17～20年目以降に課長級以上に昇進し、その後も能力次第で昇進の機会が大きく開けています。最高峰の事務次官を含め、幹部職員はその大半が総合職職員で占められます。

4　国家総合職採用試験の難易度

　国家総合職は、高難度の筆記試験・面接試験に加え、各中央省庁の採用面接（官庁訪問）も潜り抜けなければならない有数の難関試験です。最終合格までの倍率は過去4年間で平均18.3倍[※]と競争率の高い試験となっています。国家一般職の競争率と比較しても、非常に高い競争率であることがわかります。なお、近年では東京大学・京都大学といった国立大学以外にも早稲田大学・慶應義塾大学・立命館大学・中央大学といった私大出身者の採用も増えてきています。

※国家総合職大卒程度法律区分（2020～2023年の平均値）

5　国家総合職の魅力

小まめな異動で様々な経験が積める

　国家総合職の場合、一般職に比べて異動のペースが非常に速いことが特徴的です。多くの公務員は、3～5年を単位として部署移動を行いつつ、経

験を積み重ねていきますが、国家総合職の場合は、短期間のうちに、様々な部署を経験することで幅広い視野を備え、30代前半からは課長補佐級としてある程度部下を束ねる立場へと成長します。異動のペースは長くても2年程度、短いと1年未満であり、入省後10年間で10か所以上の部署を経験するケースもあります。

国費留学などのステップアップの道が用意されている

　語学力の向上や国際的な知見の獲得、専門性を習得するために、国家総合職職員には数多くの海外経験を積む機会が与えられています。これらは、人事院の長期在外研究員制度などを利用して行われ、諸外国の大学院（修士課程又は博士課程）に派遣され、研究に従事することになります。研究内容は官庁によって異なり、文部科学省なら宇宙関係や原子力関係、農林水産省なら環境政策などとなります。これらの留学費用は国費によって賄われ、帰国後におけるより高度な政策の企画立案に活かされます。

1 – ② 国家一般職

1 仕事内容

　国家公務員は、外交や防衛といった国際社会における国家としての存立にかかわる事務や、年金制度や労災保険のように全国的に統一して定めることが望ましいもの、男女共同参画や人権問題などのように全国的な視点に立って行わなければならない施策など、国が本来果たすべき役割を重点的に担うことが求められています。その中で、政策の企画及び立案などを職務とする国家総合職に対し、国家一般職は「定型的な事務をその職務とする」と受験案内に示されています。実際にどのような仕事をするのかは、本府庁なのか、地方の出先機関なのか、採用された先によって大きく異なります。本庁採用の場合、霞が関にある各府省に採用され、特定の分野についての業務を行います。その一方で出先機関の場合、労働局や法務局などで採用されます。配属先によっては窓口業務なども行います。実際に各省庁がどのような仕事をしているのかは各省庁の採用サイトに掲載されています。

　省庁別の詳しい業務内容の紹介は国家公務員採用情報NAVI（https://www.jinji.go.jp/saiyo/saiyo.html）を参考にしてください。

2 勤務先

　国家一般職の行政区分の試験は、全国を9つのブロックに分けて実施され、霞が関にある本府省に採用された場合には、東京で働くことになりますが、それ以外の機関の場合は、原則、ブロック全体が勤務地になります。例えば、北海道地域で試験を受けた場合の勤務地は北海道ですが、関東甲信越地域で試験を受けた場合には、関東地方の一都六県のほか、山梨県、新潟県、長野県が勤務地になります。ただし、転勤については各府省によって事情が異なりますので、説明会などにも参加してみるとよいでしょう。国家一般職用の

採用パンフレットにも、転勤についてのQ＆Aが出ていますので、参考にしてみてください。最近は転勤を嫌う傾向が強いですが、転勤は様々な経験を積むよい機会である、とも考えられます。

3 昇進・キャリア

　国土交通省のHPでは、国家一般職（大卒程度）職員の典型的なキャリアパスは以下のように説明されています。まず、採用直後は、本省係員として各局等の課や室などに配属された後、人事異動により、概ね２～３年のサイクルで担当業務が替わり、様々な業務に携わりながら多くの経験を積んでいきます。そして、一般的には30歳前後で係長へ昇任します。その後は、本人の努力次第で、専門官、課長補佐、課長…と昇任します。

　経済産業省のパンフレットにもキャリアパスが掲載されていますが、経済産業省の場合は、留学制度も整っているなど、非常に意欲的にスキルアップを図っていることがわかります。

　また、昇格や昇給についても上司が恣意的に決定するのではなく、人事院規則によって要件等が決められています。つまり、公正な判断がなされているということです。本人の努力によって、大きく道が開かれているといえます。

＊公務員の「課長」は、一般的な民間企業の部長クラスをイメージするとよいと思います。

4 国家一般職の種類（採用区分）について

● 令和6年（2024年）度一般職試験（大卒程度試験）採用予定数

試験の区分		採用予定数		採用の区分	採用予定数
		各地域	本府省		
行政	北海道地域	約180人	約770人	デジタル・電気・電子	約260人
	東北地域	約250人		機械	約120人
	関東甲信越地域	約660人		土木	約390人
	東海北陸地域	約330人		建築	約60人
	近畿地域	約430人		物理	約150人
	中国地域	約250人		化学	約180人
	四国地域	約140人		農学	約190人
	九州地域	約300人		農業農村工学	約40人
	沖縄地域	約70人		林学	約140人

　国家一般職（行政区分）は北海道、東北、関東甲信越などの採用地域ごとの採用であり、地方整備局等一部の例外を除いて、基本的に受験した地域以外への異動がありません。例えば、東北地域で受験すると、人事局、経済産業局、地方検察庁、労働局、法務局などの地方機関は東北地域のものだけを官庁訪問の対象とすることができ、他の地域の機関には官庁訪問をすることができません。ただし、どの地域区分で受験した場合でも霞が関の中央省庁への官庁訪問はできます。例えば、東北地域で受験しても、財務省や文部科学省などの官庁訪問はできるわけです。

国家専門職は、国税専門官や財務専門官、労働基準監督官などに分かれますが、あらかじめどういう仕事を行うのかが決まっています。また、業務内容がより専門分野に特化する傾向が強くなります。

1　国税専門官の業務内容及び勤務地

国税専門官は、国税局や税務署において、税のスペシャリストとして法律・経済・会計等の専門知識を駆使し、国税調査官、国税徴収官、国税査察官といった職種に分かれて活躍しています。

国税調査官は個人や法人が適正な申告を行っているかといった税務調査や申告の指導を行い、国税徴収官は未納の税金徴収のための督促や滞納処分、納税の指導を行います。また、国税査察官は大口・悪質な脱税者に対して捜索・差押などの強制調査を実施し、法令違反者の検察庁への告発を行っています。

採用試験合格後は全国に12ある国税局・国税事務所のいずれかに採用され、税務大学校での研修を経て本人の希望や適性によって国税調査官、国税徴収官に任命され、採用された国税局管内の税務署に配属されます。異動の範囲は基本的に採用された国税局及び管内の税務署です。

さらに処遇面では、税務職の俸給表の適用を受けることから行政職よりも有利となっているほか、一定期間勤務すると税理士試験の科目が免除されます。

2　財務専門官の業務内容及び勤務地

財務専門官は、北海道、東北、関東、北陸、東海、近畿、中国、四国及び九州の全国9の財務局において、財政、国有財産、金融等に関する施策を地

域の特性を踏まえて実施することを通じて、地域に貢献する業務を行っています。

　具体的には、『財政』に関する施策として、

①「予算執行調査」の実施を通じ、国の予算の適正かつ効率的な執行確保に取組んでいるかの調査

②台風や地震等により被災した公共施設などの速やかな復旧を目指し、災害査定の立会い

③地方公共団体の財政状況を的確に把握しつつ、実施する事業に対して財政融資資金を供給し、地域のまちづくりを資金面からサポートする業務

などを行っています。

　また、『国有財産』に関する施策として相続税物納財産や庁舎・宿舎等跡地の迅速な処分により、税外収入や復興財源の確保に貢献しているほか、『金融』に関する施策として、利用者が地域金融機関等を安心して利用できるよう、金融システム及び金融機関を巡る状況の変化に対応した効果的・効率的な検査・監督を実施するなど、地域の活性化に資するため、中小企業金融をはじめとした金融の円滑化及び地域密着型金融を推進しています。

　財務専門官は、中央と地方の橋渡し役のみならず地域経済の専門家として各財務（支）局に採用後、原則として管内の本局・支局・財務事務所・出張所に配属されます。

3　労働基準監督官の業務内容及び勤務地

　労働基準監督官は、労働基準関係法令に基づき、あらゆる事業所に立ち入り、法に定める労働基準を事業主に守らせることにより労働条件の確保・向上、働く者の安全や健康の確保を図り、また不幸にして労働災害に遭われた方に対する労災補償の業務を行うことを主な任務とする厚生労働省の専門職員です。採用後は１年６か月に及ぶ実地研修・実地訓練を受けた後、全国各地の労働基準監督署や都道府県労働局に勤務します。

　労働基準監督官の仕事は、職場の「今」に密着して労働環境を調査し、問題があればこれを改善していくことであり、労働条件などの立入り調査を行い、サービス残業の強要など法令違反があれば指導などを行う臨検監督、悪

質な法令違反について犯罪捜査を行う司法警察事務、労働災害について発生状況や原因を調査・分析し、再発防止のために必要な指導を行う災害調査に携わることになります。

　特に近年、長時間・過重労働、若者の「使い捨て」、労災事故、職業性疾病などが社会的に耳目を集めており、労働基準監督官にはその解決を図っていくことが求められています。

1 - ④ 裁判所職員

1 裁判所事務官の業務内容及び勤務地

　裁判所事務官は特別職の国家公務員であり、公判を運営する裁判部門と、事務局として裁判部門を支援する司法行政部門に分かれます。

　裁判所事務官として採用されると、司法行政部門・民事部・刑事部・家事部や少年部などに分かれて配属されることになります。また、司法行政部門は裁判部門をサポートする事務を、裁判部門は裁判所書記官のサポート役として裁判事務を行います。

　裁判所事務官は、裁判部門では裁判官・弁護士・検察官・訴訟当事者との裁判進行の事前打ち合わせ、証拠調べなどへの立会い、調書作成、捜索差押令状・逮捕状の発付事務など、裁判の効率的な運営を図るための裁判事務を裁判所書記官と協力して行います。

　内部試験を経て裁判所書記官に任官すると、固有の権限が付与され、上記の裁判事務を自らの名前で執行するほか、法令や判例の調査といった裁判官を補助する業務なども行い、訴訟の円滑な処理・解決のため、コートマネージャーとして欠かせない役割を果たします。さらに、経験を積み試験に合格すれば、簡易裁判所判事となる道もあります。

　2015年から、総合職についても一般職と同様に、第1次試験の受験地を管轄する高等裁判所の管轄区域内の裁判所の中から採用庁が決定されることになりました。

2 家庭裁判所調査官の業務内容及び勤務地

　家庭裁判所は家庭内の紛争（家事事件）や未成年の非行問題（少年事件）を専門的に扱う裁判所です。

　家庭裁判所調査官は、家庭裁判所内で家事事件の当事者や非行問題を起こ

した少年やその保護者への面接を中心に事実関係を多角的に調査し、その結果を審議に必要な資料として裁判官に報告することが基本的な仕事となります。作成した調査報告書は審判、調停において重要性を有し、調査官自身も審判、調停の際に出席し意見を述べることができます。

　このように家庭裁判所調査官は、審判、調停の当事者の人生に大きな影響を与える職業です。専門知識以外にも思いやりや粘り強さ、人間らしい優しさが必要とされるでしょう。

　家庭裁判所調査官補として採用された後、裁判所職員総合研修所で2年間研修を受け、全国に配属されます。勤務地は全国50か所の家庭裁判所・約200か所の支部・約80か所の家庭裁判所の出張所のどれかになります。

　勤務先は本人の希望や成績などによって決まるのが一般的です。

　家庭裁判所調査官として採用された場合、一般的に3年ごとに転勤があります。採用後9年目以降は希望する勤務地に採用されることが多いようですが、欠員状況などにより希望が通らないこともあるようです。

1 − ⑤ 都道府県職員

1　都道府県職員の業務とは？

　都道府県は、各自治体の広域的な地域特性に応じた政策課題を解決するための方策（施策）を主体的に企画・立案・実施します。また、予算規模や行政の効率化・基準の統一化などの観点から、市町村を包括する広域の地方公共団体として、①広域事務、②市町村に関する連絡調整事務、③その規模又は性質において一般の市町村が処理することが適当ではないと認められる事業の補完事務を処理することとされています。

　例えば、道路・河川・港湾・産業用地・空港の整備などの大規模な公共事業や、児童相談所や高校の効率的設置、飲食業や建設業などの各種許認可行政を行います。また、災害発生時の被害状況確認などの市町村間、および国と市町村との連絡調整も重要な業務です。復興支援対策部署の設置なども都道府県で行っています。

2　具体的な仕事内容（東京都の場合）

　東京都庁は「局」ごとの仕事となっており、主な局の仕事内容は以下の通りです。

- すべての子供の笑顔を育む子供政策を推進する「子供政策連携室」
- デジタルの力を活用し都政のQOS向上を実現する「デジタルサービス局」
- 4万人規模の都庁を機能させ1,400万人規模の都民の暮らしを支える「総務局」
- 一国に匹敵する規模の予算を編成する「財務局」
- 公平かつ適正な課税徴収で都政を支える「主税局」
- 生活や文化、スポーツに関するサービスを提供する「生活文化スポーツ局」
- 世界の「範」たる都市づくりをする「都市整備局」

- 居住の場としても魅力的な東京を目指す「住宅政策本部」
- 世界一の環境先進都市を実現する「環境局」
- 産業や雇用に関する課題を解決する「産業労働局」
- 生鮮食料品等の流通を確保し都民の消費生活を支える「中央卸売市場」
- 防災機能と快適さを備えた都市基盤整備に取り組む「建設局」
- 東京港の発展と魅力ある臨海エリアを実現する「港湾局」
- 都政運営を支える会計制度の整備運用をする「会計管理局」
- 安全と安心を確保しつつ便利で快適な交通サービスを提供する「交通局」
- 首都東京のライフラインを預かる「水道局」
- 以上の組織の枠組みを超え都のビジョンを実行する「政策企画局」

3　昇進・キャリア

　行政職の場合には、概ね3年から5年ごとに、様々な部署に異動して経験を積みます。都道府県レベルの職員の場合は、本庁と出先機関の両方を経験しながら、キャリアを形成していきます。また、公営企業・各種委員会事務局との人事交流や、都道府県と市町村間での人事交流などもあります。研修については、最初に採用された際はもちろんのこと、昇進するにつれ階層ごとに研修が充実していきます。福利厚生についても、例えば育児休業は法律によって3年と、民間企業よりも長い期間、取得することができます。配属先については、必ずしも希望通りにならないこともありますが、多くの自治体が1年に1度は意向調査を行っています。

1 －⑥ 市区町村職員

　市区町村とは、自治体の人口の規模により、政令市・中核市・特例市・その他市、町、村、特別区などに分類されます。その規模によって行う事務の内容も変わります。

　採用後は原則として、定年まで1つの自治体内での勤務となるので転居を伴う異動はありません。

1　政令市の仕事内容

　政令指定都市は、一般的な市町村と同様に、住民に身近な住民サービスを提供する一方、政令によって都道府県が実施する事務の一部が委譲されています。例えば、都道府県に設置義務がある児童相談所を、政令指定都市も設置していたり、公立の小中学校の教員採用を独自に実施することもできます。都市計画に関する都道府県の権限の多くは、政令指定都市が実施しています。政令指定都市の場合、人口が50万人以上と多い上、財政基盤もしっかりしていることから、住民に身近な行政サービスから、地域の発展のための大規模な施策なども実施が可能です。

2　市町村

　日本では、戦後に制定された地方自治法により、住民に身近な行政はできる限り地方公共団体に委ねることが規定されました。このため、住民に身近な行政サービスの実施主体は、基本的には市町村です。みなさんに身近な戸籍や住民票に関する業務、道路や公園、緑地の管理、ごみ処理などは市町村が実施します。そのほかにも、法律によって市町村が主体となって取り組むものと定められているものとして、子育て支援や介護保険、国民健康保険、生活保護など、住民の生活に直接関係することなども挙げられます。住民の

健康増進のための取り組みや、住環境を整えること、身近な里山や水環境などの保全、防災組織の活性化なども業務の１つです。観光資源を活用して、地域を活性化させる計画を立てたり、スポーツ振興を行ったり、地域の特性に合わせた取り組みが実施されています。

3　特別区の仕事内容

　特別区は市町村と同じ基礎的自治体であり、異動は１つの区の中に限定されます。つまり、渋谷区の職員になれば渋谷区内だけ、新宿区に勤めれば新宿区内だけで働くことができるのです。東京都の職員のように東京都内のいろいろな分局や島に異動することはありません。ただ、基礎自治体なので仕事は窓口業務などが中心となります。また、他の市町村などと同様に図書館勤務や広報などの業務があります。東京都特別区の仕事の特徴として、他の自治体では福祉職員の仕事であるケースワークが通常の行政職員の仕事でもあるということです。ケースワークの対象者は一人暮らしの高齢者などであり、いわばこうした区内在住の方々を見守る仕事です。ケースワークには路上担当というものもあり、これは勤労意欲のある路上生活者の方の定住住所獲得から就職の支援までをワンストップで行う仕事です。このような業務は住民に直接的な支援を行うことができるため、大変やりがいのある仕事といえるでしょう。他に近時、最も外国人が増加しているのも東京の区部ですから、どこの区にも多文化共生課があります。これも特別区での主な業務の１つです。

1 - ⑦ 警察官・消防官

1 警察官の仕事内容

種　類	内　　容
地域警察	交番・駐在所を拠点として、地域住民の生活の安全と安心を守る。仕事内容は、地理案内・遺失物の取り扱い・自動車盗難処理をはじめ、パトロール中の不審者への職務質問や事件・事故の初動捜査など多岐にわたる。
警備警察	事件や事故が発生する前に、これらを防止することが使命。機動隊による警護・警戒警備など、治安の維持に関する仕事をしている。近年は警備活動だけでなく、交通対策や各警察署の支援活動も実施している。
交通警察	重大交通事故の防止と、安全で快適な交通社会の実現を目指す。仕事内容は、交通違反の取締り、祭りや行事の交通規制、交通事故の捜査、交通マナーの普及など。悪質運転や無謀運転にはパトロールカーや白バイを使って取り締まる。
刑事警察	凶悪犯罪や暴力団犯罪など、担当する事件区分ごとに分けられた課に所属して、捜査や犯人検挙を行う。地道な聞き込みや情報収集ができる強い精神力と体力、共同して捜査を遂行できる協調性が求められる。
生活安全警察	国民の生活安全を確保することが使命。具体的には、防犯活動や風俗営業関係・痴漢・ストーカーの取締り、拳銃・覚せい剤の摘発などを担当している。また、近年増加傾向にある少年犯罪についても、補導活動や少年相談などを行っている。
公安警察	極左や極右の非合法的活動に対する監視、外国人を含むスパイの摘発など、治安を守り、平和な日本を維持するのが使命。

種　類	内　容
指令業務活動	119番通報の受付や、災害通報地点の情報分析、出動部隊編成、消防・救急隊の出動指令などを行う。地域住民の声の窓口であり、消防のブレーン的存在である。
消火活動	ポンプ隊、救助隊、指揮隊の各部隊が連携を取りながら業務を遂行する。日々の肉体の鍛錬はもちろん、仲間の消防官とのチームワークが必要不可欠である。
救助活動	災害が発生した際に、最前線でその人命を救うのが、大きな使命の1つである。都市災害には特別救助隊(レスキュー隊)、大規模災害には消防救助機動部隊(ハイパーレスキュー)のように、状況に応じた適切な救助活動を行っている。
救急活動	早期の処置による救命率の向上のため、災害救急センターでは救急医療に精通した救急指導医が24時間体制で勤務し、全救急隊に配置された救急救命士が、救急措置として認められている医療行為を、救急隊指導医のもとに行っている。
国際消防活動	海外で起きた大規模災害にも対応できるよう、全国の消防本部に登録された隊員からなる国際消防救助隊を設置し、被災国の要請に応じた派遣活動をしている。また、技術支援や外国からの研修生の受け入れなども行っている。
火災予防活動	建築物の新築・増改築や用途変更の場合に、消防官が設計の段階から消化設備や防火対策に関する審査・指導を行っている。また、完成後も立ち入り検査による消防設備の維持管理の確認、火災予防違反などの是正に努めている。
指導広報業務	広報誌作成・発行や各種イベント、最近ではホームページなどを通じて、防災情報の提供や市民の防災意識強化を促している。
火災原因調査	建築・電気・化学・機械・心理など様々な分野の知識を駆使し、火災現場の状況見分や科学分析・鑑定などを行い、いろいろな角度から火災原因の解明に努めている。

1 − ⑧ 警察事務・学校事務

1 警察事務の仕事内容

　警察職員は、「警察官」、「事務職員」、「技術職員」の３つの職種から構成されています。「警察官」は個人の生命、身体及び財産の保護、犯罪の予防、鎮圧及び捜査、被疑者の逮捕、交通の取締などの現場で活躍します。それに対して「事務職員」は、警察署内における一般の方の対応、交通関係の窓口業務、各種統計の作成、予算編成及び執行、備品類の調達、各種施設の維持管理、遺失・拾得物の取扱事務、広報、情報管理、福利厚生など多岐にわたる業務を行っています。

　採用は、各都道府県警察において警察官とは別に警察事務での募集・採用試験を行っている場合が多く、一般的に試験日は地方上級と同じ日になっていることから、地方上級と併願することはできません。

2 学校事務の仕事内容

　学校事務職員は、公立小中学校において教材などの整備、学校職員の給与や出張旅費、財務会計を中心とした事務や学校外との連携などの学校運営に従事する地方公務員です。

　また、「学校事務職員」として採用される自治体と、「行政職」として採用され、学校事務職を配属先の１つとしている自治体があります。前者の場合は基本的に学校間で異動を行いますが、まれに教育委員会等の教育関係機関への異動も見られます。後者の場合は学校に限らず、都道府県庁や市役所・公立図書館や公立病院などの間でも異動が行われます。都道府県費負担教職員と市町村職員が両方配置されている学校も見られ、いずれも職務上公務員としての各種法令が適用されています。

1 - ⑨ 独立行政法人等職員

1 国立大学法人等職員の仕事内容

独立行政法人等職員は、国立大学法人や高等専門学校機構などの運営や教育・研究を支援する業務に携わります。採用先は、国立大学法人、歴史民俗博物館、人間文化研究機構事務局及び国文学研究資料館などの研究機関です。

国立大学法人制度では、大学の自主性・自律性に配慮する必要があります。そのため、他の独立行政法人制度では、法人の長の任命や中期目標は担当の大臣が（自由に）決める仕組みとなっていますが、国立大学法人制度では、学長の任命や中期目標の作成に大学の意見が十分反映される仕組みが導入されています。また、評価についても、大学の教育研究の評価を行う専門機関である「大学改革支援・学位授与機構」や、独立行政法人評価制度委員会とは別に置かれる「国立大学法人評価委員会」で行います。

2 独立行政法人職員

国立大学法人以外の独立行政法人で働く職員には、専門職・研究職などとともに一般事務職もありますが、これについては、

①独自に採用試験を行う

②国家公務員試験合格者から採用する

③所管の省庁からの出向で賄うため新規採用は行わない（行政執行法人）

というところがあります。①の独自の採用試験は、主として4月から6月頃に実施されることが多く、人気が高いのは、日本中央競馬会（JRA）、国際協力機構（JICA）、日本貿易振興機構（JETRO）などです。こうしたところは民間企業と併願で受ける者が多く、競争倍率はかなり高くなっています。

第1章 公務員とはどんなものなのか？

2 公務員の職種について

1 公務員の採用試験の区分

公務員の業務内容は採用試験の区分によって決まります。大きく分けると、行政系（事務系）、技術系、心理・福祉系、公安系、資格免許系に分けられます。

2 行政系（事務系）の業務内容

行政系（事務系）は書類整理のデスクワークが行政事務の中心となります。専門的な業務は次項以降に述べる技術系、心理・福祉系職員が行うことになりますが、行政系の職員が技術分野や心理・福祉分野に関与しないということではなく、そうした分野を含めて広く企画立案をしていくため行政系の職務範囲は非常に広いということになります。

3 技術系の業務内容

土木、建築、機械、電気・電子・情報、化学、物理、農学、水産、林業などの職種があり、大学などで学んだ知識を生かして問題を解決していくことになります。また、技官(※)として働く場合は専門分野に関する企画立案を行い、研究官として働く場合は県などが運営する研究所で新しい技術の開発、実験、調査などを行います。

※技官とは、国の行政機関において技術をつかさどる官職

LEC東京リーガルマインド 2025年版 1000人の合格者が教える公務員試験合格法　　23

4　心理・福祉系の業務内容

　地方公務員の場合、心理職は病院や児童相談所などで心理判定を行い、福祉職は福祉事務所や児童相談所などでケースワーカーとして働くことになります。

　国家公務員としては法務省、厚生労働省、警察庁などで採用されます。一例を挙げると、法務省保護局は各地方更生保護委員会および保護観察所で、罪を犯してしまった人たちの立ち直りを援助することがあります。

5　公安系の業務内容

　国家公務員としては、刑務官、入国警備官、皇宮護衛官としてそれぞれ刑務所内で被収容者の管理、出入国管理法に基づく外国人の調査、皇族の警護などを行います。

　地方公務員としては、町を守る交番の「お巡りさん」や刑事である警察官、火事などから人と町を守る消防官やレスキュー隊として街の安全を守る仕事です。

6　資格免許系の業務内容

　栄養士、保育士、保健師、獣医師、薬剤師、理学療法士、作業療法士、図書館司書など資格を生かして公務員として働く職種があります。受験に際し該当の資格（取得見込み可）が必要になります。他の職種に比べ採用数が少なく、採用試験が毎年行われるとは限らないため注意しましょう。

3 技術系公務員について

1 土木職の仕事内容

（国家総合職）

　採用先としては、国土交通省、農林水産省、経済産業省、総務省、文部科学省、環境省などが挙げられます。土木に関連する採用先省庁について取り上げます。

　国土交通省では、地方の出先機関（地方整備局、工事事務所等）や他の機関（県庁等）と本省を頻繁に行き来します。出先機関では港湾整備や河川事業、道路整備などインフラ整備や道路の路線決定、地元住民との交渉、業者への発注などの業務に携わります。

　農林水産省の外局の水産庁では、港湾海岸事業などの業務に携わります。

　環境省では、大気汚染防止法等の法律の企画、立案や改正、工場・事業所の排ガス規制など様々な業務に携わります。

　経済産業省では、技術関連施策、地球環境問題、資源エネルギー行政に携わり、数十億円規模の国家プロジェクトの企画立案に関わることもあります。また、事務系、技術系など採用時の受験区分に関係なく配属が行われるのも特徴です。

（国家一般職・地方公務員）

　国家一般職・土木区分に合格された方の採用先は、国土交通省、農林水産省、会計検査院、林野庁、気象庁などが挙げられます。

　国土交通省の出先機関である地方整備局では、河川、道路、港湾、空港、公園などのインフラ整備や管理などの業務に携わります。

　会計監査院では、技術系行政官として公共事業費などの検査において中心的な役割を果たします。

　都道府県をはじめとする自治体では、道路や公園などの設計・施工において、「コンサルタントの提出図面の調整、見積りの算出、民間業者に委託」と

いう一連の調整業務や、道路や公園などの維持・管理、再開発の指導など、まちづくりに関する様々な業務に携わります。

2　建築職の仕事内容

（国家総合職）

　採用先としては、国土交通省、農林水産省、経済産業省、総務省、文部科学省、環境省などが挙げられます。建築に関連する採用先省庁について取り上げます。

　国土交通省では、地方の出先機関（地方整備局、工事事務所等）や他の機関（県庁等）と本省を頻繁に行き来します。出先機関ではターミナルビルのメンテナンスや空港運営等の業務に携わります。

　環境省では、環境基本法に基づいて、大気汚染に関わる環境基準の策定や調査廃棄物・リサイクル問題に関連し、産業廃棄物の処理に関わる各種基準の設定等の業務に携わります。

（国家一般職・地方公務員）

　国家一般職・建築区分に合格された方の採用先は、国土交通省、経済産業省、文部科学省、防衛省などが挙げられます。

　国土交通省では、耐震性能、環境対策、ユニバーサルデザインなどの技術基準類を策定し、その基準類を地方へ普及させる業務を行います。

　文部科学省では、小中学校や教育施設など公立学校施設の老朽化対策のために、施設環境整備等多くの技術的な知識などの業務に携わります。

　都道府県をはじめとする自治体では、公共の建築物から都市という集合体までトータルでチェック、整備を行います。

　コミュニティー館などを新築する際には、基本計画から見積り、設計、工事監理等までトータルで携わります。まちづくりのマスタープランや条例づくりなどの業務にも携わります。

3 化学職の仕事内容

（国家総合職）

　採用先としては、環境省、厚生労働省、国税庁、特許庁などが挙げられます。

　環境省では、工場のばい煙の規制や空気中の様々な化学物質の濃度の調査などを行うとともに、環境保護事業の法制化などに携わります。

　厚生労働省では、国民の生命・健康に直結する政策の企画立案や遂行に携わります。危険な機械や作業・有害な化学物質、長時間労働で心身の健康を害することのないよう、労働者の安全と健康を守るために様々な規制を行い、企業に対して監督・指導を行います。

　国税庁では、酒税及び揮発油（ガソリン）税などについて、適正かつ公平な課税を実現するために、酒やガソリンについて、成分や製法が規格に適合しているかを判定する分析を行います。

　特許庁では、特許審査官として様々な具体的案件に対して特許権を付与するか否かの決定を行う審査業務や、特許情報の利用促進を図る情報部門や国際機関等との協力を担当する業務を行います。

（国家一般職・地方公務員）

　国家一般職・化学区分で採用された方の採用先は、経済産業省、税関などが挙げられます。

　経済産業省製造産業局の化学物質管理課では、新規に開発された化学物質のリスク評価などを行います。

　全国9か所にある税関では、輸出入貨物の化学的分析や不正薬物の鑑定などを行います。

　都道府県をはじめとする自治体では、環境保全や上下水道関係の関係部署において、地球温暖化の防止や資源循環型社会の構築をはじめ、環境保全に向けた企画立案や、大気汚染、水質汚濁、廃棄物などの問題に対する監視や調査・指導、試験研究など、主に環境問題に関する幅広い業務を行います。

（国家総合職）

採用先としては、ほとんどが農林水産省です。

農林水産省では、バイオマス資源の活用や有機農業・環境保全型農業の推進、農林水産業に関する技術開発の推進に関わる業務から、食品の製造・流通に対する各種の指導・監督と支援を行う一方で、米の生産調整や備蓄といった業務にも携わります。

食品産業に対する業務では、食の安全確保やコンプライアンスの徹底、環境・リサイクル対策の指導などの比重が高まっています。

また、不必要に貿易を妨げることなく、食品の安全や動植物の健康保護を目的として定められているルールがSPS協定ですが、そのSPS委員会（会議）に関する業務など、国際的な活躍の場もあります。

（国家一般職・地方公務員）

国家一般職の農業区分で合格された方のほとんどが農林水産省に採用されます。

農林水産省では食の安全の確保、食育の推進や農家の経営サポートなどの業務に従事します。地方農政局では地方へ先進性の高い農業を普及させる施策や、農山漁村の活性化の中心的な役割を担います。

自治体では、地元の農作物を全国にアピールする企画等に携わったり、実際にイベントを運営したりします。

また、農業試験場で施肥技術の研究などを行い、農業技術の推進と環境保全の両立を技術面で補佐します。

4 −① 心理系公務員について

1 国家総合職の仕事内容

　主な採用先は厚生労働省、法務省、警察庁(科学警察研究所)などです。

　法務省では矯正局・保護局での採用が主になります。法務省保護局で採用された場合、各地方更生保護委員会および保護観察所で、罪を犯してしまった人たちの立ち直りを援助するとともに、更生システムのあり方を検討していきます。保護観察所で保護観察官となった場合、観察処分となった少年の指導だけでなく、少年院仮退院後の少年の指導や、刑務所を仮釈放となった成人の指導、執行猶予者の指導なども行います。

　警察庁では、科学警察研究所での採用が主となります。警察の捜査は、刑事だけでなく鑑識活動、科学捜査も必要であり、そのための国の機関として科学警察研究所があります。犯罪捜査に関連する心理学、精神医学の研究などが業務となります。

2 法務省専門職員〜矯正心理専門職の仕事内容

　少年鑑別所や刑事施設(刑務所、少年刑務所及び拘置所)などに勤務することになります。少年鑑別所で勤務する場合には、少年に対して面接や各種心理検査を行い、知能や性格等の資質上の特徴、非行に至った原因、今後の立ち直りに向けた処遇上の指針等を明らかにするという資質鑑別に従事することになります。

　刑事施設に勤務する場合には、受刑者の改善更生を図るため、面接や各種心理検査を行い、知能や性格等の資質上の特徴、犯罪に至った原因、今後の処遇上の指針を明らかにしつつ、改善指導プログラムを実施したりカウンセリングを行ったりもしています。

3　法務省専門職員〜法務教官の仕事内容

　少年院や少年鑑別所などに勤務する専門職員です。幅広い視野と専門的な知識をもって、少年たちの個性や能力を伸ばし、健全な社会人として社会復帰させるために、きめ細かい指導・教育を行うことが主な仕事です。

　例えば、少年院で勤務する場合、健全な心身を培わせ、社会生活に適応するために必要な生活態度を習得するために、生活指導、教科教育、職業補導などの教育的な働きかけを行います。

　少年鑑別所で勤務する場合は、主に家庭裁判所から送致された少年について身柄を保護し、その資質の鑑別に役立てるため、面接や行動観察等を実施するほか、相談助言の業務等に従事します。

4　家庭裁判所調査官の仕事内容

　家庭裁判所調査官は、離婚や相続などの家庭内の紛争や少年事件を専門的に取り扱う家庭裁判所において、心理学・社会学・教育学・社会福祉学などの知識や技法を駆使して家庭内の紛争や少年の非行の原因などを調査する家事・少年問題のスペシャリストであり、家庭裁判所の判断にも大きな影響を与える存在です。

　例えば少年事件においては、少年の問題点を探したり、少年の更生に適した処遇を選択したり、裁判官の判断のもとになる少年調査票を作成したりすることが仕事の中心となります。

5　地方公務員の仕事内容

　主な業務内容としては、病院や児童相談所などで心理判定を行うことが挙げられます。

児童相談所

18歳未満の児童を対象に、発達、性格、行動、非行や児童虐待など様々な問題に対する相談に応じ、個々の児童や家庭にとって最も効果的と思われる援助を行う児童福祉行政の中心的機関です。必要に応じて関連機関と連携を取りつつ、心理診断やカウンセリングなどを行います。

精神保健福祉センター

精神疾患や障害を持つ方、薬物・アルコール依存症者などの心の悩みを抱える人々やその家族の相談や面接、心理検査を行います。

4 － ② 福祉系公務員について

1 国家総合職の仕事内容

　主な採用先は、法務省、厚生労働省、文部科学省などです。

　法務省では矯正局・保護局での採用が主になります。法務省保護局で採用された場合、各地方更生保護委員会および保護観察所で、罪を犯してしまった人たちの立ち直りを援助するとともに、更生システムのあり方を検討していきます。保護観察所で保護観察官となった場合、観察処分となった少年の指導だけでなく、少年院仮退院後の少年の指導や、刑務所を仮釈放となった成人の指導、執行猶予者の指導なども行います。

　厚生労働省職業安定局では、雇用の創出・安定を図り、雇用不安を払拭するための雇用対策の推進を行っています。雇用の安定、若年者の就職対策、離職者の再就職の促進、経済・産業構造の転換に対応した雇用機会の創出、労働力需給のミスマッチによる失業の解消、セーフティネットの整備などを目指します。

　文部科学省では、初等・中等教育における教育プログラムの改善や、高校・大学といった高等教育の質の向上、生涯学習の実現、社会教育の振興、男女共同参画の推進など、省の業務全般に携わることになります。

2 法務省専門職員～法務教官の仕事内容

　少年院や少年鑑別所などに勤務する専門職員です。幅広い視野と専門的な知識をもって、少年たちの個性や能力を伸ばし、健全な社会人として社会復帰させるために、きめ細かい指導・教育を行うことが主な仕事です。

　例えば、少年院で勤務する場合、健全な心身を培わせ、社会生活に適応するために必要な生活態度を習得するために、生活指導、教科教育、職業補導などの教育的な働きかけを行います。

　少年鑑別所で勤務する場合は、主に家庭裁判所から送致された少年について身柄を保護し、その資質の鑑別に役立てるため、面接や行動観察等を実施するほか、相談助言の業務等に従事します。

3　法務省専門職員〜保護観察官の仕事内容

　保護観察官は、犯罪をした人や非行のある少年が社会の中で自立できるよう、再犯・再非行の防止と社会復帰のための指導や援助を行います。

　主に地方更生保護委員会事務局や保護観察所で業務を行います。地方更生保護委員会に勤務した場合、刑務所や少年院に収容されている人々の仮釈放・仮退院の適否等について調査を行うことになります。一方、保護観察所に勤務した場合、裁判所の決定や仮釈放・仮退院により保護観察を受けることになった人々の処遇や、保護司など更生保護に協力してくれる民間の人々との連絡調整などの仕事に従事します。

4　家庭裁判所調査官の仕事内容

　家庭裁判所調査官は、離婚や相続などの家庭内の紛争や少年事件を専門的に取り扱う家庭裁判所において、心理学・社会学・教育学・社会福祉学などの知識や技法を駆使して家庭内の紛争や少年の非行の原因などを調査する家事・少年問題のスペシャリストであり、家庭裁判所の判断にも大きな影響を与える存在です。

　例えば少年事件においては、少年の問題点を探したり、少年の更生に適した処遇を選択したり、裁判官の判断のもとになる少年調査票を作成したりすることが仕事の中心となります。

　主な業務内容としては、福祉事務所や児童相談所などでケースワーカーとして働くことが挙げられます。

福祉事務所

　住民の生活を支える地方自治体の仕事のうち、社会福祉に関することを専門に行う第一線の機関が福祉事務所です。

　社会福祉全般に関する様々な問題に関して住民から相談を受け、面接や家庭問題などを通じて援護や保護、施設入所などの措置を行います。

　主な仕事としては以下の通りです。

(1)生活保護業務を担当して生活保護の新規申請受付や毎月の保護決定、生活保護受給者を定期的に訪問して相談、助言、指導

(2)身体障害者の相談、援助を担当して身体障害者手帳の交付や関連制度の紹介、在宅生活の支援や施設利用の相談

知的障害者施設

　障害を抱えた児童に対して関連機関とプロジェクトチームを組み、個別支援プログラムを作成、実行して実態の改善を図ります。

児童自立支援施設

　劣悪な家庭状況などの理由により保護されている児童の自立、生活支援を行います。

5 公務員の魅力について

民間企業と異なる公務員の魅力を厳選して8つ紹介します。

1 解雇のリスクが限りなくゼロに近い

新型コロナウィルスの感染拡大や巣籠り需要により売り上げを伸ばした会社もありましたが、一方で売り上げを大きく減少させた企業も多く見られました。また、見慣れた町並みの中でお店が閉店していくのも、昨今、日常的に目にすることの1つです。たとえ大企業といわれる企業であっても、業績不振による解雇のリスクと無縁ではありません。

しかし、公務員は、普通に働いている限り、解雇されるリスクはほぼゼロです。会社の売り上げが悪いらしいよ、会社大丈夫かな、などと心配しながら働く必要はありません。この安定性は何ものにも代えがたいと思う方もいるでしょう。

2 安定した収入

公務員の給与体系は、基本的に年功序列の体系をとっているため、勤続年数が増えるに従ってみな平等に昇給していきます。

民間企業の求人票には、その多くに初任給が掲載されています。しかし、民間企業の場合には、最初の賃金は高いがそこから昇給しない、ボーナスも景気によって支給額が左右される、場合によってはボーナスが支給されない、ということもあり得ます。

しかし、公務員であればボーナスも必ず支給されます。例えばマイホームのためのローンを組む際にも、将来の見通しが狂うことなく、計画的な人生設計が可能です。

3　ワークライフバランスを確保できる

　公務員には、一般的な民間企業よりも多くの有給休暇が付与されます。もちろん土日祝日の休みや夏季休暇、年末年始休暇もしっかりとることができるので、休みが欲しいと思いながら働いている方にとっては夢のような話です。また、年次有給休暇は付与される日数だけでなく、実際に権利を行使できるか、行使しても職場が当然のこととして受け入れてくれる環境があるのかどうかも重要ですが、その点も安心です。

　子どもや家族との時間を大事にしたい、趣味を生涯続けたい、など、ワークライフバランスを確保することが可能といえます。

4　福利厚生が充実している

　休暇や様々な手当以外にも、公務員の福利厚生は充実しています。

　例えば、共済組合というものがあります。共済組合は健康保険や年金の運営、宿泊施設の経営、福祉事業など、公務員を対象とする様々なサービスを提供しています。共済組合に加入すると、人間ドックや宿泊施設をお得に利用できたり、レジャー施設のチケットなどを安く購入したりすることもできるようです。こういった福利厚生が充実している点は非常に魅力的です。

5　男女関係なく活躍できる職場

　公務員の職場では女性の活躍が目立ちます。

　まず、選考段階から男女の別なく公正な試験が行われ、性別に関わらず、本人の能力と適性によって合否が決定します。また、育児休業も公務員の場合は3年取得することができます。男性の育児休業の取得も積極的に進められています。男性が育児休業を取得することのメリットは、その後の男性の育児参加率が上がる点にあるとも言われています。公務員同士の結婚も多いので、男性の育児参加率向上が見込まれることも女性が活躍していく上で重要な要素の1つといえるでしょう。

6　社会的な信用がある

　今まで見てきたように、公務員に関しては身分が保障されている（会社の業績不振による解雇などの心配がない）、収入が安定しているという特徴があります。これによってさらに「社会的な信用」が高いというメリットも享受できます。社会的信用が高いことによって、例えば、ローンが組みやすかったり、クレジットカードの審査に通りやすかったりということもあるようです。「親御さんがお子さんに将来就いてほしい職業」のアンケートを実施すると、多くの場合「公務員」が上位にランクインしているのも、社会的信用の高さを示しているといえるでしょう。

7　多岐にわたる業務に従事することでスキルアップできる

　公務員は一定の期間で部署を異動するので、多岐にわたる仕事に従事することができます。地方公務員はもちろんですが、国家公務員であっても1つの省庁に多くの部署と仕事があり、いろいろなことに挑戦したい人にはぴったりです。

　就職活動をする中で、自分には何がいったい向いているのだろう？と悩む方も多いと思いますが、公務員は、いろいろな仕事を経験しながら、ゼネラリストとして成長していくことができます。

8　スケールの大きな仕事に携わることができる

　最後にもう1つ重要な公務員のメリットは、スケールの大きな仕事に携わることができる点にあると思います。

　国家公務員の仕事は国内にとどまりません。環境問題やエネルギー問題、食糧問題、安全保障といった世界規模の課題に取り組むという、本当にスケールの大きな仕事に関与することができます。本府省での勤務なのか、はたまた地方の出先機関での勤務なのか、また本府省によっても一般職で採用

された方など、仕事内容は職種によって異なります。しかし、例えば経済産業省では、一般職で採用された方が国際的な会議に出席するなど、活躍の場は多岐にわたります。

5 － ① 公務員の年収について

1 国家公務員の年収

　人事院「令和5年国家公務員給与等実態調査」の結果によると、国家公務員の平均年収は600〜800万円程度です。しかし、すべての国家公務員がこの年収をもらえるわけではないことに注意してください。

　この年収数値は、あくまでもすべての国家公務員を平均して出した年収数値であり、年齢や職種は考慮に入れられていないためです。公務員は所属しているだけで毎年給料が上がっていきますから、若いうちの給料はこれらの年収より低くなります。また、国家公務員の月収は令和5年国家公務員給与等実態調査の結果によると、国家公務員の平均給与月額は412,747円です。

　公務員の給与は「俸給表」で定められており、俸給にボーナスを加えたものが公務員の給与となる計算です。「俸給」とは、職務の難しさや責任の度合いなど仕事内容に応じた給料のことです。国家公務員の場合なら、大卒の行政職員は「行政職俸給表（一）」、国税庁の職員など税金関係の業務を担当する職員は「税務職俸給表」を使います。税務職俸給表の場合、月収は428,330円となり平均を超えますが、行政職俸給表（一）の場合、月収は404,015円となり、平均を下回るのです。

国家公務員 行政職俸給表（一）の場合 （平均年齢：42.4歳 平均経験年数：20.3年）	
俸給（基本給）	322,487円
地域手当等	43,800円
俸給の特別調整額	12,688円
扶養手当	8,602円
住居手当	7,447円
その他	8,991円
平均給料月額	404,015円

（令和5年国家公務員給与等実態調査結果より）

2　地方公務員の年収

　総務省「令和4年地方公務員給与実態調査結果等の概要」によると、地方公務員のうち一般行政職の平均給与月額は平均年齢42.1歳で401,372円です。そのため年収は単純計算すると、ボーナス抜きで482万円です。

　ただし、ひとことに地方公務員といっても、都道府県などのいわゆる広域自治体から、市区町村などの基礎地自体まで様々です。人口50万人以上の政令指定都市は、規模が大きいため県の権限がある程度移され、行う業務も多くなります。地域内の人口が5万人以下であれば市ではなく町村と呼ばれ、その町や村役場の職員を務めるのも地方公務員です。政令指定都市の職員は県庁よりも年収が高くなりますが、市役所や町村役場になると県庁よりも給料が低くなります。

地方公務員						
	地方公共団体平均	都道府県	指定都市	特別区	市	町・村
平均年齢	42.1歳	42.6歳	41.8歳	40.3歳	42.0歳	41.3歳
平均給料月額	315,093円	320,171円	318,310円	297,359円	315,510円	301,252円
諸手当月額	86,279円	91,441円	113,278円	122,689円	79,365円	52,165円
平均給与月額	401,372円	411,612円	431,588円	420,048円	394,875円	353,417円

（令和4年地方公務員給与実態調査結果より）

3　賞与について

　公務員には給与のほかに、ボーナスに相当する賞与、期末手当・勤勉手当が毎年2回（6・12月）に支給されます。国家公務員の場合、賞与の額は給与の4.5か月分が支給されるため、平均として1,857,361円（412,747円×4.5か月）が支給されます。（令和6年度より4.5か月分に引き上げ）

　地方公務員の賞与は国家公務員の賞与額に連動しますが、実際は各地方自治体の人事規則をもとに定められており、その自治体にある民間企業のボー

ナスの額を加味して実際の支給額を決めることが多いです。令和4年の場合、各都道府県庁の平均支給額は1,615,953円となっています。自治体別にみると1位は東京都、47位は鳥取県となっており、その差額は40万円程度となっています。

4　民間企業と比較すると

　国税庁「令和4年分民間給与実態統計調査」によると、給与所得者数の平均給与は458万円となっています。男女別に見ると、平均給与は男性563万円、女性314万円となっており、男女の格差が著しいという民間企業の特徴が明らかになっています。

　平均年収で見れば公務員の給料は民間企業より高く、安定しているのが特徴です。ただし、あくまで平均年収なので、すべての公務員の年収が600万円を超えているわけではない点に注意しましょう。

5 - ② 公務員の給料の特徴について

1 民間企業に比べて安定している？

　現在の日本では、民間企業の正社員の給料も年功序列であることが多いですが、実際に挙げた業績も給料に大きく影響します。就職した当初から商品企画や販売促進等で業績を出していけば、同僚に大きく差をつけてどんどん昇進・昇給していくことも可能です。これが民間企業の特徴ともいえるでしょう。ただ、大抵は中高年になると頭打ちになってきて、この昇進・昇給のスピードが鈍ってくる、というような給料体系におけるカーブを描くことになります。

　これに対して、公務員の給料つまり基本給は、法律に書かれている俸給表によって決まっています。初任給や最初の昇進・昇給のスピードは民間企業に及びませんが、その後は階段状に着実に上がっていきます。この俸給表を見れば大体何歳でいくらくらいもらえて生涯年収がどれくらいになるかがわかる、という意味で公務員は安定している、といえるでしょう。

　地方公務員の場合も、事情はまったく同じで、きちんと条例で職員の給料額、手当額が定めてありますし、ほぼ国家公務員の場合に準拠、連動して決定されることになっていますから、やはり民間企業に比べて安定しているといえるでしょう。

2 ボーナスは年間で4.5か月分の月給！

　民間企業でのボーナスに相当する賞与は、期末手当、勤勉手当と呼ばれます。

　そして、国家公務員の賞与の額は、人事院という国の行政機関が、人事院勧告という形で給与の方針を示し、それに基づいて法律で決まります。この人事院勧告は、民間の給与実態を踏まえて増減の調整がなされるので、景気

変動の影響をある程度受けますが、その変動幅は小さいものに抑えられています。そして、賞与は給与の何か月分、という形で毎月の給与を基準に計算されます。したがって、給与が増えると賞与も連動して増えていく仕組みです。

令和5年の人事院勧告では、その賞与は給与の4.5月分とされています。2000年以降を見ると、リーマンショックの影響と東日本大震災が相次いだ2010年〜2013年にかけて3.95か月に設定された時期がありますが、ほぼ4.4か月前後で勧告がなされています。なお、地方自治体の賞与も、概ね人事院勧告に連動しています。

3　手厚い福利厚生

公務員の休暇には、年次休暇として年次有給休暇、有給、年休、それから病気休暇、特別休暇、介護休暇があります。有給は1年間に20日あります。特別休暇には、結婚休暇、出産休暇、忌引、ボランティア休暇、7月から9月までの連続3日間の夏季休暇があります。

国家公務員宿舎に関しては、財務省が保有管理している各府省合同宿舎が原則ですが、これとは別に各府省独自に宿舎を保有しているところもあります。また、テニスコートやプールなど各府省独自に福利厚生施設を充実させているところもあります。職場内でのクラブ活動、レクリエーション活動も活発になされています。

民間企業の場合、医療は健康保険、年金は厚生年金保険と分かれていますが、公務員の場合は、これらをまとめた共済組合というものがあります。共済の短期給付事業が医療などで、長期給付事業が年金です。各府省に共済組合が設置され、職員はこれに加入することになっています。この各府省の共済組合の連合体として国家公務員共済組合連合会があり、その直営の病院や各種宿泊・保養施設があり、組合員が優先的に使用できる仕組みです。地方公務員の場合も同様の共済制度があります。

4 公務員の退職金は？

　令和4年度内閣人事局発表の「国家公務員退職手当実態調査」によると、定年を迎えた国家公務員のうち常勤職員の退職金は、平均勤続年数35年11か月で平均2,112万2,000円、そのうち行政職員である行政職俸給表（一）適用者に限ると、平均勤続年数38年10か月で2,111万4,000円でした。

　長引く不況の中、民間企業では退職金そのものを廃止したり、毎月の給与に上乗せして支給するなど、退職時に必ず退職金が支給されるとは言い難い状況が生まれつつある中で、公務員の場合は、確実に退職金が支払われる制度となっており、退職後も安心できる環境だといえるでしょう。

5 公務員の各種手当とは？

　民間企業の場合、残業手当や休日出勤手当などの法律で決められている手当てもありますが、住居手当や賞与などは法律で定められていないため、支給するかどうか、いくら支給するかどうかは企業が決めてよいこととなっています。これに対して公務員の場合、住居手当や賞与などすべての手当ての内容・支給額は法律で決められています。

　国家公務員の手当ては以下の通りです。

国家公務員の諸手当	
生活補助給的手当	扶養手当、住居手当、通勤手当、単身赴任手当
地域給的手当	地域手当、広域異動手当、特地勤務手当、寒冷地手当
職務の特殊性に基づく手当	俸給の特別調整額、管理職員特別勤務手当、特殊勤務手当
時間外勤務等に対して支給する手当	超過勤務手当、休日給、夜勤手当、宿日直手当
賞与等に相当する手当	期末手当、勤勉手当
その他	本府省業務調整手当、初任給調整手当、専門スタッフ職調整手当、研究員調整手当

6　公務員の年収の推移は？

　公務員の給料は、年齢や勤続年数に比例して増えるのが特徴です。最近は、職員の士気向上の観点から、完全な年功序列ではなくて、部分的に業績連動制を導入する官公庁も増えてきましたが、基本的には年功序列で定められています。

　どこの官公庁かということによっても異なりますが、おおよそ以下のように推移しています。

　20代は約300万円から450万円超、最初のうちは民間企業に比べ低いといえるでしょう。

　30代は約500万円から600万円超、中堅どころですでに平均年収に近づいてきます。結婚や出産などのライフイベントもあり、出費も増える世代です。

　40代は約650万円から800万円超、公務員でもこれくらいの世代になると個人差が生じます。部課長など責任ある地位につくため収入もそれにふさわしいものになります。

　50代は約800万円から900万円超、20代の時と比べると倍近くになる例も少なくありません。役職も部局長など組織のトップ、またはそれに準ずる地位が多くなるため、それにふさわしい収入となります。

5 –③ 働きやすい職場環境について

1 男女関係なく活躍できる職場

　積極的な女性の登用が掲げられる中、公務員の職場環境での女性の活躍の場が広がってきています。出産育児などの女性特有のライフイベントの後でもそのまま職場に復帰をして、障害なく働くことができる環境が整っているのです。また、女性の重要ポストへの登用も増加しており、この先さらに男女の区別なくそれぞれ個人の能力によって活躍できる職場環境が期待できます。

増加傾向にある女性の採用数と女性への重要ポストへの登用

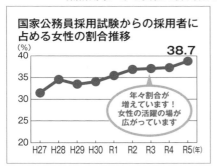

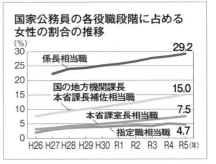

※参考資料：「女性国家公務員の採用状況のフォローアップ」内閣官房内閣人事局公表資料

2 ワークライフバランス

　ワークライフバランスとは「国民一人ひとりがやりがいや充実感を持ちながら働き、仕事上の責任を果たすとともに、家庭や地域生活などにおいても、子育て期、中高年期といった人生の各段階に応じて多様な生き方が選択・実現できること」を指します。このワークライフバランスの推進に取り組む行政では、公務員の働きやすい職場づくりを積極的に行っています。また、産

前産後休暇や介護休暇などの各々のライフステージに合わせた制度も充実しており、充実した私生活を送りながら働くことができます。

　公務員は妊娠・出産・子育てをしながら働きやすい環境が整っており、夫婦共働きの世帯が増加するという現代に見合った制度が確立されています。女性への支援制度だけではなく、男性に対しても休暇取得を積極的に勧めています。

● **主な制度**

産前産後休暇	産前6週間、産後8週間（女性のみ）
育児短時間勤務	子が小学校に就学まで勤務時間を1日4時間などに短縮
配偶者出産休暇	妻の出産に伴い2日間取得可能（男性のみ）
育児参加のための休暇	妻の産前・産後期間中に5日間取得可能（男性のみ）
育児休業	子が3歳になるまで取得可能

3 育児休業取得率も年々増加

　女性・男性共に育児休業の取得率が増加しています。男性は9.7ポイント増加となりました。女性はもちろんですが、男性も育児休業が取りやすく、家庭と仕事を両立できる職場です。

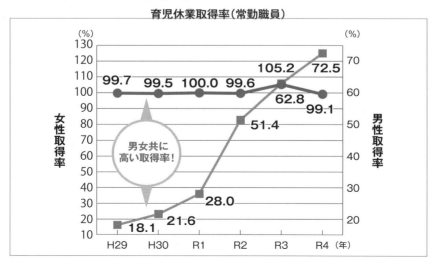

育児休業取得率（常勤職員）

参考資料：人事院「仕事と家庭の両立支援関係制度の利用状況調査（令和4年度）の結果について」

　配偶者出産休暇及び育児参加のための休暇（男性職員のみ対象）両休暇を合わせて5日以上使用した職員の割合は、令和3年に過去最高の87.1％となりました。

**配偶者出産休暇と育児参加のための休暇を合わせて
5日以上使用した常勤職員の割合**

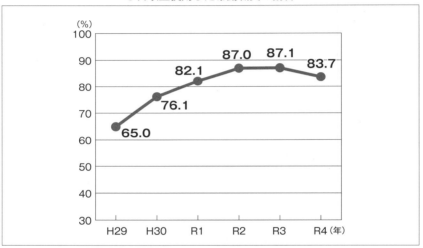

参考資料：人事院「仕事と家庭の両立支援関係制度の利用状況調査（令和4年度）の結果について」

　令和4年度に育児休業を終えた方の99.4％が職務に復帰しています。
　退職又は育児休業中に退職した方は、わずか0.6％とかなり少ない職場です。

第2章

職種ごとの
試験内容の紹介

1 国家総合職（大卒程度教養区分以外）

1 受験資格

①：21歳以上30歳未満の者
②：21歳未満の者で次に掲げる者
- (1) 大学（短期大学を除く）を卒業した者及び試験の実施年度の3月までに大学を卒業する見込みの者
- (2) 人事院が(1)に掲げる者と同等の資格があると認める者

2 出題科目一覧

[2024年度]

試験	試験種目	解答数・時間	配点比率	内　容
第1次試験	基礎能力試験（多肢選択式）	30題 2時間20分	2/15	公務員として必要な基礎的な能力（知能及び知識）についての筆記試験 知能分野24題　文章理解⑩、判断・数的推理（資料解釈を含む。）⑭ 知識分野6題　自然・人文・社会に関する時事、情報⑥
	専門試験（多肢選択式）	40題 3時間30分	3/15	各試験の区分に応じて必要な専門的知識などについての筆記試験（出題分野及び出題数は後述の通り）
第2次試験	専門試験（記述式）	2題 3時間	5/15	
	政策論文試験	1題 2時間	2/15	政策の企画立案に必要な能力その他総合的な判断力及び思考力についての筆記試験
	人物試験		3/15	人柄、対人的能力などについての個別面接
英語試験				外部英語試験のスコアを程度に応じて加算（詳しくはP.62）

※2024年度より、試験の区分や試験問題の出題分野が変更になりました。
（注）1　第1次試験は、基礎能力試験、専門試験の順に実施します。

2　第2次試験（2024年の場合4月14日（日）の筆記試験）の際、人物試験の参考とするため、性格検査を行います。
3　工学区分の専門試験（記述式）は選択科目によって解答題数が1題又は2題となります。
4　合格者の決定方法の詳細については、国家公務員試験採用情報ＮＡＶＩを御覧ください。

3　試験日程

(1)【2024年度のスケジュール】

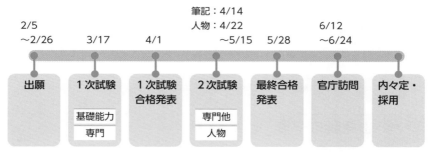

※2024年度は2023年度より試験時期が早まりました。必ず受験案内を確認してください。

2 国家総合職（教養区分）

1 受験資格

①：19歳以上30歳未満の者※

②：19歳未満の者で次に掲げる者

（1） 大学（短期大学を除く）を卒業した者及び試験の実施年度の3月までに大学を卒業する見込みの者

（2） 人事院が(1)に掲げる者と同等の資格があると認める者

※教養区分は2023年度試験から、受験可能年齢の下限が引き下げられました。

2 出題科目一覧

[2024年度]

試験	試験種目	解答数・時間	配点比率	内　容
第1次試験	総合論文試験	2題 4時間	8/28	幅広い教養や専門的知識を土台とした総合的な判断力、思考力についての筆記試験 Ⅰ：政策の企画立案の基礎となる教養・哲学的な考え方に関するもの　1題 Ⅱ：具体的な政策課題に関するもの　1題
	基礎能力試験 （多肢選択式）	Ⅰ部24題 2時間 Ⅱ部30題 1時間30分	Ⅰ部 3/28 Ⅱ部 2/28	公務員として必要な基礎的な能力（知能及び知識）についての筆記試験 Ⅰ部：知能分野　文章理解⑩、判断・数的推理（資料解釈を含む。）⑭ Ⅱ部：知識分野　自然・人文・社会（時事を含む。）、情報㉚。

第2次試験	企画提案試験	Ⅰ部1題 1時間30分 Ⅱ部 おおむね 30分	5/28	企画力、建設的な思考力及び説明力などについての試験 Ⅰ部：政策概要説明紙（プレゼンテーションシート）作成 　　　課題と資料を与え、解決策を提案させる Ⅱ部：プレゼンテーション及び質疑応答 　　　プレゼンテーションシートの内容について試験官に説明、その後質疑応答を受ける
	政策課題 討議試験	おおむね 1時間30分 （うちグループ討議時間は45分）	4/28	課題に対するグループ討議によるプレゼンテーション能力やコミュニケーション力などについての試験
	人物試験		6/28	人柄、対人的能力などについての個別面接
英語試験				外部英語試験のスコアを程度に応じて加算（詳細はP.62）

3　試験日程

(1)【2024年度のスケジュール】

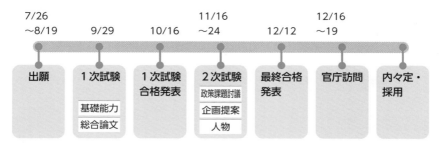

7/26 ～8/19	9/29	10/16	11/16 ～24	12/12	12/16 ～19	
出願	1次試験 基礎能力 総合論文	1次試験 合格発表	2次試験 政策課題討議 企画提案 人物	最終合格 発表	官庁訪問	内々定・ 採用

3 | 国家総合職（院卒者）（法務区分含む）

1 | 受験資格

［院卒者試験］（法務区分を除く）

30歳未満の者で次に掲げる者

(1) 大学院の修士課程又は専門職大学院の課程を修了した者及び試験実施
年の3月までに修了する見込みの者

(2) 人事院が(1)に掲げる者と同等の資格があると認める者

【院卒者試験】（法務区分）

30歳未満の者で次に掲げる者

(1) 法科大学院の課程を修了した者であって司法試験に合格した者

(2) 試験実施年の3月までに法科大学院の課程を修了する見込みの者で
あって司法試験に合格した者

(3) 司法試験予備試験に合格した者であって司法試験に合格した者

2　出題科目一覧

【院卒者試験】（法務区分を除く）

［2024年度］

試験	試験種目	解答数・時間	配点比率	内　容
第1次試験	基礎能力試験（多肢選択式）	30題 2時間20分	2/15	公務員として必要な基礎的な能力（知能及び知識）についての筆記試験 知能分野24題　文章理解⑩、判断・数的推理（資料解釈を含む。）⑭ 知識分野6題　自然・人文・社会に関する時事、情報⑥
第1次試験	専門試験（多肢選択式）	40題 3時間30分	3/15	各試験の区分に応じて必要な専門的知識などについての筆記試験（出題分野については後述）
第2次試験	専門試験（記述式）	2題 3時間	5/15	
第2次試験	政策課題討議試験	おおむね1時間30分	2/15	課題に対するグループ討議によるプレゼンテーション能力やコミュニケーション力などについての試験
第2次試験	人物試験		3/15	人柄、対人的能力などについての個別面接
英語試験				外部英語試験のスコアを程度に応じて加算（詳細はP.62）

【院卒者試験】（法務区分）

［2024年度］

試験	試験種目	解答数・時間	配点比率	内　容
第1次試験	基礎能力試験（多肢選択式）	30題 2時間20分	2/7	公務員として必要な基礎的な能力（知能及び知識）についての筆記試験 知能分野24題　文章理解⑩、判断・数的推理（資料解釈を含む。）⑭ 知識分野6題　自然・人文・社会に関する時事、情報⑥
第2次試験	政策課題討議試験	おおむね1時間30分	2/7	課題に対するグループ討議によるプレゼンテーション能力やコミュニケーション力などについての試験
第2次試験	人物試験		3/7	人柄、対人的能力などについての個別面接
英語試験				外部英語試験のスコアを程度に応じて加算（詳細はP.62）

3 　試験日程

(1)【2024年度のスケジュール】

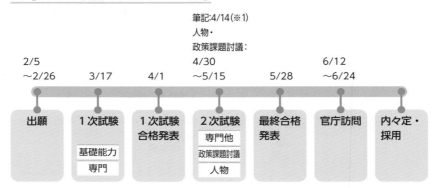

※2024年度は2023年度より試験時期が早まりました。必ず受験案内を確認してください。

（※1）法務区分を除く

国家総合職専門科目一覧・試験の特徴

1 専門科目一覧

[2024年度試験より一部抜粋]

区分	専門試験（多肢選択式）	専門試験（記述式）
行政	次の選択　Ⅰ、Ⅱ、Ⅲ、Ⅳからいずれかを選択し解答 〔選択Ⅰ　政治・国際系　55題出題　40題解答〕 必須問題 政治学⑩、国際関係⑩、憲法⑤の計25題 選択問題 行政学⑤、国際事情③、国際法⑤、行政法⑤、民法（担保物権、親族及び相続を除く。）③、経済学③、財政学③、経済政策③の30題から任意の計15題解答 〔選択Ⅱ 人文系　55題出題 40題解答〕 必須問題 政治学・国際関係・憲法⑤、思想・哲学④、歴史学④、文学・芸術③、人文地理学・文化人類学②、心理学①、教育学③、社会学③の計25題 選択問題 思想・哲学⑥、歴史学⑥、文学・芸術⑥、人文地理学・文化人類学②、心理学③、教育学③、社会学④の30題から任意の計15題解答 〔選択Ⅲ　法律系　49題出題　40題解答〕 必須問題 憲法⑦、行政法⑫、民法⑫の計31題 選択問題 商法③、刑法③、労働法③、国際法③、経済学・財政学⑥の18題から任意の計9題解答 〔選択Ⅳ　経済系　46題出題　40題解答〕 必須問題 経済理論⑯、財政学・経済政策⑤、経済事情⑤、統計学・計量経済学⑤の計31題 選択問題 経済史・経済事情③、国際経済学③、経営学③、憲法③、民法（担保物権、親族及び相続を除く。）③の15題から任意の計9題 解答	選択問題　2題 次の17科目から2科目選択 　政治学、行政学、国際関係②、公共政策②、思想・哲学②、歴史学②、文学・芸術②、憲法、行政法、民法、商法、刑法、民事訴訟法、国際法、経済理論、財政学、経済政策 （注）国際関係、思想・哲学、歴史学、文学・芸術、公共政策を含む選択をする場合にあっては、1科目又は2科目

（※行政区分は院卒のみ実施）

区分	専門試験（多肢選択式）	専門試験（記述式）
政治・国際・人文	次のコースＡ、Ｂからいずれかを選択し解答 〔コースＡ 政治・国際系〕 55題出題 40題解答 必須問題 政治学⑩、国際関係⑩、憲法⑤の計25題 選択問題 行政学⑤、国際事情③、国際法⑤、行政法⑤、民法（担保物権、親族及び相続を除く ）③、経済学③、財政学③、経済政策③の30題から任意の計15題解答。 〔コースＢ 人文系〕 55題出題 40題解答 必須問題 政治学・国際関係・憲法⑤、思想・哲学④、歴史学④、文学・芸術③、人文地理学・文化人類学②、心理学①、教育学③、社会学③の計25題 選択問題 思想・哲学⑥、歴史学⑥、文学・芸術⑥、人文地理学・文化人類学②、心理学③、教育学③、社会学④の30題から任意の計15題解答	次のコースＡ、Ｂからいずれかを選択し解答 〔コースＡ 政治・国際系〕 選択問題 ２題 次の６科目から２科目選択 　政治学、行政学、憲法、国際関係②、国際法、公共政策② （注）国際関係又は公共政策を選択する場合にあっては、１科目又は２科目 〔コースＢ 人文系〕 選択問題 ２題 次の３科目から１科目又は２科目選択 　思想・哲学②、歴史学②、文学・芸術②
法律	49題出題　40題解答 必須問題 憲法⑦、行政法⑫、民法⑫の計31題 選択問題 商法③、刑法③、労働法③、国際法③、経済学・財政学⑥の18題から任意の計９題解答	選択問題　２題 次の５科目から２科目選択 　憲法、行政法、民法、国際法、公共政策② （注）公共政策からは１題のみ選択可。
経済	46題出題　40題解答 必須問題 経済理論⑯、財政学・経済政策⑤、経済事情⑤、統計学・計量経済学⑤の計31題 選択問題 経済史・経済事情③、国際経済学③、経営学③、憲法③、民法（担保物権、親族及び相続を除く。）③の15題から任意の計９題解答	必須問題　１題 経済理論 選択問題　１題 次の３科目から１科目選択 　財政学、経済政策、公共政策②

（※政治・国際・人文、法律、経済の３区分は大卒程度のみ実施）

区分	専門試験（多肢選択式）	専門試験（記述式）
人間科学	105題出題　40題解答 〔Ⅰ部　5題〕 　人間科学に関する基礎［人間科学における調査・分析に関する基礎、人間科学における行政的問題を含む。］ 〔Ⅱ部　15題〕 次の選択Ａ、Ｂ（各15題）から一つを選択 選択Ａ　心理系 　人間の資質及び行動並びに人間関係の理解に関する心理学的基礎（心理学史、生理、知覚、学習等）⑪、心理学における研究方法に関する基礎④ 選択Ｂ　教育・福祉・社会系 　教育学、福祉及び社会学に関する基礎⑫、教育学、福祉及び社会学における調査・分析に関する基礎③ 〔Ⅲ部　20題〕 次の14科目（各5題）から4科目を選択、計20題解答 　認知心理学、臨床心理学、教育環境学、教育心理学、教育経営学、教育方法学、社会福祉総論、社会福祉各論、福祉計画論、地域福祉論、社会学（理論）、社会学（各論）、社会心理学、現代社会論	選択問題　2題 次の6題から2題選択 　心理学に関連する領域②［人間の資質及び行動並びに人間関係の理解に関する心理学的基礎、行政的な課題・社会的事象について、心理学的な視点から論述するもの］、 　教育学、福祉及び社会学に関連する領域①、 　教育学に関連する領域①、 　福祉に関連する領域①、 　社会学に関連する領域① （注）同じ領域から2題選択可。
デジタル	63題出題40題解答 必須問題 　基礎数学⑩、情報基礎⑦、情報と社会③の計20題 選択必須問題 次の17題から10題以上を選択解答 　計算機科学③、情報工学（ハードウェア）⑤、情報工学（ソフトウェア）⑤、情報技術④ 選択問題 選択問題と選択必須問題の合計解答数が20題となるように次の26題から選択解答 　線形代数、解析、確率・統計⑧、数学モデル、オペレーションズ・リサーチ、経営工学⑤、電磁気学②、電気工学③、電子工学③、通信工学③、制御工学②	選択問題　2題 次の6題から2題選択 　情報工学（ハードウェア）② 　情報工学（ソフトウェア）② 　計算機科学① 　情報技術① （注）同じ科目から2題選択可

区分	専門試験（多肢選択式）	専門試験（記述式）
工学	155題出題　40題解答 必須問題 　工学に関する基礎［数学及び物理の基礎的な知識に基づく工学的手法の応用能力を問うもの等］の計20題 選択問題 次の27科目（各5題）から4科目、5科目又は6科目を選択し、その20〜30題のうちから任意の計20題解答 1．技術論［技術の歴史、技術と社会との関連等］、 2．基礎化学、3．工学基礎実験、4．情報基礎、 5．電磁気学、6．電気工学、7．材料力学［機械系］、 8．流体力学［機械系］、 9．構造力学（土木）・土木材料・土木施工、 10．土質力学・水理学、 11．環境工学（土木）・衛生工学、 12．構造力学（建築）、 13．建築構造・建築材料・建築施工、 14．計測工学・制御工学、 15．電子工学、16．通信工学、17．機械力学、 18．熱力学・熱機関［機械系］、19．土木計画、 20．建築計画・建築法規・建築設備、 21．建築史・都市計画、 22．材料工学（材料科学）［材料物理、材料化学］、 23．材料工学（金属材料・無機材料）、 24．原子力工学（原子核・放射線）、 25．原子力工学（原子炉・核燃料サイクル）、 26．船舶海洋工学（流体）［船体復原性、船体抵抗・推進、船体運動］、 27．船舶海洋工学（構造）［船体強度・振動、船舶設計・艤装］ （注）8（流体力学［機械系］）と10（土質力学・水理学）の同時選択不可。7（材料力学［機械系］）と9（構造力学（土木）・土木材料・土木施工）と12（構造力学（建築））の3科目のうち、2科目又は3科目の同時選択不可。	選択問題1題又は2題 解答題数 ア．1（建築設計）又は2（都市設計）を選択する場合は、その1科目（1題）のみを選択解答 イ．ア以外の場合は、2科目から各1題、計2題を選択解答 1．建築設計、2．都市設計、3．計測工学、4．制御工学、5．電磁気学・電気回路、6．電気機器、7．電力工学、8．電子工学、9．通信工学、10．信頼性工学、11．材料力学［機械系］、12．機械力学、13．流体力学［機械系］、14．熱力学・熱機関［機械系］、15．航空工学、16．構造力学（土木）、17．土質力学、18．水理学、19．土木計画、20．環境工学（土木）・衛生工学、21．材料工学（材料科学）［材料物理、材料化学］、22．材料工学（金属材料）、23．材料工学（無機材料）、24．原子力工学（原子核・放射線）、25．原子力工学（原子炉・核燃料サイクル）、26．船舶海洋工学（流体）［船体復原性、船体抵抗・推進、船体運動］、27．船舶海洋工学（構造）［船体強度・振動、船舶設計・艤装］ （注1）11（材料力学［機械系］）と16（構造力学（土木））の同時選択不可。13（流体力学［機械系］）と18（水理学）の同時選択不可。19（土木計画）と20（環境工学（土木）・衛生工学）の同時選択不可。

区分	専門試験（多肢選択式）	専門試験（記述式）
化学・生物・薬学	106題出題　40題解答 必須問題 　基礎数学、基礎物理、基礎化学、基礎生物学の計10題 選択問題 次の16科目（各6題）から5科目又は6科目を選択し、その30〜36題のうちから任意の計30題解答 1. 数学・物理、2. 基礎物理化学・基礎無機化学、 3. 物理化学・無機化学、4. 有機化学、 5. 工業化学・化学工学、6. 分析化学・薬化学、 7. 薬理学、8. 薬剤学・衛生化学、9. 食品学、 10. 土壌肥料学・環境科学・農薬、 11. 生化学・分子生物学、 12. 応用微生物学・生物工学、 13. 発生生物学・生理学、 14. 細胞生物学（形態学を含む。）・放射線生物学、 15. 遺伝学・進化学、 16. 生態学（動物行動学を含む。）・系統分類学	選択問題　2題 次の科目から19題出題、任意の2題選択 　物理化学、無機化学、有機化学、分析化学、化学工学、薬化学、薬理学、薬剤学、食品学、土壌肥料学・農薬、生化学、分子生物学・生物工学、応用微生物学、発生生物学、生理学、細胞生物学（形態学を含む。）、遺伝学、生態学（動物行動学を含む。） （注）同じ科目から2題選択可
農業科学・水産	140題出題　40題解答 Ⅰ部　5題 　生物資源に関する基礎（生物資源科学、食料事情、統計学） Ⅱ部　10題 次の選択A、B（各10題）から一つを選択 選択A　農業科学系 　農業科学に関する基礎（農業・畜産業、生物学に関する基礎） 選択B　水産系 　水産学に関する基礎 Ⅲ部　25題 次の23科目（各5題）から5科目選択し、計25題解答 1. 作物学、2. 園芸学、3. 育種遺伝学、4. 植物病理学、 5. 昆虫学、6. 土壌肥料学・植物生理学、7. 経済学、 8. 農業資源経済学（基礎）、9. 農業資源経済学（応用）、 10. 農業経営学、 11. 食料政策・農業政策・農業関係法律、 12. 家畜育種学、13. 家畜繁殖学、14. 家畜生理学、 15. 家畜飼養学・家畜栄養学・飼料学・家畜管理学、 16. 畜産一般（畜産物生産・畜産物加工・畜産物流通）、 17. 水産経済学・水産経営学、18. 漁政、 19. 漁業学・水産資源学、 20. 水産海洋学・水産環境保全、 21. 水産生物学・増養殖学、22. 水産化学・水産利用学、 23. 水産一般（水産物生産・水産物加工・水産物流通）	選択問題　2題 次の20科目（各1題）から2科目選択 　1. 作物学、2. 園芸学、3. 育種遺伝学、4. 植物病理学、5. 昆虫学、6. 農業資源経済学、7. 農業経営学、8. 食料政策・農業政策、9. 家畜育種学、10. 家畜繁殖学、11. 家畜生理学、12. 家畜飼養学・家畜栄養学・飼料学・家畜管理学、13. 漁業学、14. 水産資源学、15. 水産海洋学、16. 水産環境保全、17. 水産生物学、18. 増養殖学、19. 水産化学、20. 水産利用学

2 　国家総合職試験の特徴

　教養区分以外の国家総合職試験において、1次・2次試験で実施される専門科目試験の配点が高いことが特徴です。まず、専門試験の対策をしっかり行う必要があります。特に2次試験で行われる専門試験は論述式なので、過去問等でレベル感を確認し、しっかりと対策を行う必要があります。

　教養区分を含めて基礎能力試験のレベルも高くなっています。特に数的処理はすべての公務員試験の中で1番難しいので、しっかりと対策を立てることが求められます。

　院卒者試験及び教養区分試験では政策課題討議試験が、大卒程度試験では政策論文試験があります。どちらも対策なしでは突破が難しいです。仲間や予備校などを利用し、討議の練習や論文の添削を受けることが必要です。

　英語の資格試験の加点(15点加算または25点加算)を狙う場合には国家総合職試験の対策と両立することは困難ですので、大卒程度試験を受験予定ならば3年生までに、院卒者試験を受験予定ならば修士1年までには必要なスコアの取得を目指しましょう。

　また、官庁訪問の準備として受験前年に行われる説明会や現職の職員との座談会(省庁により異なる)には積極的に出席しておきましょう。

3 　英語試験について(国家総合職共通)

　すべての試験区分において、試験実施年度の4月1日から遡って5年前の日以後に受験したTOEFL(iBT)、TOEIC L&R(名称変更前のTOEICテストを含む。公開テストに限る。)、IELTS、実用英語技能検定(英検)の4種類の英語試験のスコア等を有する受験者には、最終合格者決定の際に、スコア等に応じて、総得点に15点又は25点を加算します。

	TOEFL(iBT)	TOEIC L&R TEST	IELTS	実用英語技能検定(英検)
15点加算	65以上	600以上	5.5以上	―
25点加算	80以上	730以上	6.5以上	準1級以上

4 国家一般職

1 受験資格

①：21歳以上30歳未満の者
②：21歳未満の者で次に掲げる者
　(1)　大学・短期大学・高等専門学校を卒業した者及び試験の実施年度の3月までに大学を卒業する見込みの者
　(2)　人事院が(1)に掲げる者と同等の資格があると認める者

2 出題科目一覧

[2024年度]

| 試験 | 試験種目 | 解答数・時間 | 配点比率 | | | 内　容 |
			行政区分	建築区分	それ以外の区分	
第1次試験	基礎能力試験（多肢選択式）	30題 1時間50分	2/9			公務員として必要な基礎的な能力（知能及び知識）についての筆記試験 知能分野24題　文章理解⑩、判断推理⑦、数的推理④、資料解釈③ 知識分野6題　自然・人文・社会に関する時事、情報⑥
	専門試験（多肢選択式）	建築以外の区分 40題3時間	4/9	—	4/9	各試験の区分に応じて必要な専門的知識などについての筆記試験（出題分野及び出題数は後述の通り）
		建築区分 33題2時間	—	2.5/9	—	
	一般論文試験	行政区分 1題1時間	1/9	—	—	文章による表現力、課題に関する理解力などについての短い論文による筆記試験

第1次試験	専門試験 （記述式）	建築区分 1題2時間	—	2.5/9	—	各試験の区分に応じて必要な専門的知識などについての筆記試験
		行政・建築以外 の区分 1題1時間	—	—	1/9	
第2次試験	人物試験			2/9		人柄、対人的能力などについての個別面接

※2024年度より、基礎能力試験の出題数や出題分野が変更になりました。

3　試験日程

(1)【2024年度のスケジュール】

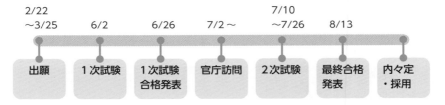

(2) 官庁訪問について

　官庁訪問は事前予約制の省庁がほとんどで、1次試験合格発表日の午前9時以降に予約がスタートします。2024年度は7月2日午前9時から訪問開始となります。

　訪問形式は、従来すべて対面型のみで行われていましたが、最近ではオンラインによる官庁訪問も行われています。

4 国家一般職専門科目一覧

[2024年度]

区分	専門試験（多肢選択式）	専門試験（記述式）
行政	80題出題　40題解答 次の16科目（各5題）から8科目を選択し、計40題解答 　政治学、行政学、憲法、行政法、民法（総則及び物権） 　民法（債権、親族及び相続）、ミクロ経済学、マクロ 　経済学、財政学・経済事情、経営学、国際関係、社 　会学、心理学、教育学、英語（基礎）、英語（一般）	
デジタル・電気・電子	44題出題　40題解答 必須問題 　工学に関する基礎⑳、情報・通信工学（理論）⑧、 　電磁気学・電気回路・電気計測・制御・電気機器・ 　電力工学⑧ 選択問題　次の選択A、Bから一つを選択 選択A：情報工学（プログラミング）④ 選択B：電子工学・電子回路④	必須問題　1題 電気・電子・通信・情報工学に関連する領域
機械	40題出題　40題解答 工学に関する基礎⑳、材料力学④、機械力学④、 流体力学④、熱工学④、機械設計・機械材料・機械工作④	必須問題　1題 機械工学に関連する領域
土木	40題出題　40題解答 工学に関する基礎⑳、構造力学（土木）・水理学・土質力学・測量⑪、土木材料・土木設計・土木施工③、土木計画④、環境工学（土木）・衛生工学②	必須問題　1題 土木工学に関連する領域
建築	33題出題　33題解答 工学に関する基礎⑳、構造力学（建築）・建築構造④、建築材料・建築施工②、環境工学（建築）・建築設備③、建築史・建築計画・建築法規・都市計画④	必須問題　1題 建築設計製図
物理	50題出題　40題解答 必須問題 　物理［物理数学を含む基礎的な物理］㉚ 選択問題　20題から10題選択 　応用物理［現代物理等］⑩、地球物理⑩	必須問題　1題 物理に関連する領域
化学	44題出題　40題解答 必須問題 　数学・物理⑨、物理化学・分析化学・無機化学・有機化学・工業化学㉗ 選択問題　8題から4題選択 　生物化学④、化学工学④	必須問題　1題 化学に関連する領域

区分	専門試験（多肢選択式）	専門試験（記述式）
農学	40題出題　40題解答 栽培学汎論⑦、作物学⑦、園芸学⑦、育種遺伝学③、植物病理学③、昆虫学③、土壌肥料学・植物生理学④、畜産一般③、農業経済一般③	必須問題　1題 農学に関連する領域
農業農村工学	40題出題　40題解答 数学③、水理学④、応用力学④、土壌物理・土質力学②、測量②、農業水利学・土地改良・農村環境整備⑬、農業造構・材料・施工⑦、農業機械②、農学一般③	必須問題　1題 農業農村工学に関連する領域
林学	40題出題　40題解答 林業政策⑦、林業経営学⑦、造林学⑪、林業工学④、林産一般⑥、砂防工学⑤	必須問題　1題 林学に関連する領域

5　国家一般職試験の特徴

　基礎能力試験・専門試験ともに、国家総合職ほどではありませんが、問題の難易度がほかの試験に比べて高いです。行政職など専門科目（多肢選択式）で科目選択ができる区分では、選択する科目については細部まで学習することが必要です。

　併願先の出題科目を事前に調べ、出題が重複する科目を選ぶことがカギとなります。

5 国税専門官

1 受験資格

①：21歳以上30歳未満の者
②：21歳未満の者で次に掲げる者
  (1)　大学（短期大学を除く。以下同じ）を卒業した者及び試験の実施年度の
　　　3月までに大学を卒業する見込みの者
  (2)　人事院が(1)に掲げる者と同等の資格があると認める者

2 出題科目一覧

[2024年度]

試験	試験種目	解答数・時間	配点比率	内　容	
第1次試験	基礎能力試験（多肢選択式）※1	30題 1時間50分	2/9	公務員として必要な基礎的な能力（知能及び知識）についての筆記試験 知能分野24題　文章理解⑩、判断推理⑦、数的推理④、資料解釈③ 知識分野6題　自然・人文・社会に関する時事、情報⑥	
	専門試験（多肢選択式）※2	40題 2時間20分	3/9	〔A区分〕 58題出題、40題解答 必須　16題 民法・商法⑧会計学（簿記を含む。）⑧ 選択　次の7科目 42題から4科目 24題を選択 憲法・行政法⑥、経済学⑥、財政学⑥、経営学⑥、政治学・社会学・社会事情⑥、英語⑥、商業英語⑥	〔B区分〕 58題出題、40題解答 必須　16題 基礎数学⑫、民法・商法②、会計学② 選択　次の42題から24題選択 情報数学・情報工学⑩、統計学⑥、物理⑧、化学⑥、経済学⑥、英語⑥

第1次試験	専門試験 （記述式）	1題 1時間20分	2/9	〔A区分〕憲法、民法、経済学、会計学、社会学から1科目選択 〔B区分〕科学技術に関連する領域から必須1題
第2次試験 ※3	人物試験		2/9	人柄・対人的能力などについての個別面接
	身体検査		※4	主として一般内科系検査

※1 2024年度より、基礎能力試験の出題数や出題分野が変更になりました。
※2 国税専門A（法文系）・国税専門B（理工・デジタル系）で出題科目が異なります。
※3 第2次試験の際、人物試験の参考とするための性格検査を行います
※4 合否判定のみを行います。

3　試験日程

【2024年度のスケジュール】

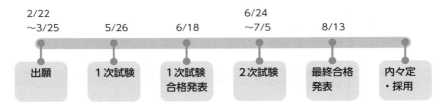

2/22〜3/25	5/26	6/18	6/24〜7/5	8/13	
出願	1次試験	1次試験合格発表	2次試験	最終合格発表	内々定・採用

4　国税専門官試験の特徴

　2023年度から国税専門官採用試験は、国税専門Aと国税専門Bの2つの区分に分かれました。両区分ともに他の公務員試験ではあまり課されない会計学や商法が必須科目となっているのが特徴です。

　さらにB区分は、理工・デジタル系の方向けの区分となっており、理数系の基礎知識などを問う問題が多く出題されます。

　両区分とも専門試験（多肢選択式・記述式）の配点が高くなっていますので、特別な対策が必要になります。

6 財務専門官

1 受験資格

①：21歳以上30歳未満の者
②：21歳未満の者で次に掲げる者
　(1)　大学・短期大学・高等専門学校を卒業した者及び試験の実施年度の3月までに大学を卒業する見込みの者
　(2)　人事院が(1)に掲げる者と同等の資格があると認める者

2 出題科目一覧

[2024年度]

試験	試験種目	解答数・時間	配点比率	内容
第1次試験	基礎能力試験（多肢選択式）※1	30題 1時間50分	2/9	公務員として必要な基礎的な能力（知能及び知識）についての筆記試験 知能分野24題　文章理解⑩、判断推理⑦、数的推理④、資料解釈③ 知識分野6題　自然・人文・社会に関する時事、情報⑥
	専門試験（多肢選択式）	40題 2時間20分	3/9	76題出題、40題解答 必須 2科目28題（憲法・行政法、経済学・財政学・経済事情） 選択 次の8科目48題（各6題）から2科目12題選択 民法・商法、統計学、政治学・社会学、会計学（簿記を含む。）、経営学、英語、情報数学、情報工学
	専門試験（記述式）	1題 1時間20分	2/9	憲法、民法、経済学、財政学、会計学から1科目選択
第2次試験	人物試験 ※2		2/9	人柄・対人的能力などについての個別面接

※1 2024年度より、基礎能力試験の出題数や出題分野が変更になりました。
※2 第2次試験の際、人物試験の参考とするため性格検査を行います。

3 試験日程

【2024年度のスケジュール】

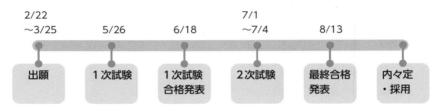

4 財務専門官試験の特徴

　財務専門官試験は、国税専門官試験や労働基準監督官試験と同日に行われますので、基礎能力試験は共通のものになっています。

　ただし、専門試験の科目はほかの２つと大きく異なります。財務専門官試験の大きな特徴は、専門試験(多肢選択式)の必須科目部分です。憲法・行政法で14題(うち憲法６題・行政法８題)、経済学・財政学・経済事情で14題(経済学６題・財政学６題・経済事情２題)という構成になっています。法律系科目と経済系科目が両方、かつ同数必須となっており、これだけで全体の解答数(40題)の７割という高い比率を占めています。特に行政法が８問というのは公務員試験全体を見渡してもかなり出題数が多く、さらにこの行政法の中には例年「国有財産法」からの出題があるなど、財務専門官以外の試験ではほぼ見られないものもあります。

　必須科目であるため避けては通れず、また受験者層のレベルも高いため、これらの専門科目は特に重点的に対策する必要があるでしょう。

7 労働基準監督官

1 受験資格

①：21歳以上30歳未満の者
②：21歳未満の者で次に掲げる者
　(1)　大学（短期大学を除く。以下同じ）を卒業した者及び試験の実施年度の
　　　3月までに大学を卒業する見込みの者
　(2)　人事院が(1)に掲げる者と同等の資格があると認める者

2 出題科目一覧

[2024年度]

試験	試験種目	解答数・時間	配点比率	内　容
第1次試験	基礎能力試験（多肢選択式）※1	30題1時間50分	2/7	公務員として必要な基礎的な能力（知能及び知識）についての筆記試験 知能分野24題　文章理解⑩、判断推理⑦、数的推理④、資料解釈③ 知識分野6題　自然・人文・社会に関する時事、情報⑥
	専門試験（多肢選択式）※2	40題2時間20分	3/7	〔A区分〕 48題出題、40題解答 必須　12題 労働法⑦、労働事情（就業構造、労働需給、労働時間・賃金、労使関係）⑤ 選択　次の36題から28題選択 憲法、行政法、民法、刑法⑯、経済学、労働経済・社会保障、社会学⑳ 〔B区分〕 46題出題、40題解答 必須　8題 労働事情（就業構造、労働需給、労働時間・賃金、労使関係、労働安全衛生）⑧ 選択　次の38題から32題選択 工学に関する基礎（工学系に共通な基礎としての数学、物理、化学）㊳

				〔A区分〕：2題出題、2題解答 労働法①、労働事情(就業構造、労働需給、労働時間・賃金、労使関係)①
第1次試験	専門試験 (記述式)	2題 2時間	2/7	〔B区分〕：4〜6題出題、2題解答 必須　工業事情　1題 選択　工学に関する専門基礎(機械系、電気系、土木系、建築系、衛生・環境系、応用化学系、応用数学系、応用物理系等の工学系の専門工学に関する専門基礎分野)から3〜5題出題し、うち1題選択
第2次試験 ※3	人物試験		※4	人柄・対人的能力などについての個別面接
	身体検査		※4	主として一般内科系検査

※1 2024年度より、基礎能力試験の出題数や出題分野が変更になりました。
※2 労働基準監督A(法文系)、労働基準監督B(理工系)で出題科目が異なります。
※3 第2次試験の際、人物試験の参考とするため性格検査を行います。
※4 人物試験及び身体検査においては、合否の判定のみを行います。

3　試験日程

【2024年度のスケジュール】

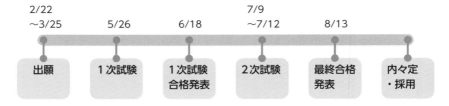

2/22〜3/25	5/26	6/18	7/9〜7/12	8/13	
出願	1次試験	1次試験合格発表	2次試験	最終合格発表	内々定・採用

4　労働基準監督官試験の特徴

　労働基準監督官採用試験は労働基準監督A(法文系)と労働基準監督B(理工系)に分かれています。

　A区分は労働法・労働事情が、B区分は労働事情が必須問題となっていることが大きな特徴です。

　いずれにせよ専門試験の配点が高く、他の試験では見られない分野からの出題が多いのでしっかりとした対策が必要です。

8 裁判所事務官（総合職）

1 受験資格

〈院卒者〉

①：30歳未満の者で大学院の修士課程又は専門職大学院の課程を修了した者及び試験の実施年度の３月までに修了する見込みの者

②：最高裁判所が①に掲げる者と同等の資格があると認める者

〈大卒程度〉

①：21歳以上30歳未満の者

②：21歳未満の者で次に掲げる者

(1) 大学を卒業した者及び試験の実施年度の３月までに大学を卒業する見込みの者

(2) 最高裁判所が(1)に掲げる者と同等の資格があると認める者

2 出題科目一覧

[2024年度]

試験	試験種目	解答数・時間	配点比率	内　容
第1次試験	基礎能力試験（多肢選択式）	30題 2時間20分	2/15	公務員として必要な基礎的な能力（知能及び知識）についての筆記試験 知能分野24題　知識分野6題
	専門試験（多肢選択式）	30題 1時間30分	2/15	裁判所事務官に必要な専門的知識などについての筆記試験 必須　憲法 7題、民法13題 選択　刑法又は経済理論10題 ※4
第2次試験	論文試験（小論文）※1	1題 1時間	―	文章による表現力、課題に対する理解力などについての筆記試験 1題 ※特例希望者のみ

		1題1時間		憲法 ※1
第2次試験	専門試験（記述式）※3	2題2時間	4/15	民法　刑法（各科目1題）
		1題1時間		民事訴訟法　刑事訴訟法（各科目1題出題のうち、院卒者区分のみ1題解答）
	政策論文試験（記述式）	1題 1時間30分	1/15	組織運営上の課題を理解し、解決策を企画立案する能力などについての筆記試験
	人物試験		※2	人柄、資質、能力などについての個別面接
第3次試験	人物試験		6/15	人柄、資質、能力などについての集団討論及び個別面接

※1 第2次試験専門試験（記述式・憲法）及び同論文試験（小論文）は、第1次試験日に実施します。
※2 第2次試験の合否判定のみに利用します。
※3 裁判所事務官（院卒者区分／大卒程度区分）に必要な専門的知識などについての筆記試験
※4 2025年実施の試験より　必須：憲法10題、民法10題、
　　　　　　　　　　　　　　選択：刑法又は経済理論又は行政法から1科目（10題）に変更予定

3　試験日程

【2024年度のスケジュール】

4　特例制度について

　受験の申込みに際して、特例を希望して、総合職試験（裁判所事務官、院卒者区分・大卒程度区分）の各試験種目を有効に受験すると、同試験に加え、一般職試験（裁判所事務官、大卒程度区分）の受験者としても合否判定を受け

ることができます。

　総合職試験（裁判所事務官、院卒者区分・大卒程度区分）において不合格となった場合には一般職試験（裁判所事務官、大卒程度区分）の有効受験者として扱われ、改めて一般職試験（裁判所事務官、大卒程度区分）の受験者としての合否判定を受けることができます。

9 裁判所事務官（一般職）

1 受験資格

①：21歳以上30歳未満の者
②：21歳未満の者で次に掲げる者
 (1) 大学・短期大学・高等専門学校を卒業した者及び試験の実施年度の3
    月までに大学を卒業する見込みの者
 (2) 最高裁判所が(1)に掲げる者と同等の資格があると認める者

2 出題科目一覧

[2024年度]

試験	試験種目	解答数・時間	配点比率	内　容
第1次試験	基礎能力試験 （多肢選択式）	30題 2時間20分	2/10	公務員として必要な基礎的な能力（知能及び知識）についての筆記試験 知能分野24題　知識分野6題
	専門試験 （多肢選択式）	30題 1時間30分	2/10	裁判所事務官に必要な専門的知識などについての筆記試験 必須　憲法 7題、民法 13題 選択　刑法又は経済理論 10題（※2）
第2次試験	論文試験 （小論文）　※1	1題 1時間	1/10	文章による表現力、課題に対する理解力などについての筆記試験 1題
	専門試験 （記述式）　※1	1題 1時間	1/10	裁判所事務官（大卒程度区分）に必要な専門的知識などについての筆記試験 憲法 1題（※3）
	人物試験		4/10	人柄、資質、能力などについての個別面接

※1 第2次試験専門試験（記述式）及び同論文試験（小論文）は、第1次試験日に実施します。
※2 2025年実施の試験より　必須：憲法10題、民法10題、
　　　　　　　　　　　　　　　選択：刑法又は経済理論又は行政法から1科目（10題）に
　　　　　　　　　　　　　　　　　　変更予定
※3 2025年実施の試験より記述式の「憲法」が課されなくなる予定

3　試験日程

【2024年度のスケジュール】

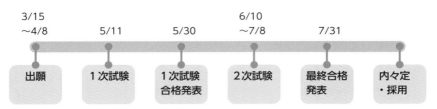

4　裁判所事務官（総合職・一般職）試験の特徴

　専門科目は法律科目が中心です。多肢式試験は憲法・民法が必須で、刑法か経済理論を選択します。裁判所職員以外を併願する場合、刑法より経済理論を選択することをおすすめします。理由としては刑法が10問も出題される試験種はないが、経済理論は他の試験種でも出題されるため、経済理論を選択するほうが勉強を効率化できるためです。

　総合職では専門試験（記述式）の配点比率が高いので、法律科目学習を中心に行う必要があります。

　総合職・一般職ともに人物試験（面接）の配点が4割あるので、比率が非常に高いといえます。面接対策も筆記試験の対策と併せて行うことをおすすめします。

　最後に、総合職試験を受ける場合には特例制度を使用して一般職も併願することができますので、「裁判所で働きたい」という思いが強い方は出願時に忘れずに手続きを行いましょう。

10 家庭裁判所調査官補

1 受験資格

〈院卒者〉

①：30歳未満の者で大学院の修士課程又は専門職大学院の課程を修了した者及び試験の実施年度の３月までに修了する見込みの者

②：最高裁判所が①に掲げる者と同等の資格があると認める者

〈大卒程度〉

①：21歳以上30歳未満の者

②：21歳未満の者で次に掲げる者

(1) 大学を卒業した者及び試験の実施年度の３月までに大学を卒業する見込みの者

(2) 最高裁判所が(1)に掲げる者と同等の資格があると認める者

2 出題科目一覧

[2024年度]

試験	試験種目	解答数・時間	配点比率	内　容
第1次試験	基礎能力試験 （多肢選択式）	30題 2時間20分	4/15	公務員として必要な基礎的な能力（知能及び知識）についての筆記試験 知能分野24題　知識分野6題
第2次試験	専門試験 （記述式）	2題 2時間	4/15	家庭裁判所調査官補に必要な専門的知識などについての筆記試験　次の５領域から出題される15題のうち選択する２題 心理学に関する領域（3題） 教育学に関する領域（3題） 福祉に関する領域（3題） 社会学に関する領域（2題） 法律学に関する領域（民法2題、刑法2題）

第2次試験	政策論文試験（記述式）	1題 1時間30分	1/15	組織運営上の課題を理解し、解決策を企画立案する能力などについての筆記試験
	人物試験Ⅰ ※		2/15	人柄、資質、能力などについての個別面接
	人物試験Ⅱ ※		4/15	人柄、資質、能力などについての集団討論及び個別面接

※人物試験Ⅰ及び人物試験Ⅱは同日に実施されます。

3　試験日程

【2024年度のスケジュール】

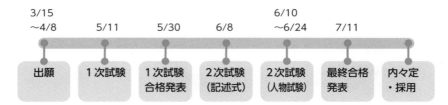

| 3/15〜4/8 | 5/11 | 5/30 | 6/8 | 6/10〜6/24 | 7/11 | |
| 出願 | 1次試験 | 1次試験合格発表 | 2次試験（記述式） | 2次試験（人物試験） | 最終合格発表 | 内々定・採用 |

4　家庭裁判所調査官補試験の特徴について

　専門試験は多肢式試験が実施されず、記述式試験のみです。記述式試験では知識が曖昧な状態では答案が書けず、得点に結びつきません。したがって、専門試験の対策としては、どの領域を選択するかを決めてから選択した科目については深く学習する必要があります。

　また、教養試験の比率が他の裁判所職員に比べて高いため、教養試験の対策にも時間を十分に割いてほしいです。出題数の8割が知能分野となるため、数的処理・文章理解の学習を中心に行ってください。

　最後に、人物試験についてですが、家庭裁判所調査官の職務の性質上重要となりますので、配点比率も高いです。円滑なコミュニケーションが取れるように面接対策だけではなく日ごろから人と話す機会を多く持つよう心がけてください。

1 矯正心理専門職A及び矯正心理専門職B

①：21歳以上30歳未満の者

②：21歳未満の者で次に掲げる者

　⑴　大学（短期大学を除く。以下同じ）を卒業した者及び試験の実施年度の
　　3月までに大学を卒業する見込みの者

　⑵　人事院が⑴に掲げる者と同等の資格があると認める者

③：①又は②に該当する者のうち、矯正心理専門職Aは男子、矯正心理専門
　職Bは女子に限る。

2 法務教官A及び法務教官B

①：21歳以上30歳未満の者

②：21歳未満の者で次に掲げる者

　⑴　大学・短期大学・高等専門学校を卒業した者及び試験の実施年度の3
　　月までに大学を卒業する見込みの者

　⑵　人事院が⑴に掲げる者と同等の資格があると認める者

③：①又は②に該当する者のうち、法務教官Aは男子、法務教官Bは女子に
　限る。

3 保護観察官

①：21歳以上30歳未満の者

②：21歳未満の者で次に掲げる者

　⑴　大学・短期大学・高等専門学校を卒業した者及び試験の実施年度の3
　　月までに大学を卒業する見込みの者

　⑵　人事院が⑴に掲げる者と同等の資格があると認める者

2 出題科目一覧

[2024年度]

試験	試験種目	解答数・時間	配点比率			内容
			矯正心理専門職	法務教官	保護観察官	
第1次試験	基礎能力試験（多肢選択式）※1	30題 1時間50分	2/11	2/10	2/10	公務員として必要な基礎的な能力（知能及び知識）についての筆記試験 知能分野24題 文章理解⑩、判断推理⑦、数的推理④、資料解釈③ 知識分野6題 自然・人文・社会に関する時事、情報⑥
	専門試験（多肢選択式）	40題 2時間20分	3/11	3/10	3/10	法務省専門職員（人間科学）として必要な専門的知識などについての筆記試験 【矯正心理専門職区分】60題出題 必須問題 心理学に関連する領域⑳ 選択問題 次の40題から任意の計20題選択 心理学、教育学、福祉及び社会学に関する基礎（心理学⑩、教育学⑩、福祉⑩、社会学⑩） 【法務教官区分、保護観察官区分】40題出題 心理学、教育学、福祉及び社会学に関する基礎（心理学⑩、教育学⑩、福祉⑩、社会学⑩）

第1次試験	専門試験 （記述式）	1題 1時間45分	3/11	3/10	3/10	法務省専門職員（人間科学）として必要な専門的知識などについての筆記試験 【矯正心理専門職区分】 心理学に関連する領域1題出題 【法務教官区分、保護観察官区分】 選択問題　次の領域から1題ずつ計4題出題、任意の1題選択 心理学に関連する領域、教育学に関連する領域、福祉に関連する領域、社会学に関連する領域
第2次試験	人物試験 ※2	―	3/11	2/10	2/10	人柄、対人的能力などについての個別面接 （矯正心理専門職区分：心理臨床場面において必要になる判断力等についての質問も含む。）
	身体検査・身体測定【矯正心理専門職区分・法務教官区分】	―	※3	※3		主として一般内科系検査及び、視力についての測定

※1 2024年度より、基礎能力試験の出題数や出題分野が変更になりました。

※2 第2次試験の際、人物試験の参考にするため、性格検査を行います。

※3 合格判定のみ実施

- 次に該当する者は不合格となります（保護観察官区分を除く。）。
  裸眼視力がどちらか1眼でも0.6に満たない者
  （ただし、両眼で矯正視力が1.0以上の者は差し支えない。）

3 試験日程

【2024年度のスケジュール】

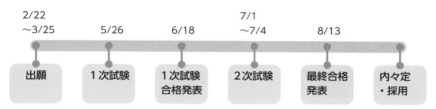

2/22
〜3/25　出願

5/26　1次試験

6/18　1次試験合格発表

7/1
〜7/4　2次試験

8/13　最終合格発表

内々定・採用

4 法務省専門職員（人間科学）試験の特徴

　矯正心理専門職・法務教官は、A・Bがそれぞれ男子・女子の採用区分となっています。例年、A（男子）の採用数のほうがB（女子）の採用数より多く、1次試験・最終合格の最低合格点はAのほうが低くなっています。

　また、3つの区分とも多肢式・記述式を合わせた専門試験の配点率が高い（6割程度）ことが特徴です。専門試験の対策を中心に試験対策を進めてください。特に、矯正心理専門職区分は専門試験に出題される科目の中で心理学の比重が他の2区分に比べて高いです。

　教養試験は他の国家専門職（国税専門官・労働基準監督官など）と共通の問題が使われるので、数的処理・文章理解の知能系科目を中心に勉強を進めてください。

　面接では、職務内容についてしっかり答えられるように少年鑑別所や少年院などの施設見学（施設参観）を事前に行い、現場のイメージをつかんでおくとよいでしょう。

12 地方上級（都道府県・政令市）

1 受験資格

①：21歳以上30歳未満の者※

②：21歳未満の者で次に掲げる者

(1) 大学（短期大学を除く。以下同じ）を卒業した者及び試験の実施年度の3月までに大学を卒業する見込みの者

(2) 人事委員会が(1)に掲げる者と同等の資格があると認める者

※自治体や職種によって年齢・学歴・資格の制限は異なります。例えば、大学卒業または卒業見込みを要件にするところもあります。

2 出題科目一覧

千葉県上級試験の場合

[2024年度]

試験	試験種目	解答数・時間	配点比率 ※1	内　容
第1次試験	教養試験（択一式）※2	40題 2時間	100点	〈必須〉25問 社会一般、文章理解（英語含む。）、判断推理、数的処理、資料解釈 〈選択〉25問中、15問を選択 法律、政治、経済、世界史、日本史、地理、数学、物理、化学、生物、地学
	専門試験（択一式）※3	40題 2時間	100点	（一般行政A）50問出題。このうち任意に40問を選択して解答する。※1
				（農業）50問出題。40問解答。このうち25問は必須解答とし、残り25問から任意に15問を選択して解答する。※1
				（その他）40問出題。全問解答する。※1
	論文試験（記述式）	1題 1時間30分	100点	各試験職種の課題についての判断力、専門的知識、文章による表現力、文章構成力その他の能力についての筆記試験

第2次試験	人物試験 （個別面接） ※4		400点	主として人柄・性向等についての個別面接による試験（評定項目：積極性、堅実性、社会性、職務適性等）
	適性検査			職員として職務遂行上必要な素質・性格についての検査

試験種目、出題数、時間、配点などは自治体により異なるので受験予定先の試験要綱で確認してください。

※1 1次試験は教養試験・専門試験の合計200点で判断されます。2次試験は論文試験と人物試験の合計500点で判断されます。教養試験・専門試験の得点は2次試験の判断には用いられません。

※2 千葉県では、2024年実施の試験より、技術系は教養試験が課されなくなりました。

※3 専門試験の出題科目は次頁に記載。専門試験が記述式になる自治体（例として東京都）などもあります。

※4 千葉県では、集団面接・集団討論は実施していません。

---

3 試験日程

千葉県（上級試験）の場合

【2024年度のスケジュール】

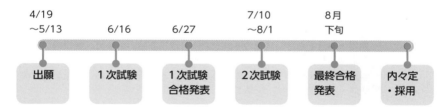

4/19 ～5/13	6/16	6/27	7/10 ～8/1	8月 下旬	
出願	1次試験	1次試験合格発表	2次試験	最終合格発表	内々定・採用

　日程についても、4月に早期選考を行う自治体や、10月以降に秋期選考を行う自治体があります。また、職種によって日程が異なる場合もあるので受験予定先の要綱で確認してください。

[2024年度]

区分	専門試験（択一式）
一般行政A	政治学、行政学、憲法、行政法、民法、刑法、労働法、経済学、財政学、経営学、社会政策、国際関係
心理	一般心理学（心理学史、発達心理学、社会心理学を含む。） 応用心理学（教育心理学・産業心理学・臨床心理学） 調査・研究法、統計学
児童指導員	社会福祉概論（社会保障を含む。）、社会学概論、心理学概論（社会心理学を含む。）、社会調査
農業	必須解答　栽培学汎論、作物学、園芸学、農業経済一般、農業政策 選択解答　育種遺伝学、植物病理学、昆虫学、土壌肥料学、植物生理学、畜産一般、食品化学、食品加工、人間工学、農村計画
林業	森林政策・森林経営学、造林学（森林生態学、森林保護学を含む。）、林業工学、林産一般、砂防工学
水産	水産事情・水産経済・水産法規、水産環境科学、水産生物学、水産資源学、漁業学、増養殖学、水産化学、水産利用学
畜産	家畜育種学、家畜繁殖学、家畜生理学、家畜飼養学、家畜栄養学、飼料学、家畜管理学、畜産物利用学、畜産経営一般
農業土木	数学、応用力学、水理学、測量、土壌物理、農業水利・土地改良・農村環境整備、農業土木構造物、材料・施工、農業機械、農学一般
土木	数学・物理・情報、応用力学、水理学、土質工学、測量、都市計画、土木計画、材料・施工
建築	数学・物理・情報、構造力学、材料学、環境原論、建築史、建築構造、建築計画、都市計画、建築設備、建築施工
化学	数学・物理・情報、物理化学、分析化学、無機化学・無機工業化学、有機化学・有機工業化学、化学工学
電気	数学・物理、電磁気学・電気回路、電気計測・制御、電気機器・電力工学、電子工学、情報・通信工学
機械	数学・物理・情報、材料力学、流体力学、熱力学、電気工学、機械力学・制御、機械設計、機械材料、機械工作
獣医師	基礎獣医学、病態獣医学、応用獣医学、臨床獣医学
薬剤師	物理・化学・生物、衛生、薬理、薬剤、病態・薬物治療、法規・制度、実務
保健師	公衆衛生看護学、疫学、保健統計学、保健医療福祉行政論

5 地方上級（都道府県・政令市）試験の特徴について

　自治体により、試験の科目や時間などが異なるのが地方上級試験の特徴です。また、最近は早期選考枠などを設け地方上級試験の統一日程である6月下旬から日程をずらして選考を行う自治体も増えています。この場合、6月下旬の選考と早期日程の併願を認めない自治体が多いので、どちらで受けるかはよく考えて受験しましょう。1次試験についてもSPIを使う方式や、専門科目を課さない方式を新設する自治体が増えてきているので、民間就活との並行がしやすくなってきています。

　また、どの自治体でも人物試験の配点が大きくなっているので面接対策が大きなポイントになります。特に、政令市などは出願の際に身上書と一緒に面接カードの提出を求めるところが多いです。したがって、出願期限の1か月か1か月半前から面接カードに記載する事項を作り始めましょう。

　試験問題のレベルは国家一般職程度ですので、出題される問題は易しくはありません。過去数年分の採用試験実施結果を見て1次試験の倍率を確認しましょう。1次試験で3倍程度以上の倍率に絞り込む自治体では、特に学科試験の対策をしっかり行いましょう。一方、1次試験の倍率が2倍以下の自治体では2次以降の人物試験でかなり絞り込まれるので、人物対策に重点を置きましょう。

13 市役所（上級試験）

1 受験資格

① : 21歳以上30歳未満の者※
② : 21歳未満の者で次に掲げる者
 (1) 大学（短期大学を除く。以下同じ）を卒業した者及び試験の実施年度の
  3月までに大学を卒業する見込みの者
 (2) 人事委員会が(1)に掲げる者と同等の資格があると認める者

 ※自治体や職種によって年齢・学歴・資格の制限は異なります。例えば、大学卒業また
 は卒業見込みを要件にするところもあります。特に年齢制限については上限が27～35
 歳程度と大きな幅があるので、必ず受験予定の自治体の要綱を確認しましょう。

2 出題科目一覧

市役所C日程（9月）の場合　　　　　　　　　　　　　　　[2023実施例]

試験	試験種目	解答数・時間	内　容
第1次試験	教養試験 （択一式）	40題 2時間	社会一般、文章理解（英語含む。）、判断推理、数的処理、資料解釈、人文科学、社会科学、自然科学 ※1
	専門試験 （択一式）	40題 2時間	各職種に応じた職務上必要な知識を問う試験 ※2
第2次試験	論文試験 （記述式）	1題 1時間	各試験職種の課題についての判断力、専門的知識、文章による表現力、文章構成力その他の能力についての筆記試験 ※3
	人物試験		主として人柄・性向等についての個別面接による試験（評定項目：積極性、堅実性、社会性、職務適性等）※4
	適性検査		職員として職務遂行上必要な素質・性格についての検査

 試験種目、出題数、時間、配点などは自治体により異なるので、受験予定先の試験要綱
で確認してください。
※1　SPIやその他Webテストを使用する自治体もあります。
※2　行政（一般事務）の場合は専門試験を実施しない自治体もあります。実施する場合の

出題科目については⓾地方上級（都道府県・政令市）を参照してください。
※3 論文試験を実施しない自治体もあります。
※4 個別面接に加え、集団討論（グループワークを含む。）・集団面接を実施する自治体もあります。

3 試験日程

市役所試験は大きく分けて4つの日程で実施されています。
A日程（6月）B日程（7月）C日程（9月）D日程（10月）
※近年では独自日程採用も増えています。

市役所C日程（9月）の場合

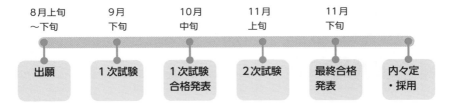

8月上旬〜下旬	9月下旬	10月中旬	11月上旬	11月下旬	11月下旬
出願	1次試験	1次試験合格発表	2次試験	最終合格発表	内々定・採用

4 市役所（上級）試験の特徴

　出題科目・選考過程が自治体ごとに異なり多岐にわたります。まずは受験を検討している自治体の採用試験の実施状況を調べるところから始めるとよいでしょう。最近では民間就職活動と併願しやすいようにSPI、SCOAなどを採用している自治体も増えています。また、採用予定数も年度により大きく変動します。行政（一般事務）については多くの自治体で毎年採用がありますが、それ以外の区分では数年に1度または採用自体を行わないこともあります。行政以外の区分で受験を考えている方は、過去数年分の実施状況を確認し、試験が行われているかを確認することをおすすめします。
　最後に、市役所は人物試験重視の傾向が強いです。しっかりと面接対策を行う必要があります。特に志望動機は、「なぜその自治体を志望したのか？」面接官を納得させられる答えができるように準備をしましょう。

14 警察官

1 受験資格

警視庁警察官Ⅰ類の場合

〈年齢要件〉

①：21歳以上35歳未満の者で大学卒業程度の学力を有する人※

②：35歳未満の者で大学(学校教育法による大学(短期大学を除く。))を卒業又は実施年度の3月までに卒業見込みの人

2 出題科目一覧

[2024年度]

試験	試験種目	解答数・時間	内　容
第1次試験	教養試験(択一式)	50題 2時間	〈知能分野〉文章理解、判断推理、数的処理、資料解釈、図形判断 〈知識分野〉人文科学、社会科学、自然科学、一般科目(国語、英語、数学)
	論(作)文試験	1題 1時間20分	課題式の論(作)文試験
	国語試験(択一式)	50題 20分	職務に必要な国語力についての試験
	資格経歴等の評定		所持する資格経歴等についての評定
	適性検査		警察官としての適性についての検査(記述式等)
第2次試験	面接試験		人物についての面接試験
	身体検査 ※		警察官としての職務執行上、支障のある疾患の有無等についての検査
	適性検査		警察官としての適性についての検査(記述式等)
	体力検査		職務執行上必要な体力の有無についての検査 種目：腕立て伏せ、バーピーテスト、上体起こし、反復横跳び

※次表の全てを満たす必要があります。

項目	内　容
視力	裸眼視力が両眼とも0.6以上、又は矯正視力が両眼とも1.0以上であること
色覚／聴力	警察官としての職務執行に支障がないこと
疾患	警察官としての職務執行上、支障のある疾患がないこと
その他身体の運動機能	警察官としての職務執行に支障がないこと

3　試験日程

警視庁警察官Ⅰ類　第1回の場合

【2024年度のスケジュール】

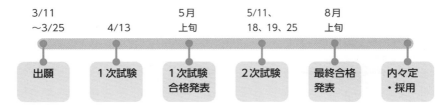

3/11〜3/25	4/13	5月上旬	5/11、18、19、25	8月上旬	
出願	1次試験	1次試験合格発表	2次試験	最終合格発表	内々定・採用

4　警察官（上級）試験の特徴

　採用試験の回数は年1回のところが多いですが、採用数の多い警視庁などでは年に複数回採用試験を実施します。また、警視庁では1都18県で共同試験を実施し、地方在住者も地元で警視庁の採用試験が受けられます。一定の資格（柔道・剣道など）による加点もあるので、警察官志望者は資格の準備もしておきましょう。

15 皇宮護衛官

1 受験資格

〈年齢要件〉

①：21歳以上30歳未満の者

②：21歳未満の者で次に掲げる者

　(1)　大学・短期大学・高等専門学校を卒業した者及び試験の実施年度の3
　　　月までに大学を卒業する見込みの者

　(2)　人事院が(1)に掲げる者と同等の資格があると認める者

2 出題科目一覧

[2024年度]

試験	試験種目	解答数・時間	配点比率	内　容
第1次試験	基礎能力試験（多肢選択式）※1	30題1時間50分	3/5	公務員として必要な基礎的な能力（知能及び知識）についての筆記試験出題数は30題知能分野 24題（文章理解⑩、判断推理⑦、数的推理④、資料解釈③）知識分野 6題（自然・人文・社会に関する時事、情報⑥）
	課題論文試験	2題3時間	2/5	文章による表現力、課題に対する理解力・判断力・思考力などについての筆記試験出題数は2題時事的な問題に関するもの 1題具体的な事例課題により、皇宮護衛官として必要な判断力・思考力を問うもの 1題
第2次試験 ※2	人物試験		※3	人柄、対人的能力などについての個別面接
	身体検査			主として胸部疾患（胸部エックス線撮影を含む。）、血圧、尿、その他一般内科系検査
	身体測定 ※4			身長、体重、視力、色覚についての測定
	体力検査			立ち幅跳び、反復横跳び、上体起こしによる身体の筋持久力等についての検査（基準あり）

※1　2024年度から基礎能力試験の内容が変わりました。
※2　第2次試験の際、人物試験の参考とするため、性格検査を行います。
※3　第2次試験の試験種目は合否の判定のみを行います。
※4　次のいずれかに該当する者は不合格となります。
　　　○身長が男子160cm、女子148cmに満たない者
　　　○体重が男子48kg、女子41kgに満たない者
　　　○色覚に異常のある者（ただし、職務遂行に支障のない程度の者は差し支えない。）
　　　○視力（裸眼又は矯正）が次のいずれかに該当する者
　　　　・どちらか一眼でも0.5に満たない者
　　　　・両眼で0.8に満たない者
　　　○四肢の運動機能に異常のある者

3　試験日程

【2024年度のスケジュール】

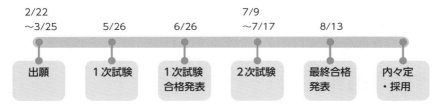

2/22〜3/25	5/26	6/26	7/9〜7/17	8/13	
出願	1次試験	1次試験合格発表	2次試験	最終合格発表	内々定・採用

4　皇宮護衛官（大卒程度）試験の特徴

　採用人数が10名程度と少ないため、かなりの高倍率（例年20倍程度）です。1次試験の教養試験の問題は国家専門職共通の問題が使用されるため、問題レベルも高いです。また、出題も知能分野が全体の約7割を占めるため、数的処理と文章理解できっちりと得点できる能力が必要です。学習開始にあたり、この2科目から開始しましょう。論文試験も2題出題されるため文章力も必要となります。

16 消防官

1 受験資格

東京消防庁Ⅰ類の場合

①：21歳以上36歳未満の人

②：21歳未満の者で学校教育法による大学（短期大学を除く。）を卒業してい
る人（試験の実施年度の３月までに大学を卒業する見込みの人を含む。）

③：②と同等の資格を有する人

※2024年実施の試験より、年齢制限が引き上げられました。

2 出題科目一覧

東京消防庁の場合

[2024年度]

試験	試験種目		解答数・時間	内　容
第１次試験	どちらか選択 ※1	教養試験（多肢選択式）	45題 2時間	消防官として必要な一般教養について大卒程度の筆記試験を行います。 知能分野：文章理解、語句の用法、英文理解、判断推理、空間概念、数的処理、資料解釈 知識分野：自然科学・人文科学・社会科学
		適性検査		SPI 3（ペーパーテスティング方式）により実施
	論(作)文試験		1題 1時間30分	課題式により、論文試験を行います。 （800字以上1200字程度）
	資格・経歴評定			資格・経歴について受験申込時に申請が必要。
	適性検査			消防官としての適性について検査します。
第２次試験	口述試験			個人面接を行います。
	身体・体力検査 ※2			消防官として職務遂行に必要な身体(四肢関節機能を含む。)体力及び健康度を検査します。

※1 2024年実施の試験より、学科が教養試験かSPI3かを選択できるようになりました。

※2

	東京消防庁（2024年）
視力	視力（矯正視力含む）が両眼で0.7以上、かつ、一眼でそれぞれ0.3以上。なお、裸眼視力に制限はありません。
色覚	石原式色覚検査を実施します。
聴力	オージオメーターを使用し、純音聴力検査を実施します。
体力検査	1km走、反復横とび、上体起こし、立ち幅とび、長座体前屈、握力、腕立て伏せにより体力を検査します。
その他	尿検査、胸部X線検査、心電図、血液検査により健康度を検査します。

※身体基準は自治体によって異なります。志望する自治体の採用案内を確認しましょう。

3　試験日程

東京消防庁 I 類（1回目）の場合

【2024年度のスケジュール】

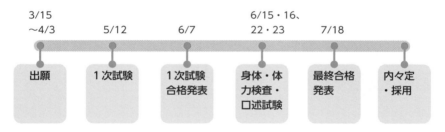

4　消防官（大卒程度）試験の特徴

　1次の筆記試験は、政令市消防・東京消防庁は独自の筆記試験の問題を使用しますが、それ以外の市の消防は行政職と共通の問題が使用されるため警察官より問題レベルが高めです。

　体力測定については、警察官に比べて高い水準を求められます。消防官の志望者は日頃から体力づくりを行うとよいでしょう。

第3章

科目ごとの勉強法

よくわかる試験種目の概要

1　教養科目

　試験区分を問わず共通科目を課されることが多く、一般知能分野と一般知識分野に大別されます。

(1) 一般知能分野

①数的処理

　一般的な問題発見、処理能力を見るためのもので、民間企業の就職試験で課せられるSPIのようないわゆる「適性テスト」よりも解答時間も長く、問題レベルも高いものが出題されます。どの試験種においても教養試験の出題数のうち多くを占め、公務員試験において最重要科目の１つです。

②文章理解

　現代文と英文からの出題が基本です。大卒程度試験では、一部の試験を除き古文・漢文からの出題はほとんど見られません。現代文の場合、600〜1200字程度の長さの文章を読んで、問題に答えさせるものが基本です。英文は、問題用紙の半分〜１ページ程度の長さの文章を読んで、問題に答えさせるものを基本とし、多くの自治体で内容把握形式の出題が中心を占めます。

(2) 一般知識分野

　一般知識分野で出題されるのは、高校までに学んだ各科目ですが、受験案内では社会科学、人文科学、自然科学の３つに分類されます。人文科学・自然科学は概ね高校で学んだ教科書の範囲の知識です。一方、社会科学の問題は、高校の「公民」や「政治・経済」の範囲を超えるものがあり、時事問題や社会事情については必須解答としているところが多いです。そのため、早い時期からきちんと対策をとるべき科目です。

2 専門科目

試験区分に応じて必要な専門的知識、技術などの能力を測るために課されます。

(1) 行政系

行政系の専門科目は法律系・経済系・行政系・商業系に大別されます。

①法律系科目

憲法・民法・行政法は多くの試験で出題されますが、刑法・労働法は地方上級（県庁・政令市）、労働基準監督官、裁判所職員でしか出題されません。民法の出題数が国家一般職・特別区は10問と多いのですが、それ以外の職種では4問程度と少ない出題です。

②経済系科目

ミクロ経済・マクロ経済・財政学が主要な科目です。専門科目がある受験先を目指す場合に10問以上出題されるので、避けては通れません。一般的に高校までの数学が苦手な受験生は、苦労する科目です。

③行政系科目

政治学・行政学・社会学・社会政策などがありますが、受験先によって出題数が大きく変わります。

④商業系科目

会計学・経営学がありますが、受験先によりそもそも選択するかどうかが変わる科目です。会計学は国税専門官の試験では必須科目です。

(2) 技術系、心理・福祉系

受験先により出題数・科目も変わるので、後掲の表を確認してください。

3　論作文

専門試験（記述式）と区別するために「（一般）教養論文試験」とも呼ばれます。都道府県や政令指定都市など地方公務員の採用試験で課されることが多くなっています。課題としては、「少子化対策」「環境問題」「地域活性化」といった社会の問題や、「公務員になって取り組みたいこと」のような自己の姿勢・心情について述べるものまで、幅広い出題があります。行政系、技術系、心理・福祉系で共通の課題が課せられることが一般的です。

試験時間が1時間なら800文字程度、90分なら1200～1500文字程度を書きます。

4　面接

①個別面接

受験生1人に対し面接官3名程度で質問を行います。事前に提出する面接カードに基づき、志望動機、学生時代に力を入れたこと、挫折した経験、公務員になってやりたい仕事、自己PRなどが聞かれます。

②集団討論

与えられたテーマに対して受験生6～8人で議論を行います。グループとしての評価もなされるため協調性やリーダーシップも重要です。

③官庁訪問

国家総合職や国家一般職の場合、最終合格＝採用ではありません。受験生は、志望する府省等を訪問し（官庁訪問）、面接を受け、内々定を得る必要があります。受験生は志望する府省等それぞれの窓口に連絡して官庁訪問の予約を取っておく必要があります。人気の高い官庁はすぐに満席となってしまうので、志望順位の高いところへの予約は早めにしましょう。

● 教養試験／基礎能力試験出題数一覧（2024年度実施例）※太枠は2024年度実施見込み

分野	中分類	科目	国家総合職	裁判所事務官	国家一般職	国家専門職	国立大学法人等職員	地方上級全国型	地方上級関東型	地方上級中北型	東京都I類B一般方式	特別区I類事務	横浜市大卒事務	京都府行政IA	市役所B日程	市役所C日程	警視庁警察官I類	東京消防庁消防官I類
一般知能分野	文章理解	英文	6	4	4	4	4	5	5	5	4	4	3	5	3	3	2	4
		現代文	4	5	6	6	4	3	3	3	4	4	5	5	3	3	6	7
	数的処理	判断推理	5	9	7	6	8	10	7	10	4	9	10	10	8	8	8	6
		数的推理	6	5	4	4	6	4	6	8	6	6	5	4	4	4	7	8
		資料解釈	3	1	3	3	1	1	1	1	1	4	4	1	2	2	2	2
知能分野小計		出題数	24	24	24	24	20	25	20	25	24	28	25	24	20	20	25	27
		解答数	24	24	24	24	20	25	20	25	24	28	25	24	20	20	25	27
一般知識分野	自然科学	数学	5[*2]	6[*2]	5[*2]	5[*2]		1	1	1	1			2	1	1		2
		物理						1	1	1	1	1	2		1	1	1	1
		化学						1	2	2	2	1	2	2	1	1	1	1
		生物						2	2	2	2	1	2	2	2	1	1	1
		地学						1	1	1	1	1	2	1	1	1	1	1
	人文科学	思想										1				1		
		文学芸術						1			1			1		1		
		日本史						2	2	3	2	1		3	1	2	2	1
		世界史						2	2	3	1	1		3	2	2	2	1
		地理						2	2	3	1	1		2	1	2	1	2
		国語															2	3
		英語															2	
	社会科学	法律・政治						3	4	4	3	2	2	3	2	4	3	2
		経済						2	2	3	2	1	1	3	4	1	1	1
		社会											1	6	1	1		
		時事・社会事情						2	6	7	5	4	8	5	5	5	3	3
		人権問題												2				
		その他																
情報[*3]			1		1	1												
教養科目合計		出題数	30	30	30	30	40	50	50	50	40	48	40[*1]	55	40	40	50	45
		解答数	30	30	30	30	40	50	50	50	40	40	40[*1]	40	40	40	50	45

[*1]：横浜市は、全体で50問が教養試験として出題されるが、そのうち10問が専門試験と同等の問題になっている。上表はその10問を除いた内訳を表す。

[*2]：2024年度より、人事院試験における知識分野は時事問題を中心とし、普段から社会情勢等に関心を持っていれば対応できるような内容とされている。

[*3]：2024年度より、人事院試験における知識分野について、「情報」分野の問題が出題されることとなった。

※太枠の試験種については、2024年度受験案内及び2023年度実施例を踏まえた見込みを表す。

※科目別問題数の内訳は実施団体公表のもののほか、受験者からの情報から再構成したものを含むため実際と異なる場合がある。

● 専門科目（択一式）出題数一覧（2024年度実施例）※太枠は2024年度実施見込み

		国家総合職法律	国家総合職経済	裁判所事務官	国税専門官A	労働基準監督官A	財務専門官	国家一般職	地方上級全国型	地方上級関東型	地方上級中北型	特別区Ⅰ類事務	横浜市大卒事務	京都府行政ⅠA総合	市役所B日程	市役所C日程
法律	憲法	7	3	7	3	4	6	5	4	4	5	5	2	4	5	5
	行政法	12			3	4	8	5	5	5	8	5	2	5	6	6
	刑法	3		10		3			2	2	2			2		
	民法	12	3	13	6	5	5	10	4	6	7	10	2	4	5	5
	商法	3		2			1									
	労働法	3				7			2	2	2			2		
	国際法	3														
経済	経済原論	3	16	10	4	9	6	10	9	12	8	10		11	10	10
	経済政策	3	5							2	2					
	財政学				6		6	5	3	3	4	5		3	3	3
	経済事情		8		2	4	2				3					
	経済史										1					
	計量経済学		5													
	統計学						6									
	国際経済学		3													
	労働経済					3										
行政	政治学				3		3	5	2	2	2	5	1	2	2	2
	行政学							5	2	2	2	5	1	2	2	2
	社会政策					2			3	3	2		1	3	3	3
	社会学				2		3	5	2		2	5		3		
	国際関係							5	2	3	2		1	4	4	4
商業	会計学				8		6									
	経営学		3		6		6	5	2	2		5		4		
その他	社会事情				1											
	労働事情					5										
	英語				12		6	10								
	心理学							5						3		
	教育学							5						4		
	情報工学						6									
	情報数学						6									
	社会福祉													4		
合計	出題数	49	46	40	58	48	76	80	40	50	50	55	10	60	40	40
	解答数	40	40	30	40	40	40	40	40	40	40	40	10	40	40	40

※横浜市は教養試験として全体で50問出題されるが、そのうち10問が専門試験と同等の問題になっている。上表はその10問部分の内訳を表す。
※太枠の試験種については、2024年度受験案内及び2023年度実施例を踏まえた見込みを表す。
※科目別問題数の内訳は実施団体公表のもののほか、受験者からの情報から再構成したものを含むため実際と異なる場合がある。
※裁判所事務官採用試験は2025年より出題科目、出題数が変わります。（P74 ※4、P76 ※2参照）

● 専門科目　技術系（択一式）出題数一覧（2024年度実施の例）

・ 国家一般職

区分	専門試験（多肢選択式）
デジタル・電気・電子	44題出題　40題解答 必須問題　36題解答 　　工学に関する基礎⑳、情報・通信工学（理論）⑧、 　　電磁気学・電気回路・電気計測・制御・電気機器・電力工学⑧ 選択問題　A又はBのどちらかを選択して4題解答 　　A　情報工学（プログラミング）④ 　　B　電子工学・電子回路④
機械	40題出題　40題解答 　　工学に関する基礎⑳、材料力学④、機械力学④、流体力学④、 　　熱工学④、機械設計・機械材料・機械工作④
土木	40題出題　40題解答 　　工学に関する基礎⑳、構造力学（土木）・水理学・土質力学・測量⑪、 　　土木材料・土木設計・土木施工③、土木計画④、 　　環境工学（土木）・衛生工学②
建築	33題出題　33題解答 　　工学に関する基礎⑳、構造力学（建築）・建築構造④、 　　建築材料・建築施工②、環境工学（建築）・建築設備③、 　　建築史・建築計画・建築法規・都市計画④
化学	44題出題　40題解答 必須問題　36題解答 　　数学・物理⑨、 　　物理化学・分析化学・無機化学・有機化学・工業化学㉗ 選択問題　8題から4題選択して解答 　　生物化学④、化学工学④
農学	40題出題　40題解答 　　栽培学汎論⑦、作物学⑦、園芸学⑦、育種遺伝学③、 　　植物病理学③、昆虫学③、土壌肥料学・植物生理学④、畜産一般③、 　　農業経済一般③

• 地方公務員（上級）出題分野一覧（2024年度千葉県の例）

区分	専門試験（択一式）
農業	**50題出題　40題解答** **必須問題　25題解答** 　栽培学汎論、作物学、園芸学、農業経済一般、農業政策 **選択問題　25題から15題選択して解答** 　育種遺伝学、植物病理学、昆虫学、土壌肥料学、植物生理学、畜産一般、食品化学、食品加工、人間工学、農村計画
林業	**40題出題　40題解答** 　森林政策・森林経営学、造林学（森林生態学、森林保護学を含む。）、林業工学、林産一般、砂防工学
水産	**40題出題　40題解答** 　水産事情・水産経済・水産法規、水産環境科学、水産生物学、水産資源学、漁業学、増養殖学、水産化学、水産利用学
畜産	**40題出題　40題解答** 　家畜育種学、家畜繁殖学、家畜生理学、家畜飼養学、家畜栄養学、飼料学、家畜管理学、畜産物利用学、畜産経営一般
農業土木	**40題出題　40題解答** 　数学、応用力学、水理学、測量、土壌物理、農業水利・土地改良・農村環境整備、農業土木構造物、材料・施工、農業機械、農学一般
土木※	**40題出題　40題解答** 　数学・物理・情報、応用力学、水理学、土質工学、測量、都市計画、土木計画、材料・施工
建築※	**40題出題　40題解答** 　数学・物理・情報、構造力学、材料学、環境原論、建築史、建築構造、建築計画、都市計画、建築設備、建築施工
化学※	**40題出題　40題解答** 　数学・物理・情報、物理化学、分析化学、無機化学・無機工業化学、有機化学・有機工業化学、化学工学
電気※	**40題出題　40題解答** 　数学・物理、電磁気学・電気回路、電気計測・制御、電気機器・電力工学、電子工学、情報・通信工学
機械※	**40題出題　40題解答** 　数学・物理・情報、材料力学、流体力学、熱工学、電気工学、機械力学・制御、機械設計、機械材料、機械工作

※土木、建築、化学、電気、機械の数学・物理は約10問出題され、残りの約30問は職種ごとの専門科目となる。

● 専門科目　心理・福祉系（択一式）出題数一覧（2024年度実施の例）

職種	出題分野など
国家総合職 人間科学 （院卒／大卒）	**第1部　必須問題　5題** 人間科学に関する基礎 **第2部　A又はBのどちらかを選択して15題解答** 　A　心理系 　　人間の資質及び行動並びに人間関係の理解に関する心理学的 　　基礎⑪、心理学における研究方法に関する基礎④ 　B　教育・福祉・社会系 　　教育学、福祉及び社会学に関する基礎⑫ 　　教育学、福祉及び社会学における調査・分析に関する基礎③ **第3部　選択問題　14科目(各5題)から4科目選択し、20題選択解答** 認知心理学、臨床心理学、教育環境学、教育心理学、 教育経営学、教育方法学、社会福祉総論、社会福祉各論、 福祉計画論、地域福祉論、社会学(理論)、社会学(各論)、 社会心理学、現代社会論
法務教官・ 保護観察官	**40題出題　40題解答** 心理学10題、教育学10題、福祉10題、社会学10題
矯正心理 専門職	**60題出題　40題解答** **必須問題　20題解答** 心理学に関連する領域　20題 **選択問題** **次の40題から20題を選択** 心理学10題、教育学10題、福祉10題、社会学10題
地方上級 心理職 ※	**40題出題　40題解答** 一般心理学(心理学史、発達心理学、社会心理学を含む。) 20題、 応用心理学(教育心理学・産業心理学・臨床心理学) 14題、 調査・研究法、統計学6題
地方上級 福祉職 ※	**40題出題　40題解答** 社会福祉概論(社会保障を含む。) 22題、社会学概論6題、 心理学概論(社会心理学を含む。) 8題、社会調査4題

※群馬県の例

●専門科目　心理・福祉系（記述式）出題数一覧（2024年度実施の例）

職種	出題分野
国家総合職 人間科学 （院卒／大卒）	**6題の中から2題選択解答** 　心理学に関連する領域② 　教育学、福祉及び社会学に関連する領域① 　教育学に関連する領域① 　福祉に関連する領域① 　社会学に関連する領域①
法務教官・ 保護観察官	**4領域4題の中から1題選択解答** 　心理学に関連する領域、教育学に関連する領域、福祉に関連する領域、社会学に関連する領域
矯正心理 専門職	**1題解答**　心理学に関連する領域
家庭裁判所 調査官補 （院卒／大卒）	**5領域15題の中から2題選択解答（2次試験）** 　心理学に関する領域（3題） 　教育学に関する領域（3題） 　福祉に関する領域（3題） 　社会学に関する領域（2題） 　法律学に関する領域（民法2題、刑法2題）
東京都 （心理）	**5題の中から3題選択解答** 　心理学基礎論、心理学特論、臨床心理学
東京都 （福祉A・C）	**2題の中から1題選択解答** 　出題範囲：職務に必要な専門知識
堺市（心理）	**3題解答** 　出題範囲：一般心理学（心理学史、発達心理学、社会心理学を含む。）、 　　　　　　応用心理学（教育心理学・産業心理学・臨床心理学）、 　　　　　　調査・研究法、統計学等
長崎県 （社会福祉）	**3題解答** 　出題範囲：社会福祉概論（社会保障を含む。）、社会学概論、心理学概 　　　　　　論（社会心理学含む。）、社会調査

1 数的処理

担当講師 **岡田 淳一郎**

科目に対する講師からのメッセージ

数的処理を制する者は公務員試験を制する。苦手な人も半分は得点できるようにしましょう。

1 科目の特徴

数的処理は、判断推理、数的推理、資料解釈の3分野に分かれます。判断推理は、論理式、位置関係、暗号、立体の切断面の形に関する問題などが出題されます。数的推理は、速さ、場合の数、倍数・約数、図形の面積など算数に近い問題が出題されます。資料解釈は、与えられた資料から正しく読み取れることを考える問題です。

数的処理は、出題数がすべての科目の中で1番多くなっています(出題数が少ない県庁・市役所でも約3割、多い特別区では約4割)。また、文系受験生が1番苦しむ科目です。

2 勉強の方法

①判断推理

表や図を書いて解くことが多いので、分野ごとにどのような表や図を書くのかをしっかり理解して覚えることが必要です。繰り返し解き、問題を見たらどのような表や図を書くかをすぐ思い浮かべられるようにしましょう。

頻出分野 対応関係、位置関係、順序関係、数量推理、展開図

②数的推理

　文系受験生の多くが苦労する科目です。中学生くらいまでの算数・数学に不安がある場合は問題演習をしながら復習しましょう。苦手な受験生は5分考えてわからなければ解説を読み、理解するようにしましょう。そして翌日に再度同じ問題を解き、解説を自分の言葉で書けるようになっているかを確認することです。見たことのある問題・以前解いた問題が解けるようになればよいのです。

頻出分野 倍数・約数、速さ、場合の数、確率、比と割合

③資料解釈

　国が作った統計資料や白書のグラフが与えられ、そこから正しく読み取れるものが問われます。計算処理については実際に与えられた数の割り算や掛け算を行うととても時間がかかるので、分数の状態で大小比較を行い、どうしても計算が必要な場合は概数の計算を行うようにしましょう。他の分野に比べて計算練習が重要になる分野です。

3　ポイント

　「特徴」でも述べた通り、出題数がとても多く、避けては通れない科目ですので、感覚を鈍らせないために毎日1時間程度の学習時間を確保しましょう。学習を開始した直後の時期は時間を意識する必要はありませんが、直前期には1問あたりに掛ける時間を計って解くことが必要となります。また、本試験の際の解く順番ですが、最初から数的処理を解くと暗記科目や文章理解の時間が足りなくなる受験生が多いので注意してください。模試などを利用して自分に合った順番を探すとよいでしょう。

2 　文章理解

担当講師　**吉田 幸司**

科目に対する講師からのメッセージ

本番に平常心で挑めるように準備が大事ですよ！

1 　科目の特徴

　文章理解は、現代文と英文から、それぞれ内容把握、要旨把握、空欄補充、文章整序の４つの分野から出題されます。主に内容把握から出題されるのですが、地方公務員では要旨把握からの出題が主です。国家一般職などの国家系公務員では内容把握に加えて、空欄補充と文章整序の問題が出題されるなど受験先により傾向が異なります。教養試験においてどの職種であっても文章理解の出題ウェイトは大きく、平均正答率は約７〜８割と高くなっています。加えて試験本番では１問平均４分程度での解答が求められますので、「速く、正確に解く」訓練を積んでおくことが求められます。特に、英文に関して苦手意識を持っている受験生は、なるべく早期から対策に取り組み、苦手意識を克服しておきたいところです。

2 　勉強の方法

①現代文（内容把握、要旨把握）

　５つの選択肢から正解の１つを制限時間以内に正確に選ぶことが求められますので、「消去法」を利用して解答することが有効です。そのために、「選択肢の作成パターン」を理解しておくとよいでしょう。そのパターンを念頭に置きながら、演習に取り組み、間違えた場合はどのパターンに自分が惑わ

されやすいのかを分析しながら確実性を身につけていくとよいでしょう。

②現代文（空欄補充、文章整序）

　空欄補充と文章整序は受験生の中で差がつきやすいテーマです。なぜなら、どちらのテーマも、ただ何となく選択肢から当てはめると間違える仕様になっているからです。正答率が高まる解法が存在するので、その解法を一貫して試験本番でも再現できるように普段の学習に取り組むことが必要です。

③英文（総論）

　単語力の強化が最優先事項です。単語レベルは英検準2級〜2級レベルですので、継続的に取り組むことで定着を図ることができるでしょう。隙間時間に英単語帳や英単語アプリ等を利用して学習に取り組みましょう。文章の読解では「選択肢の対応箇所」を早く見つけるために選択肢の特徴的なワードに注意するのがポイントです。

3　ポイント

　学習のポイントは「必ず時間を計って演習を行うこと」です。まずは1問あたり約5分で計って実践してみて、正確さとのバランスを保てるスピードを探してみましょう。慣れてきたら、本番解答のスタミナをつけるために、6問を30分で解くなどまとめて解いてみるとよいです。本番で実力を発揮できるように頑張りましょう！

3 社会科学

担当講師 垣田 浩邦

科目に対する講師からのメッセージ
教養知識分野での最重要科目。日々の社会動向に関心を持つ
ことも知識の定着につながります。

1 科目の特徴

　社会科学は高校での政治・経済に相当し、政治、法学、経済、社会の4分野で構成されますが、社会は時事問題が中心となります。地方公務員での配点は2割程度が多いですが、知識分野の中で社会科学のみを出題するところでは4割に達するところも。国家公務員（総合職、一般職、専門職）は2024年から時事問題を中心とする出題に変わり、教養区分を除いて社会科学は肢の一部で知識を要する程度です。

2 勉強の方法

①政治

　主要国の政治制度や日本の選挙制度、国際連合や国際条約が出題の中心。衆議院と参議院、国際連合と前身の国際連盟など、比較対照を行いやすいものが多く、その差異を中心に覚えましょう。戦後日本政治史も出題が多く、日本史の知識と重複分野が多いです。

②法学

　法学概論と憲法が中心で、司法制度改革なども出ます。法学概論は社会科学独特の論点で、東京都特別区では特に出題頻度が高いです。憲法は人権と

統治で構成され、判例や条文に基づいて出題されます。判例は事件の概要とその結論（合憲・違憲）をセットで覚えましょう。社会科学のレベルで理由を問うことは少ないです。条文は主要なものに目を通しながら、主語（国会か議院か、内閣か内閣総理大臣かなど）に注意して覚えましょう。

③経済

地方公務員ではミクロ経済、マクロ経済の基礎の要素が強く、グラフの読み取り問題は頻出です。国際経済や経済史も重要論点。馴染みの薄い経済用語が多いので、最初は言葉の意味を覚えましょう。グラフも「なぜそう動くのか」を意識することが大事。日常生活とのかかわりが大きく、ニュースでは頻繁に学習した内容が登場します。経済史は日本史、世界史との重複も大きいです。

3 ポイント

技術系や心理福祉系、択一が教養試験のみの受験先である場合、数的処理と並ぶ筆記試験の主要科目です。優先的に学習し、政治、法学、経済と分野別に分けてバランスよく知識の定着を図りましょう。内容は専門の政治学や憲法、経済原論など専門科目の学習内容と重複します。先に取り組むと専門科目の知識の素地が作られますが、受験前年の夏以降の学習なら、先に専門科目を勉強し、漏れる範囲（国際関係や経済史などで起きやすい）を社会科学で補う、という手法が効率的です。国家公務員志望の場合は、時事ベースで関連する組織や制度などを覚える、という形でもよいでしょう。

4　人文科学

担当講師　**森 葉子**

科目に対する講師からのメッセージ

ニュースを見て、なぜ？という疑問を持ったら、調べるところからスタートするとよいでしょう。

1　科目の特徴

地方上級で人文科学が課せられるところでは、日本史、世界史、地理が2問ずつ出題されるのが基本的な形になっています。人文科学の出題範囲は社会科学や社会事情とも重複する部分があるので、完全に捨ててしまうのではなく、社会科学や社会事情と関連するところから勉強を進めるとよいです。また、国家公務員や裁判所職員では基礎能力試験の変更があり、人文科学自体の出題はなくなりましたが、2024年度の国家総合職では、時事の問題5問（25肢）中、人文科学を勉強していれば時事の知識がなくても正誤が判断できたものが8肢ありました。ニュースを見た際に「なぜ？」と疑問を持った際には、その背景などを確認していくとよいでしょう。

2　勉強の方法

①日本史

人物や戦い等の固有名詞を暗記していなくても解ける問題も多いので、固有名詞の暗記ばかりに時間を割くのではなく、時代における経済や文化の特徴など、過去問を中心に理解を進めることが一番よいでしょう。特に出題の多い近現代史は絶対に学習しましょう。

頻出分野 幕藩体制、明治の集権化、戦後の日本経済史

②世界史

　範囲が膨大で、馴染みのない内容が多く、苦手とする受験生は多いです。しかし、中東戦争や冷戦とその終結など、他の科目と関連する部分について、その背景を勉強するというつもりでやるとよいでしょう。

頻出分野 第一次世界大戦、冷戦とその終結、アジアの近現代史

③地理

　人文科学の中では一番得点しやすく、基本的な過去問をやっておくだけでも得点確率がかなり上がります。地形や気候、宗教など、最初は勉強内容が無味乾燥に思えるかもしれませんが、国土地理院のホームページをはじめ、各国の民族や宗教なども画像で知識を補充できる時代ですので、能動的に勉強を進めることで得意分野にできるはずです。

頻出分野 地形、気候、農業、鉱物資源、人口問題、日本地誌

④思想

　思想が特に出題されるのは東京特別区（23区）と国家総合職の教養区分になります。捨てるという選択肢もありますが、範囲が比較的狭く、人物と思想のキーワードを暗記することでかなり得点できます。また、現代文の出典は哲学や心理に関する評論文が多いので、思想を勉強することで現代文の読解速度と理解が上がることも見逃せません。

頻出分野 西欧近代思想、古代中国思想、近代日本思想

| 3 | ポイント |

　捨て科目をつくってしまうと、全体の得点率が下がりますので、関連する分野は同時に勉強するなど、科目横断的な視点をもって勉強するのがポイントです。

5 自然科学

担当講師 **岡田 淳一郎**

科目に対する講師からのメッセージ
生物・地学は暗記中心の科目なので、自然科学の苦手な文系
受験生も頑張ってほしい科目です。

1 科目の特徴

　物理・化学・生物・地学・数学の5科目です。生物・地学の2科目はほとんど暗記のみで対処できます。一方、物理と数学はほとんどが計算問題、化学は知識と計算問題が半々で出題されます。出題問題のレベルは大学入試共通テスト（元センター試験）くらいです。共通テストで7～8割以上を得点できていた科目についてはインプットは不要で、過去問のみ演習し、公務員試験の出題形式に慣れてほしいです。2024年実施の国家公務員の試験より、時事との融合問題になりました。

2 勉強の方法

①物理

　力学・電磁気・波動の3分野が主な出題項目です。苦手な方は分野を絞って学習することをおすすめします。電磁気分野の回路・波動分野のドップラー効果はパターン化できるので比較的取り組みやすいです。

②化学

　理論化学・無機化学・有機化学の3分野が主な出題項目です。理論化学は計算問題が多く、無機化学・有機化学はほとんど知識問題です。苦手な方は

無機化学のみ学習することをおすすめします。無機化学は物質ごとの特性を暗記すれば得点に結びつきます。

③生物

　計算問題はほとんど出題されず、暗記だけで対応できるので文系の受験生にもおすすめの科目です。人体分野に関する出題が多く、その中でも特にホルモンに関する出題は多いです。それ以外の頻出分野はDNAとRNA、遺伝などです。この辺りを中心に学習してください。生物は手を付けないのはもったいない科目です。

④地学

　一部の職種では近年出題がなくなっていますが、範囲が狭く暗記だけで対応できる科目なので、生物同様に全く手を付けないというのはもったいないです。主な分野は、地球の内部構造、岩石・地層、気象、天体の4分野です。最低限学習してほしいのは、地震・天体の2つの分野です。

⑤数学

　地方公務員の一部でしか出題されません。数的処理とは異なり、純粋な数学です。二次関数や指数・対数などが出題されます。数学が高校まで得意だった方のみ学習すればよい科目です。苦手な方は後回しでよいでしょう。

3　ポイント

　1科目あたり1〜2問しか出題されないので完璧を目指すのではなく、頻出分野のみ科目を絞って学習すべき科目です。しかし、全科目を捨て科目にするのは得策ではありません。特に地方公務員の志望度が高い行政系の受験者は、生物・地学を中心に学習してください。国家の志望度が高い受験者は、時事の話題の中で、自然科学のネタを中心に学習してください。

6 時事

担当講師　猪俣 正樹

科目に対する講師からのメッセージ
時事は勉強しないと得点にならない科目です！

1　科目の特徴

　時事問題は、世間で起きた「出来事」の知識について問うものです。この「出来事」のイメージは、いわゆるニュースの対象となる事柄になりますが、公務員試験で問われるのは、政治・経済分野のみならず、社会問題や科学や文化など多岐にわたります。時事問題を解くには幅広く知識を習得しなければなりませんが、新聞やニュース番組などで報道される内容を覚えるだけでは本試験を解くことは難しいです。本試験では、報道される内容よりも深い知識を要求する問題が多いからです。ゆえに時事問題対策は、多くの出来事を「幅広く」そして「深く」押さえることが必要となります。

　時事問題は、ほとんどの公務員試験で出題されていることもあり、対策必須の重要科目といえるでしょう。

2　時事問題対策

　時事問題対策として、最も手軽に行えることは、日々のニュースや新聞などに目を通しておくことです。とはいえ、新聞記事を精読するのは時間もかかりますので、ホドホドにしておけばよいかと思いますが、政治・経済・国際関係等について、記事の見出しを読んで概要はつかんでおきたいです。これを継続することで、「出来事」の経過を捉えることができ、時事問題対策が

効率的に行えます。

　あとは、やはり資格試験予備校の講義を受講することがおすすめです。本試験での時事問題は、概ね過去1年程度の「出来事」から多く出題されますが、この間の「出来事」は膨大な量となります。時事の講義では、本試験で出題されると見込まれる「出来事」をまとめており、これを解説します。時事対策は、試験直前期に効率よく学習しなければならないので、講義受講は効率的かつ効果的といえます。

3　ポイント

　時事問題は、世間で起きた「出来事」について問うものですが、そこで問われるのは、「出来事」の事実関係のみといえます。ですから、時事問題対策は「暗記」が重要となります。しかし、先に述べたように時事問題の対象となる「出来事」は膨大な量です。そこで効率よく覚えるために、まずは、時事問題対策として重要な「出来事」の「キーワード」を覚え、これに関連付けて「出来事」の「概要」を把握するとよいでしょう。

　例えば、ある国で大統領選挙が実施された場合、勝利した人物名が「キーワード」、所属政党や対立候補名、選挙の経緯などが押さえるべき「概要」となります。すると、政治・経済・国際関係等の「出来事」を単に覚えるよりは、その背景となる制度や理論を理解しておくことも大切となります。ですから、時事問題対策を始める前に、教養科目の社会科学や専門科目の政治学や経済原論なども学習しておくと、より効果的に時事問題に対処できるでしょう。

7 教養記述・論作文

担当講師　長谷川 弘美

科目に対する講師からのメッセージ

行政課題への問題意識、論理性、表現力等、総合力が問われる科目。信頼できる人の添削を多く受け、先手の対策を！

1 科目の特徴

　教養記述試験とは、出題課題に対する理解力、論理的思考力、文章による表現力などについての評定を目的とする筆記試験です。出題テーマは、人口減少、高齢化、防災・減災への対応、移住・定住対策、デジタル化の推進など、社会や自治体が直面する課題であることが多く、テーマは多岐にわたります。

　受験先ごとに異なるものの、制限時間・字数は60～90分、800～1500字の範囲内での実施が一般的です。

　出題形式としては、文章のみでの課題文の提示が大多数です。ただし、国家総合職、東京都Ⅰ類Ａ・Ｂ（一般方式）、京都府（一類）をはじめ、一部受験先では資料解釈型の問題が出題されるため、それぞれの形式に合った対応が求められます。

　配点比率は、国家一般職では1/9、裁判所事務官一般職では1/10と低いですが、地方公務員試験では教養択一：教養記述＝１：0.5～１以上となるところが多いです。地方公務員志望者においては「論文を制する者が筆記試験を制する」といえる試験です。

2 対策について

①受験地の出題傾向を把握する

論文対策の出発点は、受験先の過去問を調べ、いかなる分野から出題されやすいのかを把握することです。都道府県、政令市、裁判所を中心に、ホームページ上で過去問が公表されています。傾向把握では、出題年度においてそのテーマが出題された理由を考えるのが肝要です。そのことが受験年に出題されるテーマを予想するのにも役立ちます。

②合格答案の水準を理解する

試験合格が目的である以上、合格答案の水準がどの程度かを知らなければ、その水準に達する答案を自らが書くことはできません。その水準を理解するには、テキストの解答例等を参考に、合格答案に備わる一定の「型」や、論理性、具体性のレベル等を分析的に検討することが大切です。

③答案を作成し、添削を受ける

②の分析をもとに、実際に答案を書いてみましょう。まずは制限時間を意識せず、時間をかけて合格水準の答案が作れるようになる練習をします。その上で、慣れてきたら、もしくは、本試験1か月前になったら、制限時間内に合格答案を書く練習に切り替えると効果的です。

書いた答案については、できる限り添削を受けましょう。論理性は論文の核となる要諦の1つですが、論理飛躍など、自らが気づかなかった部分について指摘を受けることも少なくありません。添削内容については真摯に受け止めて整理し、不十分な部分を書き直すことで合格水準の答案に仕上げていきましょう。

3 ポイント

社会や自治体が直面する課題への対応において、教養択一（基礎能力）試験の時事対策が役に立ちます。これから公務に携わろうとする者として、幅広く時事問題に関心を持っておきましょう。ただし、肝心なのは答案作成練習に時間を使うこと、信頼できる人の添削を受けることです。唯一解が存在しない試験だからこそ、どこをいかに改善すれば評価が伸びる答案になるかを把握しながら対策を進めることが肝要です。

8 憲法

担当講師 **松浦 明義**

科目に対する講師からのメッセージ
憲法は専門科目の中で最大の特点源です。また、教養科目の
社会科学としても出題される重要科目です。

1 科目の特徴

　憲法には、大きく「人権」と「統治」という2つの分野があります。「人権」では国民の様々な権利を裁判所の判例などを通じて学習し、「統治」では国会・内閣・裁判所・地方公共団体など公共機関の仕組みや活動方法を条文を整理しながら学習していきます。

　とはいえ、公務員試験で出題される憲法では、大学の法学部などで履修するものとは異なり、高度な学説や裁判例を隅々まで学ぶ必要はありません。中学・高校で履修した「政治・経済」を少しレベルアップした程度の内容です。暗記しなければならない知識もありますが、語呂合わせなどで容易に攻略することが可能です。公務員試験のすべての科目の中で最も正答率の高い科目といえるでしょう。

2 勉強の方法

①人権

　国の法律により国民の表現の自由やプライバシーが侵されたなどの事件を裁判所が解決した「判例」の学習を中心に、人権はどんな場合に制限できるかを学びます。とはいえ、判決文をすべて読んで記憶する必要はなく、公務員試験で頻出のポイントを過去問演習などを通じて理解し覚えるだけです。細

かい条文を覚える必要はなく、判例は物語として理解しやすいので、「人権」は法律の学習がはじめての方にとっても学習しやすい分野であるといえます。

頻出分野 法の下の平等、表現の自由、職業の自由、財産権

②統治

「人権」分野と異なり、判例が少なく、条文の理解、整理、記憶の学習が中心となりますから、法律の学習がはじめての方にとっては若干難易度が上がり、ちょっぴり頑張りが必要です。

とはいえ、あまり細かな知識は気にせずに、それぞれの制度の目的に遡り、その実現手段として条文を位置づけることにより、記憶が容易となります。また、人権以上に過去問演習が重要であり、過去問で頻出のポイントに絞って学習すれば時間を節約することが可能です。

頻出分野 国会、内閣、裁判所

---

3 ポイント

憲法は公務員試験のすべての科目の中で、最も正答率が高い科目ですから、取りこぼしができません。とはいえ、科目が多い公務員試験において憲法の学習に多くの時間を割くことはできません。憲法の参考書や過去問集に掲載されている「ポイント集」のような教材を効果的に活用して、「直前期にはこれだけ見ておけば憲法はOK」となるように「知識を集約」しておくなどの戦略が重要となります。

9 民法

担当講師 **中林 龍**

科目に対する講師からのメッセージ

公務員試験のヤマ場の1つ。ルールを覚えることで暗記量を減らそう！

1 科目の特徴

　民法の条文数は1000を超え、とにかく勉強すべき分量が多いのが特徴です。民法は大きく「総則・物権」と「債権・親族・相続」の2つの分野に分かれますが、国家一般職や特別区ではこれらをそれぞれ1科目として扱っているほどです。

　「総則」とは、民法全体にわたる共通ルールのことです。騙されたり脅されたりして契約を結んでしまった場合に契約の効果はどうなるのか（「意思表示」の分野）、契約を誰かに代わりにやってもらうとその効果はどうかるのか（「代理」の分野）、お金を人に貸したまま長期間放っておくとどうなるのか（「時効」の分野）などを学びます。

　「物権」とは物に対する権利のことで、その典型は所有権です。この所有権の動きについてのルール（「物権変動」の分野）や、所有権以外の物権（「用益物権」「担保物権」の分野）などについて学びます。

　「債権」とは、典型的には契約によって生じる権利のことです。この範囲では、契約を守らない場合に権利者は義務者にどういう請求をすることができるのかを学んだり（「債務不履行」の分野）、売買契約や賃貸借契約など、私たちが普段使っている契約について詳しく学んだりします（「債権各論」の分野）。

　「親族・相続」は、結婚、出産、死亡など、人の一生の中で起きる出来事によって生じる権利や義務について学びます。

2 勉強の方法

　民法は勉強すべき量が多いため、まずは講義を聴いたり解説書を読んだり
してインプットしていく必要があります。しかし、インプットと同じかそれ
以上に大切なのは、問題集を繰り返し解くことです。知識系科目全般にいえ
ることですが、インプットから間を空けずに、できるだけ早くアウトプット
を行うことで、効率的に知識の定着を図ることができるでしょう。

3 ポイント

　民法はケースが多く登場人物も多いので、最初はとっつきにくく感じるか
もしれません。しかし、民法は私たちが生活する上でのルールなので、私た
ちの常識とかけ離れたようなものはないはずです。困ったら常識に照らして
考えてみるというのが、民法を理解するコツです。
　また、1つひとつのケースをすべて覚えようとすると、膨大な量になって
しまいます。法律科目では法律という「ルール」を学習しているのですから、
「要件」や「効果」といったルールや、それを導き出す根本の考え方になる「趣
旨」を覚えるようにすれば、暗記すべき量はぐっと減るはずです。

10 行政法

担当講師 **野村 豊**

科目に対する講師からのメッセージ
法律科目における重要科目であるとともに、公務員になって
からも使う実学でもあります！

1 科目の特徴

　行政法は、法律科目の中で民法に次いで出題数の多い重要科目です。とりわけ、財務専門官、地方上級の一部では、憲法よりも出題数が多くなっています。

　行政法は、憲法の内容を具体化するとともに、民法の応用といった面があるので、憲法と民法の学習後に勉強するとよいでしょう。

　一方で、憲法や民法と大きく異なる点があります。それは、「行政法」という法律が存在しないことです。行政法にも、行政手続法、行政不服審査法、行政事件訴訟法、国家賠償法といった分野別の重要な法律は存在していますが、行政法全体を包含する基本的な法典は存在しません。そのため「憲法」「民法」といった単一の法律を前提に学習することはできません。行政法を学習するということは、個々の法規を前提に、各法制度に共通する考え方や基本的な仕組みなどについて、ある程度抽象化された理論の体系を学ぶことを意味します。また、行政法を学習していると、しばしば条文の文言と講学上（学問上）の概念の意味が一致しないということがあります。同じ言葉の意味が場面によって異なるという点に慣れるとともに、言葉の使われ方に留意して学習する必要があります。

　このような特徴のため、法律科目の中ではとっつきにくく、苦手意識を持つ受験生が多いです。そのため、行政法で確実に得点できるようになれば、他の受験生に差をつけることができるでしょう。

　行政法は、分野によって学習方法が変わります。条文がない行政法の基礎理論では、学説と判例の理解と暗記が中心となります。判例の学習をする際には、具体的な事例をしっかりと把握した上で、判決の内容を理解しながら学習していくことで、抽象的な理論も具体的なイメージを持って取り組むことができるでしょう。行政手続法、行政不服審査法、地方自治法といった行政の活動の方法や組織に関する条文がある分野については、条文の暗記が中心となります。この分野に関しては、条文の読み込みをするとともに、抽象的な条文の内容を図示するなどして、文言を理解しながら取り組むとよいでしょう。また、条文が存在していても、行政事件訴訟法や国家賠償法については、条文の暗記だけでなく、条文の解釈すなわち判例の理解と暗記が中心となります。判例の学習については、基礎理論と同様に詳しく学習しましょう。

3　ポイント

　行政法は、よく「つまらない」と言われます。確かに、条文や制度の仕組みを暗記する分野を中心に「つまらない」と感じるかもしれません。しかし、公務員志望の多くの方にとっては、ただの試験科目にとどまらず、仕事に就いてからも使用する実学でもあります。実際に公務員になって仕事することに思いをはせながら勉強することで、モチベーションを維持し、根気強く頑張りましょう。

11 経済原論

担当講師 **高坂 賢一**

科目に対する講師からのメッセージ
流れをつかめば意外と簡単!!

1 科目の特徴

　経済原論(経済学)の内容は、ミクロ経済学とマクロ経済学に分かれます。つまり、2科目分の分量があるのです。そして、ミクロ経済学もマクロ経済学も、どちらの分量も他の科目と比べて多くなっています。

　さらに、この経済原論は、国家公務員試験、地方公務員試験問わず、多くの試験種で出題される科目であり、公務員試験において最も重要な科目の1つに位置づけられています。

　また、経済原論は、文章、図(グラフ)、数式を用いて理解することになります。数式については、苦手意識を持っている受験生もいるかと思われますが、実際には中学生までに学習した一次関数などが中心ですので、それほど心配する必要はありません。

2 勉強の方法

①全体の流れをつかむ

　経済原論は、連続テレビドラマと一緒で、前のストーリーを理解していなければ、後のストーリーを理解することができません。第一話の内容が理解できていなければ第二話の内容はわからないのです。そのため、まず、経済原論は全体像を簡単に把握したら、前の項目から順番に飛ばすことなく理解

するようにしていきましょう。

②図（グラフ）を中心に理解する

　経済原論は、「文章」、「図（グラフ）」、「数式」を用いて理解しますが、ここで重要になるのが「図（グラフ）」です。

　もちろん、多少の数式なども必要とされますが、それよりも図（グラフ）を理解することが経済原論攻略のカギを握ります。図（グラフ）をイメージできるようにすることが大切なのです。

③基本問題を繰り返し解く

　経済原論では、基本から応用まで幅広いレベルで問題が出題されます。しかし、合否を左右するのは基本問題の正答率です。公務員試験は、他の受験生との間の相対評価で合否が決まります。そのため、多くの受験生が正解する基本レベルの問題を間違えてしまうことは避けなければなりません。反対に、多くの受験生が間違えてしまうような応用レベルの問題は合否に影響しないので、無理して解く必要はないのです。とにかく、基本レベルの問題を徹底的に繰り返し解くことが大切です。

3　ポイント

　経済原論は、理解するのに相当な時間を要する科目です。しかし、一度理解してしまえば簡単には忘れない科目でもあります。じっくりと腰を据えて最後まで学習していけば、十分に得意科目にすることができるでしょう。

12 政治学

担当講師 **坪倉 直人**

科目に対する講師からのメッセージ
理解と暗記でメリハリつけた学習を！　時事問題の理解にも
つながります！

1 科目の特徴

　政治学は、政治制度や政治に関わる登場人物の役割、政治学者の考え方、ニュースに関する問題まで様々な内容が問われます。具体的に言うと、①政治制度においては、日本・アメリカなど主要国の政治の仕組み（大統領制や議院内閣制など）、選挙の役割や手法などを学びます。次に②政治に関わる登場人物ですが、ここでは日本を中心に政党の役割、圧力団体（利益集団ともいう）の関わり方、マスメディア、彼らから影響を受ける我々国民の行動などを考えていきます。さらに、③政治学者の見解のところは自由主義や民主主義とは何か、国が世の中にどう関わるべきか、など思想とともに、今のニュースの理解にも通じる内容を学んでいきましょう。

　出題数は、概ね2～5問ほどとなっています。選択科目ではあるものの、多くの受験先が出題科目に挙げているため、選択する受験生が多い科目といえます。

2 勉強の方法

　政治というと難解に感じる方もいるかもしれませんが、日常生活と関連するものがほとんどです。そこで、政治学用語と日常生活をつなげていきながら学ぶことが必要になります。この点、ニュースをチェックしていくことで

理解が深まると思います。

　また、政治学者の見解については、学者それぞれの見解の違いを確認していきましょう。丸暗記ではなく、要点を意識しながらまとめると理解が早くなります。また過去問には、出題者が何が大事と思っているかのヒントが入っています。そのため、過去問演習をしながら取り組むとより一層効果的でしょう。

3　ポイント

　政治学は、単に試験科目という意味を超えて、世の中のニュースの理解、さらに公務員になった後の制度理解にも活きる科目です。まずは、難しい用語であっても、自分たちが生活している社会に関連することであるという意識を持ち、ひるまずに取り組んでください。また、勉強方法でも伝えた通り、過去問をうまく活用しましょう。出題者が「政治の勉強で何を学んでほしいのか」「ポイントは何か」は、過去問にヒントがあります。参考書を読むだけでは何が重要か判断しにくいため、過去問を活用しましょう。ただ、過去問を繰り返すだけでは、丸暗記になるだけで、少しひねられるとすぐにわからないということになりかねません。あくまで、過去問だけにならないように気をつけましょう。

13 行政学

担当講師 **新谷 浩史**

科目に対する講師からのメッセージ
試験でのコスパがよく、公務員になっても使える知識が多い、
お得な科目です！

1 科目の特徴

　行政学は、学説史・理論、行政組織・制度、行政管理、地方自治から構成
されます。

　学説史はアメリカ行政学、理論は意思決定・官僚制・行政責任が相当しま
す。行政組織・制度には中央行政機構（行政委員会・審議会含む）・稟議制・
予算、公務員制度、行政統制があります。行政管理は政策評価や新公共管理
（NPM）・行政改革が相当します。地方自治には、日本のみならず、アング
ロサクソン型・大陸型という西欧諸国の中央―地方関係も含まれます。

　出題数は、特別区・国家一般職が5問、地方上級・市役所が2問です。行
政学は、範囲の狭さと他科目（行政法・経営学・社会学）の知識を活かせるこ
とから得点しやすいのが特徴となっています。

2 勉強の方法

①特別区

　頻出分野は、過去10年（2013〜2022年）では、アメリカ行政学と地方自治
が圧倒的に多く、行政委員会と審議会、行政統制が続きます。3年に1度程
度の頻度で意思決定、公務員制度、新公共管理・行政改革、行政責任が出題
されます。新規の出題はまれで、傾向を踏まえて、過去問を繰り返し潰すこ

とで、一定の得点は確保できるでしょう。

②国家一般職・地方上級

　国家一般職の頻出分野は、過去10年（2013～2022年）では、新公共管理・行政改革、中央行政機構・予算、日本の地方自治、行政統制、公務員制度が多く、「日本行政の制度・改革」にこだわった学習が必要です。制度等の理解に重点を置き、過去問も国家総合職まで含めて行うことが高得点の鍵となります。アメリカ行政学や官僚制、意思決定という理論分野は、複合的問題という傾向のため、一通り講義を聴いてから過去問にあたると効率がよくなるでしょう。

　地方上級は、2問のうち1問は日本の地方自治で、ほぼ固定されています。もう1問は読みづらいですが、国家一般職対策の延長で対応すればよいでしょう（国家一般職を併願しない人は、日本の地方自治1問に特化して他の科目でカバーする方策もあります）。

3　ポイント

　これまで、試験種別に学習法を紹介してきましたが、全般的に受験する方向けに『過去問解きまくり！』問題集のおすすめの使用法をお伝えします。いわゆるスパイラル方式で、1周目は特別区のみ、2周目は特別区＋基本レベルの国家一般職・総合職、3周目は応用レベルと徐々に難易度を上げていくのです。なお、特別区の過去問は、特別区試験終了後にやっても意味がないため、いち早く着手することに留意してほしいです。

LINE公式アカウント

LEC公務員

公務員試験に関する全般的な情報をお届けします！
さらに学習コンテンツを活用して公務員試験対策もできます。

様々な学習コンテンツを公開！！

❶ 公務員を動画で紹介！
「公務員とは？」

公務員についてよりわかりやすく動画で解説！まずは公務員・採用試験について知ろう！

❷ LINEでかんたん公務員受験相談

公務員試験に関する疑問・不明点をトーク画面に送信するだけで回答が届きます！
(例)

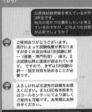

友だち追加はこちらから！

@leckoumuin

❸ 復習に活用！
「一問一答」

❹ LINE限定配信！
学習動画

詳細は裏面へ ▶

❺ LINE登録者限定！
オープンチャット

同じ公務員を目指す仲間が集う場所！勉強の進捗状況や公務員試験の情報共有、その他疑問を解消する交流の場となっています。

※合格目標年度によっては設定がない場合がございます。

❸ 復習に活用！「一問一答」　公務員試験で出題される科目を○×解答！

●一問一答実力試し！

公務員試験で出題される科目を○×解答！復習等で活用いただける学習コンテンツです。人文科学・社会科学・憲法・行政法・行政学が利用可能です！今後様々な機能を追加予定！復習時にお役立ていただけます。

《問題例》 ※画像はイメージです。仕様が変更になる場合がございます。

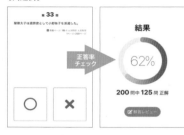

★解答レビューで問題ごとの解答時間・正誤確認
やランキングを見ることもできます！

❹ LINE限定配信！学習動画　公務員試験対策に役立つ動画をLINE限定配信!!

●スマホで公務員S式入門講座

まずは基礎を固めよう！
有料講座「スマホで公務員S式入門講座」
コンテンツの一部を無料配信します。

【S式公務員】＜社会科学＞さまざまな ∨
政治体制
🔒限定公開

●民間就職にも役立つSPI対策

SPIの非言語分野を学習できる動画です。
LINE限定でテーマ別に解説します。

SPI対策　ユニット1：等差数列 ∨
🔒限定公開

- -

●公務員試験時事対策動画

公務員試験に出題されやすいトピックを15分でざっくりと
解説します。

14 社会学

担当講師 **大野 純一**

科目に対する講師からのメッセージ
特別区・都庁では狙い目！　論文に役立つことも！

1 科目の特徴

　社会学は、「社会」そのものを分析・検証し、その成り立ちを研究するもので、公務員試験では行政系科目の一分野として扱われます。社会学理論（学説史）、社会学各論（集団論・家族・社会心理・文化・都市・逸脱等）、社会調査の3分野から、国家一般職、国家専門職、特別区、一部の県庁・政令市で出題されます。試験によって難易度にかなり差があり、オールマイティに使えるものではありませんが、政治学や行政学、経営学等と共通する領域も多いので、これらの科目と併せて学習すれば効率的に習得できる科目でもあります。

2 勉強の方法

①学習法と時期

　いわゆる暗記系科目なので、ある程度学習が進んでから取り組むべき科目です。学習法としては、学者とその学説、事象とその理論を結びつけるようにしていくことから始め、徐々にその内容を深めていけばよいでしょう。いたずらに問題を解く必要はなく、学習教材の索引を活用するなどして知識の定着を図っていくとよいです。

②頻出分野

　最頻出なのは社会学説史です。特に、ウェーバー、デュルケーム、パーソンズは単独の出題もあるので注意しましょう。各論では、集団、組織、家族、文化、逸脱等が問われやすくなっています。社会調査は国家一般職ではほぼ毎年出題されますので、苦手意識を持たずにしっかりやっておきたいところです。

③試験種別の対策

　特別区、一部の県庁・政令市の出題は基本レベルの内容が多いので、基本レベルの学習に力を入れて得点源としていきましょう。記述式になりますが都庁でも取り組みやすいです。国家一般職は年により難易度にばらつきがあることに加え、通常の学習範囲を超える出題もあるため、得点源とするよりは、状況により選択する科目候補として扱ったほうがよいでしょう。国家専門職では、政治学・社会事情と組み合わせて出題されるので、それらの科目の習熟度を考えて対応するのがいいです。

3　ポイント

　上で述べた通り、試験種によって得点源となることもあれば、難易度が高くなることもあるため、志望順位を考慮に入れながら選択するかどうかを決めるべき科目です。一方で、「社会」そのものを対象としており、都市、家族、格差社会、労働のあり方なども扱うことから、習得した知識を教養記述試験のバックグラウンドとして活用することもできるという面もあり、本試験で選択しなかったとしてもその知識を活用することができるという面も持ち合わせています。

15 財政学

担当講師 **丸尾 旭**

科目に対する講師からのメッセージ

経済学が苦手でも、財政学を放棄しない！　文章題は知識の
定着のみで対応が可能なおすすめ科目。

1 科目の特徴

　財政学は制度、理論、事情の３分野に分かれます。制度は国の予算、地方
財政、公債、租税に関する文章題が出題されます。理論は租税の学説などの
文章題と、経済原論と重複している分野の計算問題が一部出題されます。特
別区以外の試験種では、日本や世界の財政データについて事情分野の文章題
が出されています。

　経済原論の学習後に取り組む受験生が多いです。経済原論を選択していな
い、あるいは苦手な受験生は、知識で得点可能な文章題のみに絞って対策を
することが可能です。国家専門職の受験生は、標準的な計算問題まで演習を
しておき、得点源にしたい科目です。

2 勉強の方法

①制度

　特に国の予算制度は最頻出分野であり、地方上級以外の試験種でほぼ毎年
１題は出題されています。予算原則の内容と例外をしっかりと覚えていきま
しょう。名前と内容を入れ替えた選択肢が繰り返し出題されています。

頻出分野 予算原則・内容、国と地方の財源調整、公債負担、租税の分類・
各論

②理論

「租税」分野が最頻出です。「公共財」とあわせてミクロ経済学と同じ論点ですので、図を意識しながら理解するとよいでしょう。「乗数効果」、「財政・金融政策」は、マクロ経済学と重複しています。学派による経済政策への考え方の違いを問う問題も出題されていますので、学者と内容をキーワードで整理しましょう。地方上級では、経済政策の科目として計算問題が出題されています。

頻出分野 租税の転嫁と価格弾力性、公共財、乗数効果

③事情

試験前年度の当初予算の特徴を押さえておきましょう。統計資料や白書のグラフが与えられ、そこから正しく読み取れるものを問われることもあります。細かい数値自体はあまり問われませんが、増減の方向を覚えておくことが重要です。

頻出分野 一般会計予算の歳出歳入、財政赤字、財政金融政策

---

3 ポイント

財政学はミクロ経済学とマクロ経済学の発展分野ですが、それらの知識がなくても対応が可能です。新傾向の問題はめったに出ないので、過去問題の選択肢を何度も繰り返すことが合格への近道です。理論的な背景がなくても制度や事情分野は、単に暗記すれば合格点へ到達できます。

16 面接（東日本編）

担当講師 **松浦 明義**

科目に対する講師からのメッセージ
面接試験は、公務員として採用されるか否かが最終的に決定
されるという意味で最重要科目です。

1 試験の特徴

　面接試験は、通常、公務員試験の最後に控え、これにより合否が決定されます。筆記試験は独学でも過去問演習である程度得点アップができますが、面接試験は独学での攻略が困難です。

　公務員の面接は、通常、事前に提出した面接カードに記入されたことについて質問がされ、それに的確に答えることが要求されます。最近は、「想定外の質問」がされるなど柔軟性も必要となってきました。

　さらに、国家総合職・国家一般職試験では、人事院の面接のほかに官庁訪問での面接も突破しなければなりません。特別区の試験では、人事委員会の面接の後に各区の面接試験も控えています。

2 対策の方法

①面接カード・エントリーシートの準備

　面接カードは、通常、筆記試験終了後、面接試験の前に提出します。記入事項は「志望動機」「やりたい仕事」「学生時代の経験」「自己PR」などです。自分を効果的にアピールできるような質問をしてもらうためには面接カードの記入にも戦略が必要です。記入した面接カードを使って模擬面接をしてもらい、その結果を踏まえて再度面接カードの記入方法を工夫するなど、試行錯

誤が必要です。

特別区や一部の市役所のように、出願時にオンラインで「志望動機」などのエントリーが求められる場合には、より早期の準備が必要となります。

②模擬面接

筆記試験と異なり「実技」試験ですから、本番と同じ状況で質問をしてもらい、それに答えるというシミュレーションが不可欠です。

また、最近増えている「想定外の質問」に対応できるようになるためにも、模擬面接でのトレーニングが不可欠です。

本番と同じ状況を再現するためには、当然、面接官役の能力にも大きく依存することになります。

③官庁訪問対策

人事院や人事委員会の面接に比べ、官庁訪問では、志望する官庁ごとのさらに突っ込んだ調査や説明会への参加が不可欠です。

3 ポイント

多くの試験種を併願し、そのすべての面接試験で合格を勝ち取るためには、面接対策も効率性が重要です。

「学生時代の経験」は使い回しができますが、「志望動機」や「やりたい仕事」は試験種ごとの準備が必要です。例えば、都庁であれば「未来の東京戦略」など都政に関する定番の資料で、都の課題を調べ、自分がどう貢献できるかを積極的にアピールすることが必要です。

17 面接（西日本編）

担当講師　**坪倉 直人**

科目に対する講師からのメッセージ
面接は計画・準備から勝負がスタート！　苦手な人でもコツコツ取り組めば、誰もが実力アップできます！

1 試験の特徴

　面接は、主に公務員試験の2次試験以降で課される試験であり、近年、特に重要視されています。内容としては、①個別面接、②集団面接、③集団討論があります。①個別面接については、一般的な志望動機・自己アピールを中心としたものから、プレゼンテーションをさせるもの、一日で複数回の面接を行うものまで、受験先により様々な傾向があります。

　配点についても、筆記試験の数倍の点数を課す受験先や、合否には筆記試験の点数を加味しない受験先なども出ています。また、国家一般職では配点比率は20％ほどと比較的低いものの、採用先を決定する「官庁訪問」で面接を重視するなど、近年は面接重視の傾向が顕著になっています。

2 対策の方法

①エピソードを作る

　面接では「自分自身の体験」がベースとなります。そのため、まずはエピソードを作っていきましょう。アルバイト、サークル活動、部活動、ゼミナール、ボランティア、インターンシップなど様々なものがあります。そこで、自ら考えて行動に移す、ということを進めてください。なお、特殊な体験でなければならない、と勘違いされている方もおられるかもしれません。しか

し、少なくとも公務員試験では気にしないで大丈夫です。

②自己分析と業務説明会

　自己分析とは、自分が経験したエピソードをもとに、自分の特徴や行動を分析していくことです。自分の経験から、長所は何か、自分の強味はどこで活かせるのか、どんな仕事をしたいのか、など、実体験をもとに検討してみましょう。さらに、業務説明会などに参加して、仕事の理解を深めていきましょう。ここからは情報戦にもなります。

③ES作成と伝える練習

　自己分析が終われば、エントリーシート(ES)作成および面接練習を始めていきましょう。ESはあくまで面接の道具です。ES作成だけにならず、面接でどう話すかも一緒に取り組む必要があります。ここでは、自分だけで取り組まず、自分以外の人に判断・意見をもらえる環境を整えてください。

3　ポイント

　自分自身の経験を話すことが重要です。他人が作った内容ではいい評価はもらえません。また、エピソードで大事なのは自分自身の考えと行動です。億劫がらずに、様々な体験を積んでください。また、面接対策としては、イソップ童話の「アリとキリギリス」のアリさんのようにコツコツと準備をし、本番で自信を持って話すことができるようにしましょう。

18 土木系専門科目

担当講師 **藤田 幸一**

科目に対する講師からのメッセージ
計算科目は典型問題に対する十分な演習を行い、知識科目は
過去問中心に知識を固めよう。

1 科目の特徴

大きく計算科目と知識科目に分かれます。計算科目は、構造力学（応用力学）、水理学、土質力学（土質工学）、測量があります。知識科目は、土木材料、土木設計、土木施工、都市計画、土木計画（交通、道路・橋梁、河川、海岸・港湾、防災、公共事業）、環境工学、衛生工学があります。

工学の基礎（数学・物理）と合わせて専門科目を構成しており、国家一般職では択一式40問中20問、県庁・市役所では択一式40問中30問（一般的な例）を占めます。また、記述式の東京都 I 類 B では 5 題中 3 題選択、特別区 I 類では 6 題中 4 題選択となっています。

2 勉強の方法

①計算科目

数学や物理（力学）の基礎力が必須なので、しっかりと身につけておきたいところです。三角関数、微分・積分、図形の計量、力とモーメント、力学的エネルギー保存などが重要な分野です。

図が多く出てくるので、分野ごとに用いられる図をしっかり理解し覚えましょう。また、必要な場合には手早く書けるようにしておきましょう。典型的な問題が多いので、十分な演習を行い、解法のパターンと用いる公式をよ

くつかんでおきましょう。さらに、十分な計算力も必要とされるので、計算練習も怠らないようにしてください。

頻出分野 構造力学(梁、トラス、ラーメン、たわみ、座屈)、水理学(基礎式、管水路、開水路)、土質力学(物理的性質、透水、圧密)、測量(用語、誤差、水準測量、閉合比)

②知識科目

範囲がとても広いので、取捨選択が重要になります。過去問において出題されているところを中心に学習すると効率がよいです。

頻出分野 土木材料(コンクリート)、土木設計(耐震設計、コンクリート構造物)、土木施工(施工法、地盤)、都市計画(都市計画法)、土木計画(交通・道路、河川・治水、港湾・海岸)、環境工学(地球環境問題、環境アセスメント)、衛生工学(上下水道)

3 ポイント

計算科目も知識科目も過去問が重要です。計算科目は出題されている典型的な問題を解けるようにし、解法を身につけた後も計算力などを維持するためにある程度の演習を行っていく必要があります。知識科目は出題されているキーワードなどをしっかり押さえるようにし、その際、土木施工などはインターネットで調べて映像などを見ると定着しやすくなります。

19 化学系専門科目

担当講師　**岡田 淳一郎**

科目に対する講師からのメッセージ

大学受験で物理を使っていない方、物理を頑張りましょう！

1 科目の特徴

　地方上級・国家一般職では工学の基礎が約10問出題され、残り30問が化学系専門科目の出題です。市役所（専門科目が30題）の場合は工学の基礎が2題で、残り28題が化学系専門科目です。

　国家一般職の出題では必要な定理が問題文中に与えられていることが多く、定理の暗記は不要ですが、地方上級では問題文中に定理の記載がないので定理を覚えておかないと問題が解けません。

　レベル感は地方上級・国家一般職で大きく変わることはありませんが、一部の県庁などでは化学系専門科目が記述式で出題され、計算の途中過程や解き方の記載を求められます。

2 勉強の方法

①暗記中心の科目（有機化学・無機化学・生物化学）

　大学の教科書を使って学習しようとする場合、大学の教科書の分量が非常に多くなります。例えば、有機化学の多くの教科書は上中下巻の3巻構成になっていますが、化学職の試験で必要とされる知識はそれほど多くありません。まずは、過去問を見て、頻出分野がどこなのかを各科目で調べてください。過去問の頻出分野に絞って学習を進めましょう。頻出分野の中で、自分

の知識が不足している項目があれば教科書を見るようにしてください。初めに教科書を使ってインプットをしてから過去問を解くと時間が足りなくなります。

②計算中心の科目(物理化学・分析化学・化学工学)

　頻出の定理をしっかりと覚えましょう。前述の通り、地方上級の化学職を受ける場合には定理が問題文中に与えられていないことが多いので、定理自体を正確に覚えていなければ問題が解けません。定理や考え方さえ理解できれば、似たような問題しか出題されないので得点しやすくなります。こちらの科目群はまず必要な定理の確認をして、その後、過去問を使って出題形式に慣れましょう。物理が得意な方にはあまり苦にならない科目です。

3　ポイント

　物理化学がすべての科目の中で1番出題数が多く、化学工学は化学系の学科に在籍していても履修をしていない受験生が多い科目です。また、この2科目は物理の理解が必須です。工学の基礎と併せて物理(特に力学分野)の理解がポイントになるのです。大学受験で物理を使わなかった受験生は、センター試験や共通テストレベルの物理を理解しておくことが必須になります。

　国家一般職では生物化学と化学工学(各4題出題の計8題から4題)を選択できますが、片方の科目を履修していない場合でも2科目とも勉強しておくことをおすすめします。

20 工学に関する基礎（数学・物理）

担当講師 **青木 博文**

科目に対する講師からのメッセージ
問題演習により「公式力」と「計算力」を磨こう！

1 科目の特徴

「工学に関する基礎（数学・物理）」とは、技術系（理系）の公務員試験で出題されている科目で、数学と物理から構成されています。数学では、整数、幾何、関数、ベクトル、微積分、確率、フローチャートなどの分野から出題されます。物理では、力学、熱力学、波動、電磁気学、電気回路、原子などの分野から出題されます。

試験によって、科目の名称、出題数、出題される内容が異なりますので、事前に確認しておきましょう。例えば、国家一般職であれば「工学に関する基礎」と、地方上級では単に「数学・物理」と表されている、ということです。また、すべての技術系の公務員試験で出題されているわけではありません。

2 勉強の方法

①数学

基本的には、高校時に学習する内容・レベルと同じと考えてよいでしょう。まず、公式を覚え直すことはいうまでもありませんが、主要なテーマについては、出題・解法パターンをしっかりと確認していくことが大切です。また、フローチャートや論理などの特殊な分野も疎かにすることはできません。

頻出分野 整数、幾何、関数、微積分、確率、フローチャート

②物理

数学同様に、高校物理の範囲・レベルと考えてよいです(一部、力学では、流体力学も出題されます)。物理の基本は力学にあるので、まずは力学をしっかり学習することです。特に、力のつり合い、剛体のつり合い、単振動など主要分野は、確実に解けるように問題演習を繰り返しましょう。一方、波動、熱力学、電磁気学などの分野は、基本問題が多いので基礎力を磨きましょう。

頻出分野 力学、波動、電磁気学、電気回路

3 ポイント

「工学に関する基礎(数学・物理)」は、工学系では、国家一般職で20題、地方公務員で10題出題されており、専門択一試験の中では最重要科目です。といっても、出題範囲が広いので、問題演習を柱とした学習スケジュールを計画的に立てることが肝要です。また、具体的な数値計算問題も多く出題されますので、実際に自分の手を動かして、丹念に計算練習を繰り返すことも忘れてはいけません。この科目で求められている力は、「公式力」と「計算力」の2つといっても過言ではありません。最後に、化学区分や農村工学区分でも出題されているので、注意を喚起しておきます。

21 農学系専門科目

担当講師 **松村 尚和**

科目に対する講師からのメッセージ
農学職は出題科目がとにかく多いです。いろんな分野に興味
を持ちながら、幅広く勉強していきましょう。

1 科目の特徴

　農学職の専門科目は、国家一般職および県庁では出題科目を列記するだけ
でも栽培学、作物学、園芸学、遺伝・育種学、植物病理学、植物生理学・土
壌肥料学、昆虫学、畜産学、農業経済・農業政策のように多岐にわたります。
国家総合職（農業科学・水産）では、必須問題5題（生物資源科学、食料事情、
統計学）、必須選択10題（農業科学系、または、水産系それぞれ10題出題さ
れるもののうち、どちらかを選択）、選択問題（115題のうちから決められた
方法のうち25題解答）と、出題形式が大きく異なっています。

2 勉強の方法

①国家一般職・県庁

　科目ごとの出題数がほぼ決まっており、また、問われる内容も一般的なも
のが多いです。ただし、幅広い分野から出題されるため、自らが専門とする
得意な科目ばかりではなく、広範囲な学習が必要となります。それぞれの科
目についての基本事項については、問題演習を重ねながら適宜総まとめ講座
のテキストやインターネットの情報を活用しながら知識を深めていくとよい
でしょう。国家一般職は毎年資料を読み解く問題が出題されるため、基本的
な作目の産地や生産量の概要をイメージできるようになっておきましょう。

②国家総合職

　生物資源科学は生物学の大学院入試レベルの知識が必要になり、また幅広い分野から出題されます。さらに、食糧事情では時事的なニュース・食料政策などの話題も出題されるため、食料をめぐる社会的な話題に対してもアンテナを張って知識を付けておきたいところです。統計学は付け焼刃だと必要な公式や計算法が出てきにくいので、普段から慣れておきましょう。選択問題は問題自体のレベルは高めですが、自分の得意な分野を選んで勝負できますので、絶対に落とさない科目を作っておきましょう。

3	ポイント

　農学職は他の理系公務員の専門科目に比べ、合格最低点が高めになる傾向があります。その背景には、知識科目が多く、勉強したら勉強した分だけ得点が伸びやすいという特徴のためと考えられます。ただし、必ずしも満点を目指す必要はなく、取れる問題・わかる問題を着実に増やしていくことによって40問中の30～35くらいの正答をコンスタントに取ることも可能です（それ以上取ろうとするよりは、基礎能力試験や論文試験の対策に充てたほうが効率がよいです）。得意な科目は落とさず、不得意な科目は大ケガをしないよう心がけましょう。

第4章

合格者1000人に聞く公務員試験合格法

1 合格者1000人に聞く公務員試験合格法とは？

1 はじめに

　LECからは毎年1000人以上の合格者が誕生しています。本章ではその合格者の中から、合格体験記を書いていただいた合格者の意見をまとめました。これから公務員試験を目指す皆さんの参考にして頂きます。

　受験生の声を集めたものですので、これから公務員試験にチャレンジする皆さんにも参考になる部分が多くあると思います。「公務員試験にチャレンジするか迷っている」、「公務員試験にチャレンジすることは決めたが独学か予備校を使うか迷っている」、「試験勉強をしているがうまくいかない」、「苦手な面接対策はどうしたらよいか」など、それぞれの段階において受験生の方は常に悩みを抱えていることでしょう。先輩合格者がどのようにそれを乗り越えたのかを知り、来年の合格を勝ち取っていただければと思います。

2 本章の構成について

　本章は①公務員を目指した理由、②LECを選んだ理由、③学習方法について、④面接対策についての4部で構成されています。

①：公務員を目指した理由

　本書をお読みいただいている方の多くは就職または転職の際に、公務員を目指すか・民間企業を受けるかで悩まれているのではないでしょうか？　実際に公務員試験を受けた方々は、どういうきっかけで公務員を目指すことになったのかを見ていきます。

②：LECを選んだ理由

　①をお読みいただいた方が次に迷われるのは、公務員試験の対策を行う際に、「予備校を使うのか？」それとも「独学で目指すのか？」ということだと思います。そして、予備校を使う場合には「どこの予備校を使うのか？」を迷われることになります。本部分では、合格者の方に数ある予備校の中で「どうしてLECを選ぶことにしたのか」を見ていきます。

③：学習方法について

　公務員試験を目指す場合、長期にわたる（半年〜1年間）学習が必要になります。著者である私も受講生の方から「効率の良い勉強法はないですか？」、「人名を覚えるのが苦手なのですが良い暗記法はないですか？」などの質問を受けます。本部分では、合格者がどのような学習方法で合格をつかんだのかを公開していきます。

④：面接対策について

　近年の公務員試験は人物重視の傾向が顕著です。筆記試験が上位合格でもあっても人物試験の成績次第では最終合格できない場合もあります。また、特に学生の方は就職活動において初めて面接試験を受けることに不安を抱いているのではないでしょうか。本部分では、合格者の方が実際に面接試験を経験し、どのような対策を行ったのかを公開していきます。

（注）2024年度版は各項目における2022年度合格者と2023年度合格者の人数比較ができるようにしました。各項目の合格者の意見についても2か年の合格者の代表的な意見を比較できるようになっています。

1 はじめに

　本項目では、合格者がなぜ公務員を目指したのかを見ていきます。まず、挙げられた理由のランキング（上位10項目）を次ページに示します。

　2「公務員を目指した理由」〜5「面接対策のポイント」中で2022年度合格者と2023年合格者の中で唯一大きな差があったのが2「公務員を目指した理由」です。

　グラフの通り、2022年度は「収入や身分が安定している」を挙げている人が2位でしたが、2023年度は5位になっています。また、1位の「社会貢献」や2位の「仕事のやりがい・仕事の魅力」を挙げる人の割合が大きく増加しています。これは、昨今、様々な業界で人手不足が叫ばれ、民間就職活動も学生側に有利な売り手市場であること、民間企業の働き方改革が進んだことが認知されたため、労働環境を重視して公務員になりたいと考える層が減少し、公務員の社会的な意義の大きい業務内容に魅かれて公務員になる人が増えているといえるでしょう。

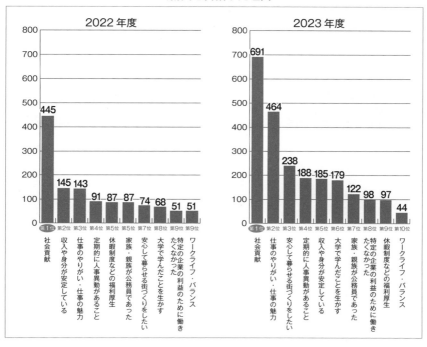

公務員を目指した理由

2022年度

順位	理由	人数
第1位	社会貢献	445
第2位	仕事のやりがい・仕事の魅力	145
第3位	収入や身分が安定している	143
第4位	定期的に人事異動があること	91
第5位	休暇制度などの福利厚生	87
第5位	家族・親族が公務員であった	87
第7位	安心して暮らせる街づくりをしたい	74
第8位	大学で学んだことを生かす	68
第9位	特定の企業の利益のために働きたくなかった	51
第9位	ワークライフ・バランス	51

2023年度

順位	理由	人数
第1位	社会貢献	691
第2位	仕事のやりがい・仕事の魅力	464
第3位	安心して暮らせる街づくりをしたい	238
第4位	定期的に人事異動があること	188
第5位	収入や身分が安定している	185
第6位	大学で学んだことを生かす	179
第7位	家族・親族が公務員であった	122
第8位	特定の企業の利益のために働きたくなかった	98
第9位	休暇制度などの福利厚生	97
第10位	ワークライフ・バランス	44

　グラフからわかるように、2023年度の1位には「社会貢献」が挙げられています。

　待遇面で注目されがちな公務員ですが、受験生は待遇以上に公務員の社会的な意義に共感して公務員を目指しています。次項から、公務員を目指した理由のうち3つの理由を詳しく見ていきます。

　はじめの2つは、1位の「社会貢献」と2位の「仕事のやりがい・仕事の魅力」を見ていきます。そして3つ目は、多くの方がイメージする5位の「収入や身分が安定している」ことについて詳しく見ていきます。

2　1位：社会貢献

　他の理由に比べ圧倒的に多かったのが、691名が挙げた「社会貢献」です。社会貢献を理由に挙げた方をさらに細かく分けると、以下のようになります。

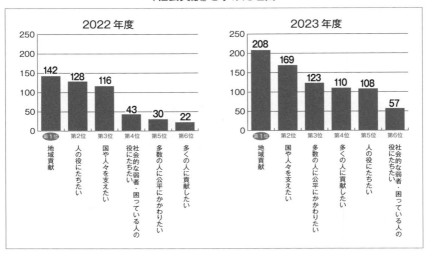

『社会貢献』を挙げた理由

2022年度

	第1位 地域貢献	第2位 人の役にたちたい	第3位 国や人々を支えたい	第4位 社会的な弱者・困っている人の役にたちたい	第5位 多数の人に公平にかかわりたい	第6位 多くの人に貢献したい
	142	128	116	43	30	22

2023年度

	第1位 地域貢献	第2位 国や人々を支えたい	第3位 多数の人に公平にかかわりたい	第4位 多くの人に貢献したい	第5位 人の役にたちたい	第6位 社会的な弱者・困っている人の役にたちたい
	208	169	123	110	108	57

　上記表の中で特に多かった上位３つの「地域貢献」・「国や人々を支えたい」・「多数の人に公平にかかわりたい」について、詳しく合格者の想いを紹介します。

　社会貢献の中でも１番多かったのは、208名が挙げた「地域貢献」です。地方公務員をはじめとして、地域に根差した業務に就けるのが公務員の魅力の１つといえます。地域貢献を挙げた受講生の声を聞いててみましょう。

😊私が公務員を志望した理由は、地元を含む地方の活性化に携わりたいと考えたからです。地方創生に関しては民間企業や行政等、幅広いセクターがかかわることができます。しかし、利益を度外視して動ける点、１つの事業にこだわることなく幅広い施策を通じてアプローチができる点に魅力を感じ、公務員を志望しました。その中でも地方公務員として働くか国家公務員として働くかという選択がありましたが、より広い視点から地方創生に携わりたいという思いと、地元以外にも貢献したいという思いがあり、国家公務員を選択しました。

（2023年国家総合職合格者）

☺私が公務員を目指したきっかけは、長野県を災害に強く、住みやすい県にしたいと考えたためです。私が高校3年の時に令和元年東日本台風（台風19号災害）が発生し、地元である長野県は大きな被害を受けました。その際に、長野県職員の方々はライフラインの復旧や支援物資の供給、復興に向けた事業などを積極的に進めており、様々な面で県民の生活を支えているということを肌で感じ、私も職員の方々の一員として働きたいと考えるようになりました。 (2023年長野県合格者)

☺私の地元は比較的住みやすい気候で、海もすぐ近くにあります。私も大人になるまでに、環境資源の恩恵をたくさん受けてきました。こういった地元や地域ごとの環境資源を守る仕事がしたいと思い、長期的かつ広域的に環境保護に関わることのできる国家公務員を志望しました。環境保全等の取り組みは地域ごとの特色を織り込んで考える必要があるため、地域により密着した地方公務員や企業が担う役割も大きいと思います。しかし、地球上のあらゆる出来事が環境問題を引き起こす原因になります。さらに環境問題は、国や世界が足並みを揃えて取り組むことにより大きな効果があります。こういった理由から、より広い視野で環境資源を守ることに貢献できる国家公務員を目指しました。 (2022年国家一般職合格者)

社会貢献の中で2番目に多かったのは、169名が挙げた「国や人々を支えたい」です。仕事といえば生活の糧を得る手段ですが、業種を決める軸の1つに「誰かのためになりたい」という思いは皆さんもお持ちではないでしょうか。こちらも合格者の声を聞いててみましょう。

☺もともと、表に出るというよりは陰で支えたいと思うようなタイプで、「誰かのため、社会のためになる仕事」に就きたいと考えていました。また、「誰かのサポートができる」を軸として就職活動をしてきました。民間で働いたほうがきっとサポートする相手の顔が見え、直接感謝される機会も多いと思います。たとえサポートする相手が近くなくても、直接お礼を言われることがなくても、国家公務員として「国民の安心・安全を守る」ほうが、支える人数は何倍も多いと考えました。 (2023年国家総合職合格者)

😊私が公務員を目指したのは、より多くの人の生活を支えたいと思ったからです。社会人として民間企業で働いているときに、サービスを提供できる相手がどうしても限られていると感じました。もちろん民間企業も公務員もそれぞれの形で社会に貢献しています。しかし、公務員は社会の土台づくりを直接的に担うため、年代などに関わりなく多くの人の生活を支えることができるのではないかと考えました。そのため、私は公務員を志望しました。

（2023年裁判所職員合格者）

社会貢献の中で3番目に多かったのは、123名が挙げた「（民間企業のように財・サービスを購入した人だけでなく）多数の人に公平にかかわりたい」です。民間企業はその性質上仕方のないことですが、対価を受け取らないとサービスの提供が出来ません。しかし、公務員では原資になっているのは国民や住民が納めた税金であるため、分け隔てなく行政サービスを提供できます。この部分に魅力を感じた合格者の声を聞いていきましょう。

😊民間企業にはない、公務員独自の魅力に惹かれました。まず「利益追求」ではないこと。当然ですが、民間企業では利益を生み出さなくてはなりません。しかし、公務員はそうではなく、「いかに豊かな社会を創るか」を第一に仕事をすることができます。また、自治体職員ならではの幅広い業務内容にも惹かれました。福祉・まちづくり・教育など生涯にわたって幅広い分野に関わり、地域社会に貢献していける。これは自治体職員最大の魅力だと考えています。

（2023年東京都合格者）

😊前職の民間企業では営業として従事していたのですが、顧客のためというよりも、利益のための行動が求められることにギャップを感じるようになりました。もちろん、利益追求＝悪という認識ではなく、私の性格・考え方には合わないのだろうと転職を考えることが多くなっていたのです。そんな時、民間企業から公務員に転職した友人と話す機会があり、実際の働き方や、何を期待され求められるか、どんな人に向いていると思うかなどを聞いたことで、公務員を目指したいと思いました。何より、人と直接関わって貢献できることにやりがいを感じる私にとって、公務員としての働き方は非常に魅力的だと考えたからです。

（2023年横浜市合格者）

3　2位：仕事のやりがい・仕事の魅力

　この項目は、公務員の業務に魅力ややりがいを感じた方が挙げたものです。言い換えれば、公務員だからこそ「この業務」に携われる、というやりたい仕事がはっきりしている方が公務員を目指した理由です。では、合格者の声を聞いていきましょう。

😊私の志望理由は特殊で、特許審査官にどうしてもなりたかったので公務員試験を受けました。理系学部に進学したものの研究にいまいち魅力を見出せず、理系の素養を活かした研究以外の仕事を調べているうちに公務員の技術職に行き着きました。省庁の説明会を聞いているうちに特許審査官の、理系の素養を活かして研究開発に対して法律面からアプローチする業務に惹かれて公務員を目指すことを決意しました。公務員になれば、国や地方など日本のために働きたいという責任感の強い人が多くいることから、やりがいのある仕事ができるのではないかと思って勉強に励みました。
（2022年国家総合職合格者）

😊私は、県庁の教育委員会で、学校現場でのキャリア教育を今以上に充実させることに貢献したいと考え、公務員を志望しました。現在、文部科学省では、学習指導要領で「キャリア教育」について触れてはいますが、具体的に学ぶ内容や、指導課程については示されていません。キャリア教育は、各市町村や県庁に委ねられている部分があります。愛知県庁では、現在、「キャリア教育　航海ノート」を小中学校に配布し、調べ学習や、自分が経験したことの振り返りによるキャリア教育を推進しています。私は、調べ学習中心のキャリア教育も重要ではありますが、子どもたちが社会で活躍している人と実際に関わることにより、社会にある仕事を知ったり、自分の将来像を描いたりすることも重要だと考えます。以上のように、キャリア教育の推進や、学校現場と地域社会の橋渡しをする制度作りに貢献したいと考え、県庁職員を志望しました。
（2023年愛知県合格者）

●私は以前から警察官になりたかったので、公務員を目指しました。公務員は給料が安定しているなどの様々な魅力があると思いますが、私は自分の能力を活かして誰かの役に立ちたい、やりがいを感じることができる職業に就きたいという気持ちが強かったため、警察官を志望しました。いざという時は命に関わる職業なので、親からは公務員講座を受けている間に他の公務員も考えてみてと言われましたが、最後まで志望が変わらなかったので、最終的には警察官一本に絞りました。 (2023年兵庫県警合格者)

この項目を挙げていたのは、技術系公務員・福祉系公務員・公安系公務員などの専門性が高い区分での合格者が多かったです。また、「街づくりを企画段階からやってみたい」など、民間企業ではなく公務員として働かないとできないことも挙げられていました。

4 5位：収入や身分が安定している

第1章にて記述しましたが、公務員の待遇は非常に安定しているといえます。安定には2つの側面があります。1つ目は、給料は年功序列で上がっていき、原則として解雇されることはないことです。2つ目は、ごくごく稀な場合を除けば、勤務先が倒産や破産することがないことです。このように安定した職場なので腰を据えて長く安定的に働くことができると思われます。安定を求めて公務員を目指した合格者の声を聞いてみましょう。

●収入や地位が安定しているという点から興味を持ち、不正を正すことによって社会秩序を維持し日本の安全・安心な生活を守るという点に強く魅力を感じたために国家公務員を志望しました。また、家族の影響を受け、税務や経理会計の分野に興味を持っていたために、国家一般職は会計検査院、そして国税専門官を受けました。説明会に参加したりホームページを閲覧したりすることでその特色により魅力を感じ強く志望するに至りました。 (2022年国家一般職合格者)

😊私が公務員を目指した理由は安定しているからです。前職では拘束時間がとても長い仕事をしており、家にいない時間の方が多い上に休みも少ない職場でした。そのため、１日８時間程度の労働時間で帰ることができ、土日祝日休みの仕事を希望していたのですが、公務員ならば転職のことは二度と考えなくてよくなるなと思い、もし試験に落ちたとしてもそれから民間を受けていけばいいやという気持ちで公務員を目指しました。

(2023年国家一般職合格者)

😊社会人になって休日も充実させ(旅行などにも行けてオシャレもできてというような日常)、そして収入も平均通りで欲しいと考えた結果、公務員を目指すことになりました。また、個人事業主の大変さやコロナ禍の解雇などを知っていたので、できればそのようなものもないような職につきたいと考えていたことがあります。また民間の営業職でのノルマ等もあまり好きではなかったことも一因です。

(2023年裁判所職員合格者)

　安定を挙げた合格者の声で多かったのが、公務員を目指すきっかけは安定であったが、説明会やインターンそして自身で色々なことを調べていく中で、安定と同時に公務員の職務の社会的意義や、やりがいを見つける受験生が多くいました。やはり40年以上の長きにわたり働いていく勤務先を考える以上、きっかけは安定でもそれと同じくらい、やりがいや魅力を見つけることが大事になるのだと思います。

3 LECを選んだ理由

1 はじめに

　昨今の公務員試験では面接・論文の比重が高くなっています。しかし、面接・論文を独学で対策するのは難しいので、多くの公務員試験受験生は予備校や学内講座を探すことになります。また、公務員試験は受験先や職種によっても様々な違いがあることから、わからないことがあったときに質問できる環境が欲しい方もいるでしょう。その際に、様々な点で予備校比較をすることになります。1000人の合格者はなぜLECを選んだのでしょうか。

LECを選んだ理由

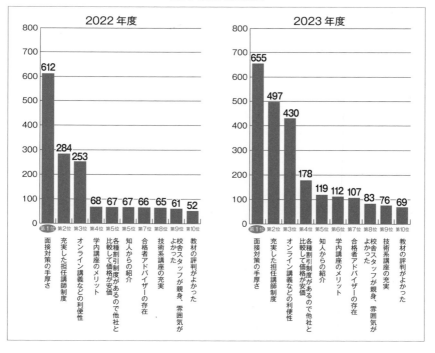

このグラフからわかるように、655名が「面接対策の手厚さ」を挙げています。そして、497名が「担任講師制度」を挙げ、430名が「オンライン講義などの利便性」を挙げています。この3点について詳しく合格者の声を聞いていきましょう。

2　1位：面接対策の手厚さ

詳しくは次項（③-①）で述べますが、LECの面接対策は大きく分けると、各校舎で受講生フォローに当たる担任講師による対策と、面接専門の講師と行う「リアル面接シミュレーション（以下、リア面）」に分かれています。リア面を受講できる時期が受験する前年の9月から、と早期である点もLECの大きな特徴といえます。それ以外にも、合格者アドバイザーによるイベントやカウンセリングも準備されています。合格者はどのようにLECの面接対策を利用したのでしょうか。

😊私がLECを選んだ理由としては、面接対策が充実しているからです。公務員試験は筆記試験だけではありません。面接試験に合格しなければ、最終的には公務員として働くことができません。ですので、面接対策の必要性は、筆記試験の対策と同程度に重要であると思います。LECでは、リアル面接シミュレーションというサービスがあり、そこで様々な講師の方々に相談や模擬面接を行うことができます。こうした面接対策も充実していることがLECを選んだ理由です。　　　　　（2023年国家総合職合格者）

😊私は大学入試の時に自分の試験対策の準備の遅さで悔しい思いをしました。その経験から公務員試験では、対策を早く始めて余裕をもって試験に挑みたいと考えて、公務員の予備校を探していたときにLECに出会いました。LECは講座の開講時期も早く、私は2年生の冬から本格的に試験対策を始めることができました。それから、LECは面接対策や模試が他の予備校に比べて早く始まるので、合っているなと感じたからです。実際、早めの対策が功を奏して、直前期も落ち着いて試験対策と面接対策を両立させることができました。　　　　　（2022年国家一般職合格者）

😊LECはリアル面接シミュレーションでの面接練習や自己分析が早期から受講できる点に魅力を感じました。当初は新卒の就職活動から間があったため、自己分析などの面接対策を重点的にやらないと、と感じていましたが、「リア面」を通して面接対策はある程度優先度を落として問題ないことを指摘いただきました。リアル面接シミュレーションなどの面接対策を早期に実施できたことで、筆記対策との調整も行うことができたため、試験までの全体スケジュールを効率的に立てることができました。

（2023年裁判所職員合格者）

3　2位：充実した担任講師制度

　詳しくは次項（3-②）で述べますが、担任講師制度とは各本校で受講生と個別に相談を行う制度です。LECでは事前予約制で、1回30分の担任相談を実施しています。学習計画・スケジュール管理・科目質問・論文添削・面接対策・その他、人生相談などなんでも相談できます。合格者の多くは、担任相談を頻繁に利用し、担任講師と一緒に合格を勝ち取っています。では、合格者の担任相談に対する声を聞いてみましょう。

😊私がLECを受講した理由は、担任制度の存在です。大学受験の際も、高校や塾の先生に勉強の進捗状況を相談しながら学習を進めていたので、気軽に相談できる担任制度に魅力を感じました。実際入会した直後は、私自身があまり勉強を進められていないことが先生にバレてしまうことが恥ずかしく、なかなか相談予約に踏み切れませんでした。初めて相談をしたのは、年が明けてからだったと思います。それでも併願先や勉強科目の取捨選択などの相談に優しく乗っていただけ、必要以上に不安にならず勉強することができました。

（2023年東京都合格者）

😊私がLECを選んだ理由は充実したサポート制度が備わっていたからです。当時、公務員を目指すうえで多くの予備校を比較し、様々な特色ある予備校の説明会や授業の体験をしました。その中でLECが一番合格までのサポートが手厚いと感じ、通うことを決めました。特に印象的だったサポート制度が担任進路相談です。勉強のことだけでなく、進路のことを相談でき、何より一人一人の生徒をLECの先生やスタッフが把握しているため、その人に寄り添ったサポートができるという点が魅力的に感じました。実際LECに通い始め、受験が終わった今でも、この制度に助けられた部分が大きく、LECに決めて本当に良かったと思います。（2023年国税専門官合格者）

😊LECでは、定期的に担任ホームルームが開催されており、その中で先生方がこの時期に何をするべきか教えて下さるため、何をするべきかわからないという迷いなく突き進むことができました。また、担任ホームルームで聞くことができない細かい疑問点は担任相談を利用したり、授業後に先生方に相談することで解消していました。公務員試験を受験する中で、多くの悩みがありました。その際に、頼れる先生方がいたこと・その環境があったことが合格できた理由だと思います。（2022年財務専門官合格者）

4　3位：オンライン講義などの利便性

　詳しくは次項（③-③）で述べますが、LECの講義は、通学（対面形式）、Zoom通学（対面講義のリアルタイム配信）、通信（動画のオンデマンド視聴）の3つの形式があります。忙しい学生や社会人の場合、すべての講義を通学形式で受講するのは難しいことが多いです。苦手な科目は通学形式で受講し、わからないところがあったときには講義終了後に講師に質問をする。大学で勉強している科目や受験時に学習した科目は通信で倍速視聴して短時間でインプットを行う、といった使い方が有効です。それでは、合格者の声を聞いていきましょう。

😊仕事を続けながらの学習であったため、効率よく進めていく必要がありました。様々な公務員予備校を調べている中で、聞いたことのあるところが

数ヵ所ありました。実際に資料を取り寄せてから比較をし、どのような対応を行ってもらえるのか、通いやすさはどうかなどを検討しました。LECでは通学講義のみならずオンライン講義も可能となっており、自分の生活スタイルと一致していると感じる部分があったため、LECへの入校を決意しました。

(2023年国税専門官合格者)

😊公務員対策を始めるにあたり、いくつかの公務員学校に話を聞きに行きました。そのなかには学校に行って通信授業を受ける学校や、すべて対面授業で配信はないという学校もありました。私は学校やアルバイトに行きながら勉強を進めていかなければいけなかったので、通信授業のほうがいいと思っていました。その一方で、すべて通信授業だと怠けてしまわないかという不安もありました。その点、LECは通学するコースを受講しながら通信授業も受けることができるということで、私の希望に合うスタイルで勉強を進めることができると感じ、LECを選びました。

(2023年大分県合格者)

3 – ① LECの面接対策のここがよかった

1 はじめに

　予備校選びの際に「面接対策の手厚さ」を選んだ655名はLECの充実している面接対策の中で特に何に惹かれてLECを選んだのかを見ていきます。

『面接対策』を挙げた理由

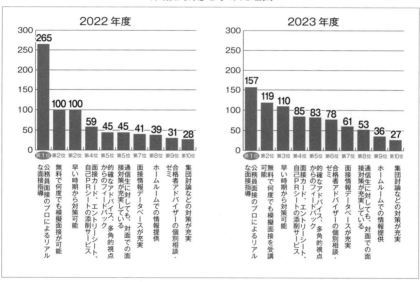

　上記ランキングの中で圧倒的な1位は157名が選んだ「公務員面接のプロによるリアルな面接指導に惹かれた」ことです。2位は119名が選んだ「無料で何度でも模擬面接を受けることができる」ことです。3位は110名が選んだ「早い時期（試験実施年度前年の9月）から対策可能」です。こちらの3つについては以下で詳しく見ていきます。

　リアル面接シミュレーション（リア面）は、分析編と実践編に分かれます。分析編は、キャリアコンサルタントの国家資格を保有した講師と1対1で自己分析を行うものです。この中で志望動機・やりたい仕事・学生時代に力を入れて取り組んだことなどを分析し、エントリーシートなどを完成させていきます。また、実践編はいわゆる模擬面接であり、担当する講師は、元公務員や企業で人事を経験した講師です。形式としては、まず約20分の模擬面接を行い、その様子を動画として撮影します。その後、面接官と一緒に動画を見ながら振り返りを行うものです。動画として見るので、自分の話している様子や癖なども客観的に見ることができます。リア面に対する合格者の声を聞いていきましょう。

😊予備校を決める基準として、私は面接対策がどれほど充実しているかを基準に選んでいました。面接は客観的な評価が必要であり、近年では公務員試験においても面接重視な傾向にあるからです。LECは他の予備校より充実していることを知り、特に動画撮影して後で自分の面接の様子を確認できるところや、元人事担当者が模擬面接をしてくださる点が魅力だと思いました。実際、リアル面接シミュレーションを利用した際には、的確なアドバイスをいただき、面接カードや本番の面接で活かすことができました。
(2023年埼玉県合格者)

😊私は面接の経験が少なく、面接が苦手でした。そこで私は面接経験をより積むことのできる予備校を探していたところ、LECに出会いました。LECのコンテンツであるリアル面接では、人事経験のある方をはじめとした面接のプロフェッショナルから面接対策を1時間しっかりとしてもらうことができるので、私の面接対策をしたいという希望にマッチしていました。実際に入会してからは2週間に1回はシミュレーションを行う機会を設け、面接経験を積みました。
(2022年大阪府合格者)

😊私が公務員試験の対策にLECを選んだ理由としましては、もちろん講義の充実面もありますが、やはり一番は手厚い面接サポートが大きかったです。LECの面接対策では、実際に省庁や地方自治体で面接官の経験がある講師の方々に一対一で対策をしていただくことができ、また様々な試験種を想定した面接練習をすることもできました。さらに、過去の面接情報等も閲覧することができ、そのような情報収集の面でもとても助かりました。このようなサポートのおかげもあり、もともと面接が苦手であった私でも本番で失敗することなく面接試験を乗り越えることができました。

(2023年国家一般職合格者)

3　2位：無料で何度でも模擬面接が可能

　LECのコース受講生は、リアル面接の分析編・実践編を何度でも追加料金なしで受講することができます。面接に苦手意識のある受講生は10回以上も模擬面接を行い、面接への苦手意識を克服して面接本番を迎える方もいます。

😊私は面接に対しての不安が大きかったので、面接対策の充実度合いからLECを選びました。特にLECは模擬面接を早い時期から受けることができること、また、コース生なら何度でも面接練習を行うことができることが魅力だと感じました。実際に、相談を含め、リアル面接シミュレーションを合計20回ほどすることにより、自分の面接での癖などを知ることができ、経験を積めたため、本番では落ち着いて話すことができました。また、面接データベースで過去の質問事項を知ることができたため、対策を立てやすかったことも合格の1つの要因だと感じました。

(2022年国税専門官合格者)

😊Web講義も選択できるため、好きな時間に好きなだけ授業を見返したりできる点はもちろんのこと、送られてくる教材や定期的に行われる模試に関してもとても参考になるものばかりでした。中でも、面接対策が充実している点に最も惹かれLECを選択しました。実際、リアル面接シミュレー

ションは分析編と実践編合わせて10回くらいは利用したと思います。面接にかなり苦手意識を持っていたので、そこの部分のサポートが手厚いことが最大の決め手となったと思います。 (2022年埼玉県合格者)

😊私がLECを選んだ理由は、面接対策制度が充実しているからです。ES添削や模擬面接など何度もしていただけるということで、他の予備校や大学の対策講座よりも魅力を感じました。実際、担任相談では、何通もES添削をしていただき、模擬面接は多い時期で週に1度以上利用したことで、しっかりと面接準備をすることができました。また、面接情報データベースという先輩たちの貴重な面接体験を検索できるものが利用でき、本番の雰囲気や質問を事前に知ることができました。これらのおかげで、本番では、予想外の質問にも柔軟に対応することができ合格をいただきました。

(2023年堺市合格者)

4　**3位：早い時期（試験実施年度前年の9月）から対策可能**

　LECの「リア面」は受験する前年の9月から受講することができます。なぜ、こんな早い時期から模擬面接を受ける必要があるのか疑問に思う方もいるでしょう。実際にあった某県庁での日程を紹介いたします。筆記試験の合格発表が7月6日15時に行われたのち、面接を行う日時として7月11日朝8時半までに県の庁舎に来るように指定された例があります。多くの予備校では、1次試験合格後から模擬面接が行えるようになっていますが、上記の日程の場合1次試験合格後から対策を始めたのではとても間に合わないでしょう。LECでは、1次試験を通過できたら最終合格を逃さぬよう筆記対

策と面接対策を同時並行できるようなカリキュラムにしています。

😊 他の予備校も検討しましたが、面接対策が最も充実しているように感じたためLECを選びました。私は緊張のしやすい性格であるため、特に面接に対しての不安がありました。しかし、LECは面接対策の開始時期が他の予備校よりも比較的早いため、何度も面接練習を繰り返したうえで本番当日を迎えることができます。面接カードの書き方や質疑応答のやり方・所作などの基礎事項から丁寧に教えてくださるので、自信をもって本番に臨むことができ、本番ではA評価をいただくことができました。

（2022年裁判所職員合格者）

😊 私は大学受験の際の面接に失敗していることもあり、面接にひどく苦手意識を持っていました。そのため、面接対策の充実している予備校を探していたところにLECに出会いました。LECは、他の予備校よりも断然早い時期から面接対策を行うことができます。模擬面接練習も重要ですが、面接カードの添削や、自己分析も手伝っていただくことができ、早期から面接対策に取り組むことができる点がLECの最大の魅力と考えます。何度も練習することで、自分の弱みを見つけることができ、反省していくことができるので他の受験生と差をつけることができます。

（2023年国家総合職合格者）

😊 私は昔から勉強が苦手で、公務員試験の勉強なんてやり方がわからなかったので、どこかの予備校に入校することを考えていました。その中で、質の高い生講義を実施している点、面接対策を早くから実施している点を軸に予備校を探しました。LECは両者に当てはまり、体験授業では、モニターを使った授業のわかりやすさに驚き、面接対策も3年生の9月から実施していたのでLECしかないと思いました。講義も面接も試験において大きなウエイトを占める分野なので、LECで細部まで対策できて良かったです。また、入校してから気づきましたが、LECは駅近でとても立地が良く、通いやすかったです。

（2023年東京消防庁合格者）

3 -② 担任講師制度のここがよかった

1 はじめに

　担任講師制度とは、各本校にてLEC専任講師が受講生と個別に相談を行う制度です。公務員試験の指導歴が10年を超える者がほとんどであり、中には30年ほど指導を行っているベテラン講師もいます。このような公務員試験を知り尽くした講師と、事前予約を行えば1回30分で相談することができます。学習計画・スケジュール管理・科目質問・論文添削・面接対策・その他人生相談などなんでも相談できます。また、全国どこの校舎でも担任相談を利用することができます。例えば、関東の大学に進学したが、実家は関西なので関西地区の公務員試験を受けるという方は、大学に通っているときは関東の校舎を、実家に帰ったら地元の情報収集のため関西の校舎の担任相談を利用することもできます。

　「担任講師制度」を挙げた497名の合格者はこの担任講師制度についてどのように思っているのかをグラフにまとめました。

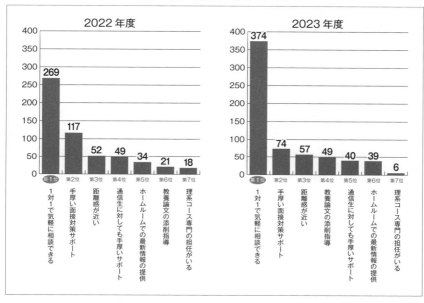

「担任講師制度」を挙げた理由

2022年度

順位	項目	値
第1位	1対1で気軽に相談できる	269
第2位	手厚い面接対策サポート	117
第3位	距離感が近い	52
第4位	通信生に対しても手厚いサポート	49
第5位	ホームルームでの最新情報の提供	34
第6位	教養論文の添削指導	21
第7位	理系コース専門の担任がいる	18

2023年度

順位	項目	値
第1位	1対1で気軽に相談できる	374
第2位	手厚い面接対策サポート	74
第3位	距離感が近い	57
第4位	教養論文の添削指導	49
第5位	通信生に対しても手厚いサポート	40
第6位	ホームルームでの最新情報の提供	39
第7位	理系コース専門の担任がいる	6

　ランキングの上位を見ますと、圧倒的な1位が374名の「困ったことがあれば担任講師に1対1で気軽に相談できる」ことです。2位は、「手厚い面接対策サポート」です。この2点について詳しく見ていきましょう。

2　1位：担任講師に1対1で気軽に相談できる

　担任講師には、学習計画・スケジュール管理・科目質問・論文添削・面接対策など、いろいろな相談ができます。学習開始期はスケジュールの立て方や、科目の質問をよく受けます。また、直前期には教養論文や面接カードの添削の依頼を受けます。では、合格者はどのようなことを相談していたのでしょうか。

😊私がLECを選んだ理由は、担任相談や面接対策などサポートが手厚いと感じたからです。担任相談は併願先の選択や勉強の進め方など、様々なことに対してアドバイスをいただき、不安を解消することができました。具体

的な質問がない時でも、月に1回は必ず予約をして進捗状況を聞いてもらうことで、新たなアドバイスをもらっていました。面接対策は、早い時期から予約を取ることができ、面接カードや受け答えについて細かなところまで指導していただいたので、実際の面接までに十分な準備をすることができました。 (2023年東京都合格者)

😊私は第一志望である国家一般職試験の専門試験でミスをしてしまい、目標点に届きませんでした。1次試験はなんとか通過したものの、ボーダーラインの点数だったため最終合格を諦め、官庁訪問も辞めようかと考えていたころ、担任の先生が「まだ全然狙えるよ。この点数でも受かっている人はいるよ。」と言ってくださったおかげで、最後まで折れずに官庁訪問や面接対策を行うことができました。その結果、志望していた官庁に合格することができました。 (2022年国家一般職合格者)

😊LECの担任サポートで不安が解消できる点に魅力を感じたからです。LECに決める前に面談をしていただいた際に、スタッフの方が丁寧に私の話を聞いて私に合ったプランを紹介してくださいました。LECに入ってからは些細なことでも相談しやすい環境が整っており、担任サポート以外にも講師の方へわからない箇所を質問した際も、丁寧に対応してくださいました。受験期で孤独な中でも気軽に相談できる環境があることはとてもありがたかったです。 (2023年国家一般職合格者)

3 2位：担任講師による手厚い面接対策

　リアル面接がLECの面接対策のサービスであることはすでに説明をしていますが、それ以外にも担任講師と面接対策を行うこともできます。担任講師とどのように面接対策を行っていたのか合格者の声を聞いていきましょう。

☺講師の方々に勉強の進捗状況や出願先などの相談だけでなく、面接シートの添削や論文の採点、面接対策などのサポートを手厚くしていただきました。そのため、自信を持って試験に臨むことができました。

（2023年島根県合格者）

☺公務員試験の受験を決めた際に、いくつかの予備校を調べました。多くの予備校を比較する中で、担任講師制度を採っているLECに通ってみたいと考えました。教養・専門といった知識系だけでなく、勉強方法や受験日までのスケジュールの組み方、面接カードの添削など、公務員試験に関わる様々な相談をすることができました。長期戦である公務員試験では、必ず疑問や不安を抱くことがあります。そうした点で担任講師制度を利用することで解決できることは、LECの強みであると感じました。

（2022年特別区合格者）

☺他の予備校と比較してLECは、筆記試験から面接対策までサポートしていただける制度が整っていると感じ選びました。実際に担任制度では学習の進め方や面接カードなどの添削をしていただき、一次試験から最終合格を獲得するまでしっかりサポートしていただきました。公務員試験は、民間の就職活動を比べて長く、辛いことや不安なことがたくさんありましたが、LECの講師の方々が支えてくださったおかげで努力し続けることができ、とても感謝しています。

（2023年国税専門官合格者）

1 はじめに

　LECの講義は、通学(対面形式)、Zoom通学(対面講義のリアルタイム配信)、通信(動画のオンデマンド視聴)の3つの形式があります。通学とは、実際に校舎に通い目の前で講師が行う授業を聴き学習する形式です。Zoom通学とは、通学講義の様子をZoomを使って配信される授業をリアルタイムで受講するものです。通信とは、サーバー上に置かれている事前に収録された講義動画をオンデマンド(好きな時間に)視聴するものです。通学コース生の場合はこの3つの形式を自由に選ぶことができます。例えば、通常は通学で講義を受けているが、今日は体調がすぐれない場合は①家でいつもの通学の時間に配信されるZoom利用の同時配信を視聴する、②事前に収録されている動画を視聴する、の2つが選べます。もちろん、事前の連絡も不要ですし、追加費用も掛かりません。では、合格者の方がどのような点に利便性を感じていたのか見ていきましょう。

「オンライン講義、通信講座の利便性」を挙げた理由

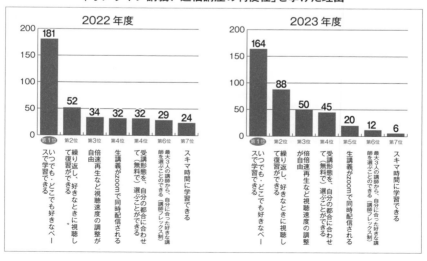

　上記ランキング表の中で1位は、164名の方が挙げた「いつでも・どこでも好きなペースで学習できる」ことです。2位は「繰り返し好きなときに視聴して復習することができる」です。この2点について詳しく見ていきましょう。

2	1位：自宅、通学中、通勤中など、いつでも・どこでも自分の理解度に合わせて好きなペースで学習できる

　通信の講義動画は、1度スマホなどにダウンロードすると一定期間何度でも通信なしに再生することができます。通勤・通学の電車の中で隙間時間を使った学習を行う際に便利です。また、Wi-Fiがつながる環境ならダウンロードせずにストリーミングで講義動画を視聴することができますので、大学の空コマの時間なども有効活用できます。合格者はどのように講義を視聴していたのかを見ていきましょう。

😊私は、正社員として働きながら公務員試験の勉強を行っておりました。その中でどうしても通学で予備校に通い続けるのは困難に感じていましたが、LECでは受講相談の際に、通学で来られる時は通学し、来られない時は通信で勉強をすることができると教えてくださったため、LECを選びました。また、LECは他の公務員予備校に比べて、面接対策が充実している点も、もともと面接を苦手に感じていた私にとって魅力に感じたためLECを選ぶきっかけの1つとなりました。おかげ様で、苦手な面接試験に合格し、政令市で働くことができるようになりました。　（2022年大阪市合格者）

😊LECさんはとにかく講義形式が柔軟！　私がLECさんに申し込んだ頃は丁度コロナが爆発的にはやり始めた時期だったということもあり、Web講義に惹かれました。Webでここまで充実した講義が受けられるのはかなりよかったです。通学に使う時間もとられず、「授業の空きコマや休憩時間に10分だけ」「ご飯を作りながら5分流し聞きして復習」など隙間時間に勉強ができるので、忙しいときでも一切勉強しないという日がありませんでした。作業をしながら動画を流し、BGMのようにして耳に慣らした教

科も。必要なときに必要なことだけ。これができるのは大学と両立するうえでかなり強みになったと思います。とにかく柔軟に勉強ができる体制をサポートしてくれます。LECさんでなければ継続して勉強できなかったと思います。

（2022年高松市合格者）

😊LECは通学とWebの両方で講義を受講することができ、自身の生活スタイルに合わせて勉強をする環境が整っています。私はWeb授業の音声ダウンロードを使い移動時間や隙間時間を活用して効率よく勉強することができました。また、Web講義は通学よりも早く配信されているため自分のペースで学習を進めることができ、また1ユニット30分の講義になっているため集中力を維持して勉強をすることもできました。加えて、復習時にも受講したい部分だけを何度も聞くことができ、知識の定着につながったと感じています。

（2023年国家一般職合格者）

😊私は大学3年次まで体育会サッカー一部に所属し、週6日間部活に励んでいました。そんななかで公務員になりたいと考え予備校に通いたいと思った時に、通信講座が充実しているLECを選び勉強に取り組みました。動画の講義はいつでも・どこでも見ることが可能であったため大学の講義の空きコマの時間や電車での移動時間などでも講義を受けて勉強していました。

（2023年川崎市合格者）

3　2位：繰り返し、何度でも好きなときに視聴し、復習することができる

　合格者の利用方法で多かったのは、通学で受けた授業の復習の際に再度同じ講義を通信形式の授業で視聴することです。1回の講義では理解できなかったことでも複数回講義を聴くことで理解が深まります。合格者はどのように復習を行っていたのか見ていきましょう。

😊LECではWebでの講義が受講でき、また動画を倍速で視聴できたり、何度も繰り返し視聴できることから時間短縮や反復練習につながると考えまし

た。実際に、ほとんどの授業を倍速で視聴し、理解が難しい内容について
だけ通常の速度で視聴するなどしたことで要領よく知識を定着させること
ができたと思います。また、疑問点が生じれば適宜質問が可能で、分かり
やすく丁寧な回答を速やかにいただけることで知識の抜け漏れを防ぎ、深
く理解できることにつながったと思います。　（2023年労働基準監督官合格者）

😊私がLECを選んだ理由は、通学と通信のどちらでも学習ができ、自分の好
きな時間に勉強をすることができるからです。通学のほうが授業や周りの
生徒の雰囲気から刺激を受けることができるのですが、校舎に通うまでの
時間を少しもったいないと感じることがありました。そのため、Web講
義を活用することで好きな時間に講義を受けることができ、通学する際の
電車など隙間時間にも見ることができるので復習にも役立ち、効率よく進
められました。　（2023年裁判所職員合格者）

😊私は田舎の方に住んでいたため、公務員予備校に通いながら試験対策を進
めるのは難しいのではないかと感じ、独学で目指すことも考えていまし
た。そんな時に見つけたのがLECの通信講座でした。この通信講座であれ
ば、自分のペースに合わせながら、一流講師の講義を何度も繰り返し受講
でき、効率的に学習を進めることができるのではないかと考え、LECを選
びました。多少の不安もありましたが、学習を進める上でわからないこと
があった時はメールで質問ができたり、講師とのオンライン面談もするこ
とができ、校舎に通わずとも、大変満足できるサポート体制でした。

（2022年国家一般職合格者）

4 学習方法のポイント

1 はじめに

　公務員試験の受験生は、学生の場合は学業、ゼミ、アルバイト、サークルなど、社会人の場合は仕事があるので、受験に専念する環境を作りにくいです。忙しい中で合格を勝ち取った合格者はどのように学習していたのでしょうか。

学習方法のポイント

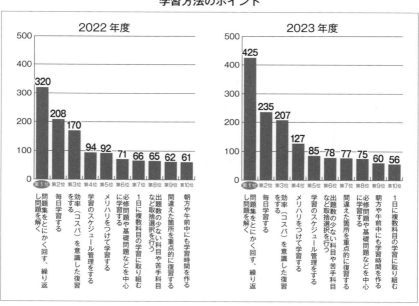

　2022年と2023年の合格者でアンケート結果に大きな違いは見られませんでした。上記のランキングでは、1位は「問題集（過去問解きまくり！、Kマスターの問題）をとにかく回す、繰り返し問題を解く」です。資格試験の勉強にも共通することですが、過去問こそが最強の教材です。過去問を確実に解けるようになることが筆記試験の最強の対策です。2位は「毎日学習する」こ

とでした。誰にとってもいきなり毎日長時間の学習をするのは難しいので、始めは毎日1時間、慣れてきたら2時間、3時間・・・と徐々に毎日長い時間、継続的に学習することに慣れるように訓練していきます。3位には「効率(コスパ)を意識した復習をする」が挙げられています。公務員試験の特徴ですが、科目によって出題数が大きく変わりますので、まずは主要5科目(数的処理・経済学・憲法・民法・行政法)を完成させ、そのあと1科目数問ずつしか出ない科目にも手を広げていくとよいでしょう。では、上位3つについて詳しく見ていきましょう。

2 1位：問題集(過去問解きまくり！、Kマスターの問題)をとにかく回す、繰り返し問題を解く

多くの受験生は、インプットの講義を受講したときは内容を理解できるが、アウトプットのために問題集を解くときに自力では解けないということがよくあります。この傾向は特に数的処理と経済学で顕著です。自力で解けないときにそこで諦めてしまうのか、解けなくても解説を読み込み、繰り返し過去問を解き続けるかが合否の分かれ目となります。まずは、基本問題だけ繰り返し解いて問題に慣れていくことが必要です。合格者の多くは問題集を最低3〜4周しています。では、合格者の意見を聞いてみましょう。

😊私の勉強のポイントはとにかく過去問を反復したということです。一度授業を聞いた後はひたすら問題集を繰り返しました。例えば、私は経済を非常に苦手としていました。経済は範囲が膨大で、出題数も多く、また難しい問題はとにかく難しいという特徴があり、非常に苦労しました。そこで私が決めたのは、高い難易度の問題は捨てるということです。対策のコスパが悪いと判断したからです。その分、一定の難易度の問題までは本番で必ず全部解くことを目標に、毎日10問解くルーティーンを3か月以上繰り返しました。ですからおおよそ1000問解いたことになります。完璧を諦め、しかし確実に合格点を取るという判断が重要かなと思います。　　　(2022年国家一般職合格者)

☺講義受講後はとにかく「過去問解きまくり！」を解きまくっていました。教養の勉強に関しては、LECのテキスト・「解きまくり！」・過去問以外は使用していません。「解きまくり！」を信じて、他の教材に手を出さなかったことが良かったのではないかと考えています。　　（2023年国家総合職合格者）

☺Webの講義動画をすべて2倍速で視聴し、ひたすら「解きまくり！」問題集を繰り返しました。間違えてしまったとしても、気にせずとにかく何度も問題を解くことを心掛けました。自分が受ける試験（国家一般、国税、地方上級等）に限って過去問数年分を遡って勉強していた方も周りにいましたが、公務員試験は全ての試験である程度問題の作りが似ていたので、職種別の過去問研究は一切せず、「解きまくり！」を繰り返してパターンや用語、答えだけでなく問題文自体を暗記して本番に臨みました。

（2023年国税専門官合格者）

3　2位：毎日学習する

　公務員試験の学習期間は短く見積もっても半年〜1年間は掛かります。大学受験を経験した方はわかると思いますが、長期にわたり継続的かつ計画的に学習を続けることは大変です。大学生の場合は受験勉強以外にも、バイト・サークル・ゼミなど多忙な毎日を過ごしています。そんな中で合格者の方は毎日どのように勉強を継続していたのかを見ていきましょう。

☺私は毎日勉強するということを意識して取り組みました。どれだけ忙しくても1時間は最低やるというふうにして、継続して取り組むことを意識して取り組んでいました。その結果、直前期になり毎日勉強しなければならない状況になってもその状況がそこまで苦しいものにはならずに取り組めました。私自身、勉強習慣は大学生になりあまりなかったことから、勉強する習慣をつけるという意味でも勉強時間が少なくなってしまう日があってもいいので毎日やるということを意識しました。　　（2023年国家一般職合格者）

😊 とにかく少ない時間でも「毎日」勉強することが私の中では重要でした。どれだけ時間が作れなくても、数的処理や文章理解を１問でも解きました。また、演習や模試などを利用して自分の得意分野と不得意分野を理解して、伸ばせる可能性のあるものは力を入れて勉強しました。公務員試験の教養試験はとにかく教科数が多いので、担任の先生と相談して、併願先などを考慮しながらどの教科をやるか、伸ばすかというところをしっかりと見極められたことがとても大きかったです。先生方は公務員試験を知り尽くしているので、相談しながら学習を進められたことはとても助けになりました。
（2022年裁判所事務合格者）

😊 私は部活動をしていたこともあり、大学３年の12月までは毎日１～２時間程度の時間しか勉強時間が取れていませんでした。しかし、どんなに忙しい日々が続いていても、毎日講義を受講することや過去問を解くことは欠かさず行うようにしていました。１日でも空いてしまうと忘れてしまうため、少しでもいいので継続して勉強するようにしていました。大学３年の12月からは部活を引退し、毎日10時間勉強する生活を試験当日まで約半年間続けました。
（2023年川崎市合格者）

4 　3位：頻出分野や出題数の多い分野など効率（コスパ）を意識した復習をする

　前述の通り、公務員試験は科目数が多く、かつ科目によって出題数が大きく異なります。１番効率の良い学習は、「出題数が多い科目に多くの時間を割き正答率を上げること」です。教養科目なら数的処理、行政系専門科目なら経済学、技術系公務員なら工学の基礎です。反対に出題数の少ない科目は、

その科目の頻出分野に限定して学習するなど時間を絞り込むことで、出題数の多い科目に学習時間を振り分けることができます。また、難易度についても同様です。受験生の多くが解けないような難問は、解ける必要はありません。正答率が高い基礎問題を中心に解答できるようになれば合格ラインは見えてきます。では、合格者の方はどのように工夫したのか見ていきましょう。

😊科目数が多いため、出題数の少ない科目は手を抜き、逆に出題数の多い科目は徹底して勉強するようにしていました。すべての科目を完璧にするというよりも、効率よく勉強することが大事であると思ったためです。実際に講義の中でも、LECの先生が試験種ごとに出題頻度が高い科目や分野を毎回説明してくださっていたので、それを参考にしながら、手を抜く科目と力を入れる科目を自分で決めていました。また、勉強をしないで休む日を必ず作ることで、「やる時はやる。やらない時はやらない」とメリハリをつけることも心がけていました。 (2022年特別区合格者)

😊勉強に本腰を入れることができたのが試験の年の2月と、かなり遅いスタートであったため、試験までとにかく時間がありませんでした。限られた時間の中での対策だったので、本番でいかに多くの点を取るのかということだけを考えて、本質的理解というよりは「五択の肢から正解の肢を選択することができる勉強」をしていました。具体的には、過去問（とりわけ頻出分野）を何回も回すことから取り掛かり始め、数をこなしました。こなしていくうちにインプットもでき、効率的に勉強ができたと感じています。また、問題を解く際は時間を必ず計り、常に本番を意識したスピード感で勉強をしていました。 (2023年国家一般職合格者)

😊参考書の最初から完璧にしてしまうタイプという自負があるので、思い切って問題集を7分割して、その日勉強する分だけを持ち運ぶようにしました。直前期は、第一志望の頻出分野が載っている冊子のみを周回して、効率よく勉強することを心がけました。全体としては、法律や学系など初めて勉強する科目はしっかりと講義を聴いて頭で理解してから過去問演習、大学受験で使った科目は料理や化粧をしながら聞き流し、思い出してから過去問に取り組むなど、工夫をして学習を進めていました。問題が解

けないあまり試験勉強がイヤにならないように、試験日まで継続できるようにすることを一番に取り組みました。

（2023年奈良県合格者）

5 まとめ

④学習方法のポイントでは合格者がどのように学習をしていたのかの総論的なことをまとめました。

次ページの④-①からは、科目ごとに合格者がどのような工夫をして学習したのかを紹介していきます。

4 −① 数的処理のポイント

1　学習を行う分野・レベルを絞り込む

　受験生が苦労する科目の1番は数的処理です。学習開始時から範囲を絞り込むことは勧めませんが、ある程度しっかり学習してもどうしても苦手分野が克服できない場合、数的処理の4つの分野のうちいくつかの分野の学習量を減らし、他の分野で完ぺきを目指すのも一つの手段です。また、苦手な方は応用問題には初めから手を出さずに、基本問題のみを何周も繰り返し学習するのも一つの手段です。それを実践した合格者の声を聞いてみましょう。

😊自分の得意をとことん伸ばし、苦手は最低限取ることを意識していました。長時間勉強を続ける中で、苦手科目と向き合うことはとても大変です。また、科目数が多い公務員試験において、すべてを完璧にするのは困難です。私は、自分が興味のある科目や得意な科目に力を入れることで、モチベーションを維持することができたと思います。私の場合は、法学部だったこともあり、法律科目を含む専門科目に力を入れる一方で、苦手な教養は捨て科目を多く作りました。特に苦手だった数的処理では、「リーグ戦」や「対応関係」、「資料解釈」など、自分の中で絶対に正解する問題を決め、本番はそれだけは必ず解けるよう勉強し、出題可能性が低かったり、どうしても苦手なものは諦め、その分、得意なものに時間をかけられるようにしました。
（2023年国税専門官合格者）

😊講座を受講しただけで満足してしまいがちですが、問題が解けなければ受講した意味が全くなくなってしまうので、基礎問題だけでも解くようにしていました。むしろ応用問題はほとんど手を出しませんでした。基礎問題を繰り返し解いて、早く解けるようになることを目標にしていました。苦手科目の数的処理に関しては、「Ｋマスター」や講義で扱った問題を中心に解くようにしていました。
（2022年福島県合格者）

2 時間を計って（時間を意識して）問題演習を行う

　時間を計って演習することには2つの大きなメリットがあります。1つ目は、本試験を意識して演習ができることです。2つ目は、数的処理が苦手な方は1つの問題に多くの時間をかけてしまい勉強が進まなくなることを防ぐことができます。時間を計って学習した合格者の取り組みを見てみましょう。

😊勉強をする際に意識していたことは時間を計ることです。文章理解や数的処理は、勉強を開始した当初から決められた時間内に解けるよう常にストップウォッチを手元に置いていました。模試や過去問に挑むときにも、どの分野に何分かけて問題を解くかを事前に決めておくことで、本番の試験を意識した練習を積むことができました。　　　（2023年国家一般職合格者）

😊1科目1時間と決めてアラームを設定しておき、時間になったら途中でも次の科目にうつって、ダラダラと同じ科目を続けないように気をつけました。
（2022年特別区合格者）

3 集中力のあるうちに数的処理を学習する

　一般的に、午前中は疲れが溜まっていないので集中力があると言われています。計算や読解を必要とする数的処理・文章理解・経済原論は午前に学習し、午後から暗記系科目を学習する方法があります。これを実践した合格者の声を聞いてみましょう。

😊集中できる午前のうちに苦手な数的処理を終わらせておき、疲れが溜まり集中力が散漫になることがわかっている午後に自分が好きな科目（専門・社会科学etc.）を勉強していました。　　　（2022年特別区合格者）

😊朝起きてすぐは、頭を働かせるために数的処理や判断推理の問題。午後は専門分野に特化し、夜は英語や歴史等の暗記科目。このように毎日のルーティーンを決めて勉強をしていました。　　　（2023年栃木県合格者）

4 – ② 教養知識系科目のポイント

1　人文・社会科学の学習に力を入れる

　行政系公務員受験者の多くは自然科学に苦手意識を持っています。特に、物理・化学が苦手という受験生は多いのではないでしょうか。その場合、人文科学（日本史・世界史・地理・思想文芸）に力を入れ、教養科目の得点の底上げをすることができます。また、社会科学は県庁・市役所の試験において出題数が多いので、得意になると得点を稼ぎやすいです。これを実践した受験生の意見を見てみましょう。

😊知識分野の覚えることの多さに衝撃を受け、思い切って出題数の多い社会科学だけをまず対策しました。それから先生やアドバイザーの方にほかに勉強する科目を聞き、できそうな範囲で広げていきました。極力科目を減らしたいと無茶な相談だったと思いますが、丁寧に教えてくださりありがたかったです。　　　　　　　　　　　　　　　（2023年和歌山県合格者）

😊市役所を志望する方であれば特にだと思いますが、「Kマスター」で演習解説された問題の解法はほぼすべて完璧にしておくことをオススメします。社会科学や人文科学は知識の蓄積になってくるので、受講→過去問→間違えた箇所の知識の見直しといった流れを繰り返すことでアウトプットにも強くなれると思います。　　　　　　　　　　　　　　（2023年春日井市合格者）

😊時事問題は対策としてニュースをよく見ましたが、LECの時事ナビゲーション（※）も活用していました。　　　　　　　　　　　　　（2022年福井県合格者）

※時事ナビゲーションとは、LECが提供している時事に関するコンテンツです。日々のニュースの中から重要度をランク付けして、テーマごとに配信しています。

2　講義音声をダウンロードして、（スキマ時間などに）聴き流す

　暗記系の科目は数的処理や経済学のように計算を必要としないので、移動中やスキマ時間を使って学習することが可能です。忙しい大学生や社会人にとってスキマ時間の活用は、合否を分けるポイントとなります。

😊 テキストは間違えた問題を繰り返し解き、暗記ものは講義の音声データをダウンロードして移動中などに聞いていました。　　　（2023年福島県合格者）

😊 地理や世界史、生物等の科目は、授業動画を毎朝食・昼食時を使って2度目以降の視聴を重ねて内容の理解を深め、暗記事項については視覚要素だけでなく先生の声もセットで記憶できるようにしました。LECの行き帰りや普段スーパーへの買い出しの行き帰りのお供として、苦手科目や苦手範囲に絞って聞くようにしていました。　　　（2022年国税専門官合格者）

3　自分専用のノートを作る

　すべての事項についてノートを作るのはかえって非効率ですが、何回か繰り返しても覚えられない用語などをまとめた自分専用のノートを作ることは暗記の助けになります。また、人によっては「ノートにまとめること」自体が暗記する方法として適している方もいます。それを実践した合格者の声を聞いてみましょう。

😊 社会科学や自分科学の間違えやすい内容などは、専用のノートにまとめていつでも見返せるようにしていました。　　　（2023年豊田市合格者）

😊 人にはそれぞれあった記憶法があると思いますが、私は書いて覚えるのが一番であったため、社会科学や時事などあまり学んでこなかった教科は書くことで記憶を定着させ、そのあと直前期に繰り返し問題を解きアウトプットを行っていました。　　　（2022年国家一般職合格者）

1 担任講師や論文講座の講師に添削してもらう

　教養論文は答案を必ず誰かに見てもらってください。その理由は大きく2つあります。1つ目は、論文を書いた方にとっては、そのテーマについて自分なりに背景などを調べながら書くので、「説明は十分できている」と思ったとしても、読み手にとっては「説明が不十分」な場合がよくあります。2つ目は、書き言葉と話し言葉の混同や、文章を書くときの様々な作法が守られていないことがあるからです。では、合格者の意見を聞いてみましょう。

😊教養論文では「論文マスター答練編」にて、教養論文課題によく出そうな4つのお題に対して、LEC専任講師に直接添削してもらうことができ、自分の教養論文を客観的に評価してもらうことができました。　（2023年特別区合格者）

😊論文に関しては、自分の答案を繰り返し先生に添削してもらい理想の答案を完成させることが大切だと感じました。その完成した答案を試験前まで繰り返し読むことで、文章構成の型を覚えることができました。

（2022年東京都合格者）

2 繰り返し書く・量をこなす、多くのテーマを用意する

　教養論文は、大学受験で小論文を経験された方を除き、多くの受験生にとって初めて経験する科目です。繰り返し書くことでまずは型を学び、その後、多くのテーマについて書くことで、本番の試験のときにどのようなテーマが出題されても対応できるようになります。合格者の声を聞いてみましょう。

😊論文に関しては苦手意識があり、初めは指定文字数に届かなかったため、

模範解答を書き写すことで論文に使う書き文句を覚えました。直前期には2日に1回は論文を書き、苦手を克服しました。　（2022年国家一般職合格者）

😊教養論文試験は、まず講座で論文の基本的な型を学び、過去問のテーマで10〜15本ほど書きました。その過程で論文の書き方を知ると同時に、受験する自治体の現状や政策を調べました。本番は練習で書いたテーマとは違いましたが、型に当てはめながら、問題の資料と調べた政策などを利用して書き進めました。　（2023年国家一般職合格者）

😊直前の模試では、論文がD評価、択一がA評価、全体でB評価という結果でした。ですが、本番までに論文はB評価くらいに持っていけるように20テーマほど用意したため、本番は人並みくらいには書けたと思います。特別区の一次試験では論文の比重が重いためそれなりの準備が必要ですが、人並みに書くことができて、なおかつ、択一で高得点を取ることができれば突破することはできると思います。　（2022年特別区合格者）

3　受験先自治体の政策研究、データ収集

教養論文のテーマは、各自治体で抱えている問題について問われることが多いです。そこで、各自治体が発行している5か年計画などの総合計画や首長の発言などにも注目しておきましょう。

😊小論文に関しては、基本として情報収集から始めました。受験する消防本部の業務内容やその市の救急件数、人口、高齢者の割合。また、消防に関する情報だけでなく市の取り組みについても調べました。また、その自治体の過去問があればそれを一通り解きました。　（2022年金沢市消防局合格者）

😊教養論文はその自治体の課題を出し、自治体のプランに沿った事業案を記述します。プランから外れた内容を書くと減点されるため、受ける自治体のプランは早めに把握するべきです。プランは大体ネットからでも入手できますが、私はやる気を上げるため、現地まで行って冊子を入手しました。　（2023年東京都合格者）

1 公式を丸暗記しない、グラフを描くことや理論を理解することを重視する

　高校までの勉強で、数学・物理が苦手だった方は公式を丸暗記し、出された問題に対してただ闇雲に数値だけを代入し乗り切ろうとしたものの、いつもと違った問われ方であったため、問題が解けなかった経験はありませんか？　経済原論も同様に単に公式を暗記しても得点は伸びません。経済原論を克服するには、「理論をしっかり理解する」ことが大切です。合格者はどのように学習していたのか見ていきましょう。

😊（財務専門官の）記述試験の対策は時間がなかったため分野を絞って行いました。私は経済を選択しましたが、経済学原論の勉強をする中できちんと理屈が理解できていれば記述で全く書くことができないということはありません。　　　　　　　　　　　　　　　　　　　　　　（2022年財務専門官合格者）

😊マクロ経済学が苦手で、授業を一回受けるだけではなかなか理解することができませんでした。しかし、授業をもう一度受ける時間はなかったので、隙間時間に聞くことにしました。Webフォローの授業の音声をダウンロードし、歩いているとき、お風呂に入っているとき、勉強のやる気が起きずに部屋の片付けをしているとき…。2回目以降は「ながら聞き」でも頭に入ってきたので、時間を割かずに理解することができました。
　　　　　　　　　　　　　　　　　　　　　　（2023年国家一般職合格者）

😊ミクロやマクロ経済では、単に公式を丸暗記して使うのではなく、なぜその式を使うのか考え言語化しながら、毎回グラフや図を描きながら勉強しました。　　　　　　　　　　　　　　　　　　　　　　（2022年東京都合格者）

2 応用問題には手を出さず、基本問題中心に学習する

経済原論も数的処理同様に受験生の多くが苦労する科目です。苦手な方は応用問題を避け、基本のみに徹し、「難しい問題は捨て、易しい問題はしっかり得点する」というのも一つの作戦です。

☺私は最後までどうしてもミクロ・マクロ経済への苦手を克服できなかったため、これらの2科目は基礎だけに絞って、他の科目に力を入れ、本番では一番解けそうな科目をその場で選択しようと決めたことが勉強へのストレスを軽くした要因だったのかなと思います。苦手な科目を無理に克服しようとするより、時間的にも気持ち的にも私は楽でした。

(2023年国税専門官合格者)

☺問題集は基本問題のみでいいと思います。難易度の高い受験先を目指している方は必要なのかもしれませんが、私のように都道府県庁や国家一般職レベルでの合格を目指している方は、応用レベルの問題に着手する必要はないと思いました。 (2022年沖縄県合格者)

☺経済学などの計算科目は、一度解き方を覚えてしまえば、それを応用してほとんどの問題を解くことができます。そのため、「過去問解きまくり！」で基礎をしっかりと固めることが重要であると感じました。 (2023年神奈川県合格者)

3 講師へ質問する

☺素直にわからないところは講師に質問に行って理解するまで質問を続けることをしてきた結果、大体のことは理解できるようになりました。講師の方も、単に暗記でなく、理解を助長してくれるような指導をしてくれる方が多いので、何度も何度も質問に行っていました。恥ずかしがらずに、ためらわずに質問に行って理解することは大切だと思います！

(2022年国税専門官合格者)

☺LECのオンライン授業を繰り返し受講したり担任相談でわからないところを聞いたりと、自分のペースで丁寧に勉強していくことで着実に理解を深めることができました。 (2023年裁判所職員合格者)

4 – ⑤ 法律系科目のポイント

1 丸暗記しない、条文や判例を理解する、正誤の根拠を説明できるようにする

　法律系科目に限ったことではないですが、丸暗記というのは記憶に残りにくいです。原理・原則を理解し、人に説明ができるようにすることや、判例を身近なことに置き換えてイメージすることで理解が深まります。では、合格者の声を聞いていきましょう。

😊授業を受ける時には、ただ知識を入れるのではなく意味や理屈を考え、自分が納得してから進むように意識していました。特に法律科目では判例や条文のポイントを考えながら授業を受けることで問題を解く時にスラスラとできました。一度自分で納得できた内容は忘れにくいため、余計な時間を割くことなく、効率的に勉強を進めることができたと思います。

（2022年特別区合格者）

😊民法においてはどうしてこの答えになるのかというプロセスを学ぶ必要があります。そのため復習の時間を設け、理解へとつなげておくことが大事になってくると思います。

（2023年三重県合格者）

2 授業後すぐに演習を行う

　暗記系科目の効率の良い学習法は、講義の後にすぐに演習を通して知識を定着させることです。すべての講義を聴き終えてから演習に着手する方がいますが、そのやり方の場合、演習するときには初めのほうの回の内容を忘れてしまい、再度講義を聴き直すことになりかねません。

☺まずLECのWeb講義を自宅で受講し、見終わったらすぐに「過去問解きまくり！」の演習を行っていました。その理由としては、インプットだけではすぐに忘れてしまうため、アウトプット中心の勉強を心がけていたからです。その結果、効率的に暗記することができ、一次試験をすべて合格できたことから、この勉強方法が間違えていなかったと確信しました。

（2023年国家一般職合格者）

4 – ⑥ 学系科目のポイント

学系科目とは、政治学・行政学・社会学・経営学などを指します。

1 経済科目の代わりに学系科目を集中して学習する

どうしても経済原論が苦手な場合、経済原論の学習時間を減らし学系科目に時間を割くというのも有効な戦略の1つになります。

😊私の場合、経済原論が演習を繰り返してもなかなか定着せず苦労しました。担任相談を通じて経済原論の勉強時間を減らし、他の科目に時間を割きました。特別区の専門科目は全科目同じ出題数なので経済原論と学系科目の重要度は同じです。また、ビュッフェ形式と呼ばれる形式を採用しており、科目をまたいでの解答が許される試験形態です。ですから、準備しておく科目が多いほど得点の可能性が上がります。苦手だから捨てるというのは非常にもったいないです。 （2023年特別区合格者）

2 主要科目のインプット終了後（年明け以降から）から学習をはじめる

学系科目の特徴として、暗記中心の科目なので経済原論などと異なり比較的短期間で学習できるという点があります。したがって、年内は主要5科目を、年明けからは学系科目を学習する合格者が多く見られます。

😊社会学などの学系は暗記科目なので、試験2か月前くらいから手をつけましたが点数はすぐ伸びた。 （2023年国家一般職合格者）

😊年内は主要5科目を固めることを目標に、勉強に取り組んでいました。年明けからは学系科目や教養科目に本格的に取り掛かり、直前期まで短期集中で仕上げることを意識していました。 （2022年参議院事務局合格者）

5 面接対策のポイント

1 はじめに

　前章までに記載の通り、昨今の公務員試験は面接重視の傾向が強いです。多くの合格者にとって、今までに経験したことがない就活としての面接をどのように乗り越えたのか見ていきましょう。

面接対策のポイント

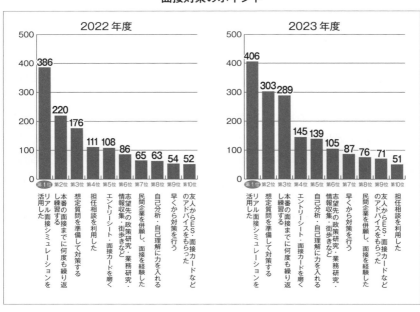

　上記ランキングの中で1位は、406人が挙げた「リアル面接シミュレーションを活用した」です。合格者の多くが、予備校選びの際も上位に挙げられていた、元公務員・人事経験者と本番さながらの模擬面接ができるリアル面接シミュレーション（実践編）と、国家資格キャリアコンサルタント保有者と自己分析やES作成ができるリアル面接シミュレーション（分析編）を利用して対策をしていました。2位は、303人が挙げた「想定質問を準備して対策する」

です。３位は、289人が挙げた「本番の面接までに何度も繰り返し練習する」
です。この上位３つについて詳しく見ていきましょう。

2　１位：LECのリアル面接シミュレーションを活用

😊私は９月から面接対策を少しずつ始めました。私は面接にかなり苦手意識
があり、人よりたくさん練習する必要があると思ったからです。「面接対
策、何から始めたらよいですか？」という全く何もわからない状態から、
自己分析、ESの書き方、そして面接での話し方まで、何度もリアル面接
シミュレーションを活用し、教えていただきました。これらの対策を進め
ていくにあたり、焦ることなくじっくり取り組めたのは、早い時期から面
接対策を始めていたからだと思います。入念に準備したおかげで、本番で
も落ち着いて話すことができました。　　　　　　　　（2022年奈良県合格者）

😊面接では全く緊張もなく、練習よりもリラックスした状態で挑めました。
それは、リアル面接シミュレーションで何度も自分の面接を分析し、本番
までに万全の状態を整えることができたからです。私はアルバイト経験や
サークルへの加入がなく、ボランティア活動等もないという、ほとんど手
札がない状態でした。大変心細かったのですが、分析編で自分の強みやア
ピールポイントがどういう所なのかを徹底的に洗い出し、実践編で様々な
質問を処理することにより、本番でどのような質問が来てもきちんと答え
られるようになりました。そのため本番で想定外の質問が来ても自らの軸
がブレることなく、落ち着いて答えることができました。

（2022年特別区合格者）

😊面接本番は、圧迫面接ではなかったものの、深掘が非常に厳しいものでし
た。しかしながら、LECの「リアル面接シミュレーション」制度による面接
練習を行っていたため、あまり緊張はせずに受験することができました。
リアル面接シミュレーションは、分析編と実践編があり、分析編では面接
シートの添削、実践編では実際の面接形態での練習と、手厚いサポート体

制となっています。現に、実践編で対策した質問が本番で問われるなど、練習をしておいてよかったと本当に思います。　　　　（2023年東京都合格者）

😊 面接試験は試験種に合わせていろいろな練習が必要です。私はLECのリアル面接シミュレーションを利用して面接練習を進めていました。リアル面接シミュレーションの分析編、実践編を複数回利用し、面接カードを添削していただいたり、面接試験の本番前には、実際に本番と同じような環境で面接練習をしていただいたりしました。この練習のおかげで、本番の緊張感のある面接試験でも、自然体な自分で話すことができたと感じています。　　　　（2023年裁判所職員合格者）

3　2位：想定質問を準備して対策する

　想定質問とは、面接試験の際によく聞かれる、「志望動機」・「やってみたい仕事」・「学生時代に力を入れたこと」などに加えて、受験先に応じて必ず聞かれる質問に対する答えをあらかじめ準備しておくことです。よく聞かれる質問は「面接マスター」というテキスト内に記載されていますし、受験先に応じてよく聞かれることは担任講師との面談の中で確認しておくことができます。合格者はどのような想定質問を準備したのか見ていきましょう。

😊 面接情報データベースを見てどんな質問が来るのかを事前に把握して想定問答集を用意していました。その上で官庁訪問に挑みましたが、どのクールで大体どのような質問が来るかは既に面接情報データベースの情報で知っていたので、緊張することなく自信を持って面接に臨めました。実際、想定外の質問が来たのは3～4クールになってからでした。時折、臨機応変な対応が求められる局面もありましたが、面接情報データベースにあった「こうすればよいと思う」「こうすればよかったと後悔している」など、先輩方の声を覚えていたので対応に苦慮することはほぼありませんでした。その時々で最善の選択を瞬時にとれたのは、面接情報データベースのお陰です。　　　　（2022年国家総合職合格者）

😊国家一般職では、難しい質問は聞かれず、よくある質問でした。私は心配性なので、一つの面接に想定質問を200個くらい作っていて、様々なエピソードを作っていたので、面接本番も自分らしく、面接することができたと思います。また、面接は緊張しますが、面接官との会話をすることも意識するようにしていました。 (2023年国家一般職合格者)

😊私自身、緊張しやすいタイプで面接に対して苦手意識がありましたが、LECで繰り返し模擬面接を受けたり、その振り返りをすることで、徐々にコツをつかんでいきました。また、予備校内に面接再現をまとめたファイルがありますが、私はそれを見て面接試験当日の流れや面接官の雰囲気、想定される質問を把握して、本番のイメージをつかむことができました。面接はどうしても緊張してしまうものですが、事前にイメトレをしておくことで、心に余裕ができ、本番では落ち着いて受け答えができました。 (2023年国税専門官合格者)

4 3位：本番の面接までに何度も繰り返し練習すること・本番の面接なども含めて場数を踏んで面接に慣れる

　面接に苦手意識を持っている方の原因の多くは、「面接経験が少ない」ことです。何回も模擬面接を経験することで、慣れてきて本番での緊張も少なくなってきます。模擬面接を何度も行うことで合格を勝ち取った方々の声を聞いてみましょう。

😊私は、LECで模擬面接を対面とオンラインで合わせて5回以上していただきました。模擬面接では、志望動機や自己アピール、短所・長所などの基本的な質問と、志望自治体で問われることが予想される独自の質問など幅広い項目について、練習をすることができました。そのため、本番の2回の面接では、とても緊張しましたが、練習を思い出し、自信を持って話すことができました。模擬面接を繰り返し行い、できる限り多くの質問についての自分なりの答えを一度考えてみることが重要だと感じました。 (2023年長野県合格者)

😊私は面接が苦手で、初めのほうは緊張して顔がこわばってしまったり、自分ばかり一方的に話してしまったりしたことがあります。しかし、面接の回数を重ねるうちに、慣れもあり、緊張もほぐれていきました。また、自分から笑顔を見せると相手の面接官も笑顔を見せてくれたりして、自分もリラックスして会話を楽しむことができました。面接は自己アピールの場でもありますが、相手の様子をよく見て、笑顔で会話することが一番重要であると感じました。

（2023年国立国会図書館合格者）

😊私は合計で6個、公務員試験を併願しました。一次試験はすべて合格をいただくことができましたが、実際に面接へ行ったのは4つでした。どの試験でもやはり模擬面接のようにうまくはいきませんでした。しかしながら、模擬面接を何度も重ね、練習してきたからこそ、今回、国家一般職（大卒程度）の最終合格をいただくことができたのではないかと考えています。特に、私は既卒で短期離職経験がありましたので、もし模擬面接を行っていなかったらきっと今回最終合格をいただくことはできなかったと思います。

（2022年国家一般職合格者）

1 はじめに

面接試験において工夫したポイント

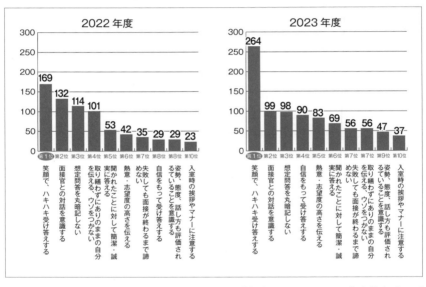

ランキングの中で1位は、264人が挙げた「笑顔で、ハキハキ受け答えする」です。新卒枠における採用では、今までの業務における実績をアピールすることはできません。面接官が最も重視しているポイントは、「一緒に働きたいかどうか」ではないでしょうか。皆さんが新しく人を採用する面接官を任されたら、どんな人を採用して一緒に働きたいと思いますか。やはり、ニコニコしていて、いわゆる「感じの良い」人を採用したいと思いませんか。これは、公務員・民間どちらにおいても共通する点です。2位は、99人が挙げた「面接官との対話を意識する」です。3位は、98人が挙げた「想定問答を丸暗記しない」です。では、この3つの項目について詳しく見ていきましょう。

2 1位：笑顔で、ハキハキ受け答えする

面接試験で緊張しない方は、ほぼいないのではないでしょうか。緊張している中でも「笑顔でハキハキ」面接の受け答えを行ったことで合格をつかんだ合格者の声を聞いていきましょう。

面接対策時には、「笑顔、はきはき話す、面接官としっかり会話をする」などのアドバイスをいただくことがよくありました。こんなの当たり前だと思っていましたが、やってみると意外とできていなくて、緊張で頭が真っ白になってうまく話せなかったり、笑顔が引きつってしまうことが多々ありました。ですが、何度も練習をして、面接を楽しむという気持ちで挑むことで、対策をする前よりも、自分の話すスキルを向上させることができ、本番でもそれをしっかり発揮することができました。（2023年東京都合格者）

私が面接で特に重要だと感じたことです。もちろん業界･企業自治体研究、志望動機、ガクチカ自己PRも非常に大切です。しかし、それよりも明るさや笑顔で面接の結果は大きく左右すると感じました。集団面接の際に、声が小さく緊張から笑顔がない受験生を見ることも多かったです。せっかく筆記が合格したのに、印象面でマイナスをつけられてしまうのはとてももったいないと思います。もちろん面接は全員が緊張していると思います。私自身も不安から面接は毎回緊張していました。しかし、笑顔を意識しながらハキハキ話すようにすると自然と緊張もほぐれていきました。内容も大事ですが、笑顔や話し方から「この人と働きたい」と思ってもらえるかも大きく影響するのかなと思いました。（2023年奈良市合格者）

面接で大事なことはいくつもあると思いますが、人柄をアピールする上では、笑顔でハキハキしゃべるることが大事だと思います。面接官の立場になって考えてみると想像しやすいと思いますが、暗い表情で、ボソボソしゃべる人と一緒に働きたいと思う人はいないと思います。

（2022年特別区合格者）

　1位と同様ですが、面接官は受験生の方と話をする中で「一緒に働いていける方なのか」を見極めています。そのためには、「面接官から聞かれていることに対してしっかり答えられているか」・「ちゃんと会話ができるか（一方的に話しすぎていないかなど）」を見られています。合格者の方はどのように対応していたのか見ていきましょう。

😊人事院の面接では、「ここはあなたの舞台です。楽しんでください。」と面接官の方がおっしゃってくださり、いつも通りの自分の笑顔と元気さを出すことができました。面接は緊張してしまうことが多かったですが、その時には、「私、とても緊張しています。」と自分から言ってしまうことで、自分の本領を発揮しやすくなりました。面接に緊張はつきものですが、面接練習を何度もして、どの方向から聞かれても対応できるようにしておくとよいと思います。そうすれば自信もついて、少しは緊張もほぐれるかと思います。
（2023年国家総合職合格者）

😊私は面接において、面接官との会話を楽しむことを意識して臨んでいました。公務員試験の面接は適性を見定められるものだと思っていましたが、担任相談や練習をしていく中で、相手はそれほど厳しい目では見ていないと思うようになりました。実際に面接試験を受けても、厳しい質問をされることはなく、面接官として私の人となりを知りたいと伝わってくるほどでした。そのため、私としてもできる限り相手がイメージしやすいよう丁寧かつ簡潔に伝える努力をしました。正直、技術職に関しては質問に対して簡潔に丁寧に答え、コミュニケーションをとることができれば、よほどのことがない限り問題はないと思います。もちろん、良い評価を得るにはそれなりの準備は必要です。
（2023年労働基準監督官合格者）

😊私は民間の就活をしていなかったため、人事院面接が初めての面接でした。面接を受ける前はいろいろな不安がありました。しかし、いざ始まる

と、面接官は皆さん私の話を真剣に聞いてくださり、楽しい時間を過ごすことができました。官庁訪問も同様に楽しむことができました。面接は自分をアピールする場ではありますが、面接官という「人」を相手にしているので会話をする気持ちが重要だと考えます。また、今から面接をすると思うより、今からおしゃべりをすると考えると緊張も和らぎました。

（2022年国家総合職合格者）

4　3位：想定問答を丸暗記せず自分の言葉で話すようにした

　想定問答を作って準備をすることは大切ですが、本番の面接のときに準備した答えを言おうとしすぎると、会話ではなくプレゼンや独演会などの一方的な発表になってしまいます。そのような受け答えをした場合、面接官はたくさんの受験生を見ていますので、「この受験生は覚えたことをただ話しているだけでどういう性格の人なのかわからない」と思われてしまいます。場合によっては、受験生が用意していないであろうイレギュラーな質問をして受験者の本性を見ようとするかもしれません。では、合格者はどのような点に気をつけたのかを見ていきましょう。

😊練習のしすぎで面接が暗記発表会やプレゼンテーションにならないようにしましょう。面接はあくまでも"会話"です。聞かれたこと以外も万全に準備をしたら、話をしたくなりますが、そこは抑えて。（聞いてもいないことを話す行為はマイナス評価です。）　　　　（2022年労働基準監督官合格者）

😊面接は試験科目の１つであり、公務員として働くうえで避けては通れない関門です。模擬面接や想定質問などを通じて、模範解答を覚えていくこともある程度は必要だと思います。ですが、試験科目であること以上に、面接において面接官は将来の上司になるかもしれない人であり、受験生は将来の部下になるかもしれない人であるということを忘れてはいけません。そこで、私は自分が面接官の立場であると仮定して、どんな人物が部下として欲しいかを考えたときに、覚えてきたことを淡々と話すよりも、自分

の言葉で熱意を持って伝えようとするほうが良いと考え、そのことを意識して面接に取り組みました。

（2023年国家一般職合格者）

😊面接試験では志願者の人となりを見たいと面接官は思っているため、ある程度の想定質問を考えたら、それを文章のまま伝えるのではなく自分なりの言葉で伝えることができるようにするために、あまり事前に考えた質問の答え通りに返答することに固執するのではなく、あくまで面接官から聞かれたことに答えるということを面接練習の時から意識して取り組みました。これを意識したことで、面接試験本番でもリラックスして、面接官と会話をするように円滑に面接試験を行うことができました。

（2022年栃木県合格者）

😊私は面接に対して一番不安に感じていたので、入念な準備をしようと思っていました。面接対策自体も９月ごろから取り組み、面接で話すエピソードの添削などを行ってもらっていました。また、直前期には、各受験先の想定質問集を作成し、考えられる質問には対応できるようにしていました。しかし、実際に面接では想定質問集から質問されないことも多く、うまく返せないことも数多くありました。このような経験から、模擬面接などを通してしっかりと自分の言葉でエピソードが話せるかどうか、どこで自分が詰まってしまうのかを把握しておく必要があると思います。また、「リア面」での模擬面接では自分の面接を行っている姿を撮影できるので、客観的に自身を分析するなど振り返って対策することも大事です。

（2023年兵庫県合格者）

5 - ② 面接試験における想定外の質問

　想定質問の準備は大切であることは述べましたが、どんなに準備しても本番では必ずと言ってよいほど想定外の質問がされます。そのとき頭が真っ白になってしまったら、まずは落ち着くために、「考えをまとめたいので少々お時間をいただけますか」と言いましょう。言葉を発することで落ち着きを取り戻せますし、時間をもらって考えをまとめることもできます。絶対にやってはいけないことは黙ってしまうことです。合格者が質問された想定外の質問にどのようなものがあったのかを見ていきましょう。

😊「自分は運がいいと思いますか？」は、私が1番返答に困った質問です。この質問を1週間の面接のうちに3回ほど聞かれました。最初は回答に困った質問ですが、運がいいと思う理由を考えていくうちに、今まで自分がお世話になった人たちのことを考えました。面接は自分自身を客観視することが大切だといわれます。今までは自分自身が人に恵まれているということは気づいてなかったのですが、この質問が改めて自分自身が周りの人たちに感謝するきっかけになりました。　　　　　　（2022年国税専門官合格者）

😊私が印象に残っているのは、国家総合職の人事院面接です。私は国家公務員の志望理由として、「すべての人が暮らしやすい社会を実現したい」と記載していました。その部分に対し面接官は、「行政の仕事には、彼方が立てれば此方が立たずということが頻繁にあります。その中でどうすればすべての国民の利益を守れると考えますか。」と聞かれました。私はすごく動揺しながら、「公共性の高い事柄に取り組むべき」という旨の返答を絞り出しました。それまでの返答は想定内だったため、スラスラと答えられていましたが、その部分だけ非常に動揺が表に出ていたと思います。どれだけ面接練習を重ね想定質問集を充実させても、すべてがうまくいくことはないと思うので、「必ず予想外の質問は飛んでくるものだ」と身構えていれば、とっさの対応がスムーズになるもしれません。　　（2023年国家総合職合格者）

😊県庁の2次試験では、2回の面接がありました。公務員といえばお堅い面接のイメージがありましたが、非常にフラットな面接でした。そういう雰囲気の中で面接をしたものですから、うまくいってないと思わないはずがありませんが、その中でも唯一自信を失ったエピソードがありました。それは、「最近気になった鳥取県のニュースを教えてください」と聞かれた時のことです。私は時事問題についての対策をしていましたが、それは全国的なニュースについてでした。したがって、今回の質問には何も答えられなかったのです。私は正直に「私の情報収集不足によりお答えできません」と答えました。どうやら誠実さが伝わったようです(笑)。

(2023年鳥取県合格者)

😊年配の面接官から「将来は管理職としてキャリアアップしていきたいか」と質問され、一度も働いたことがなく、就職のその先についてあまり深く考えられていなかった私は返答に窮してしまいました。

(2022年国家一般職合格者)

😊地元の市役所の面接で「政令指定都市の区が統合されるという話題についてどう捉えているのか、それについてのメリットとデメリットを答えてほしい」という質問がなされたのですが、何も考えていない話題であり、またその話題についての知識もほとんどなかったことから全然答えることができませんでした。自分が行きたいと考えている場所について調べていないということは、相手側からしたら本当に行きたいという熱意を持っていないように感じ取ることができるので、しっかりと下調べしておくことが必要であるということに気づくことができました。

(2022年国家一般職合格者)

5 −③ 高圧的な面接のエピソード

　いわゆる高圧的な面接とは、面接官が「威圧的・高圧的な態度をとる」・「受験生の発言を繰り返し否定する」・「受験生が答えにくいような質問を行う」といったものです。近年は減少傾向にありますが、現在でもなくなったわけではないようです。意図的に高圧的な面接を行っているのか、そうではなく高圧的に見えるだけなのかはわかりません。合格者が体験した高圧的な面接のエピソードを見ていきましょう。

😊面接官がある質問をしてきたのですが、その質問が抽象的で意味がわからず、私は何度か聞き返してしまいました。するとその面接官の方が「こちらが質問しているんだから、それについて答えてください」と少しきつめにおっしゃってきました。
（2022年財務専門官合格者）

😊初めての面接試験で非常に緊張していました。はじめは、アイスブレイクなど通常通りの面接でした。しかし、志望動機や今まで学んできたことなどを聞かれていくと段々真ん中にいる面接官の態度が大きくなり、ふんぞり返るような姿勢をとっていました。ほかの面接官が私に質問をし、それに答えている間も目をつむりうつむきながら聞いていました。そして、その面接官が私に質問をするタイミングになってもその態度は変わりませんでした。しかし、私はいらいらした表情を見せず、冷静に毅然とした態度で質問に答えていきました。理系なのでこだわりが強い人かどうか、自分の意にそぐわないような人と付き合っていけるのかを確認していたように思っていますが、一見態度が悪いような面接官がいても、面接なので故意にやっていると考え、つっけんどんな態度をとらず、平静を保って臨むことが重要だと思います。
（2022年東京都合格者）

😊難しい知識や答えを見ているというよりは、その人の人間性をものすごく見ている面接試験だと感じました。また、ストレス耐性の質問はどこでもされたため、窓口業務のストレス耐性を備えているか否かはかなり重要視

しているように感じました。実際には高圧的な面接はありませんでしたが、明らかに高圧的な面接官の役をしているだろうと感じるような方はいらっしゃいました。そのような時でも焦らず、自分のありのままを言葉で伝えることができると良いと思いました。 （2022年千葉市合格者）

😊 本命の面接で、志望動機をしっかり面接官に伝えたつもりでしたが、スケールが広過ぎるというダメ出しを最初に食らいました。その他の質問も結構グダグダで終わった後はCか最悪D評価かとすごく落ち込みましたが最終的に評価はBで即日内定をもらうことができました。最初の挨拶の声が大きかったのと、ダメ出し後も動揺せず終始笑顔でハキハキと話すよう心がけたのがBをもらえたポイントなのかなと思います。

（2023年国家一般職合格者）

😊 私が紹介する面接でのエピソードは2つあります。1つ目は、日本の労働力不足はどのようにすれば解決できると考えるかという質問がありました。非常に難しい質問でしたが、自分自身が知っている知識の範囲で考えを述べました。重要なことは、わからないことは話さないということを心がけました。わからないことを話すと、それについて質問されると答えることができないからです。2つ目は、面接の途中で面接官の方が全く話を聞いていない態度をとったことです。その際には、気にせず、話し続けることで乗り越えました。そういった態度になった際は、受験生としてはできることがないのでベストを尽くすことが重要だと考え、面接に取り組みました。

（2022年国家一般職合格者）

5 −④ 面接試験における失敗エピソード

　どんなに準備をしていても、想定していたこと以外のことを聞かれて頭の中が真っ白になってしまい面接がうまくいかなかった話などはよく聞きます。合格者の方でも、すべての面接がうまくいったわけではありません。どんな失敗をしてしまったのか見ていきましょう。

😊人事院面接における印象的なエピソードは、入室の際にドアを閉め忘れてしまったことです。私は面接控え室で一番最後に呼ばれたため3時間半ほど待ち時間があり、時間が経つにつれて緊張が高まっていました。入室後面接官にドアを閉めるよう言われ、「やってしまった！」と思い焦りましたが、面接官は優しく笑顔で、緊張をほぐすように話しかけてくださりました。何度も面接の所作を練習したつもりでも、雰囲気に飲まれると普通はやらないミスをしてしまうことがあると実感しました。面接の内容自体は、自分が思っていた固い雰囲気よりも、自然な会話に近いような雰囲気で行われたため、徐々にリラックスして問題なく話すことができました。ハプニングがあっても、面接練習を思い出し笑顔を忘れず面接に挑めば、切り替えていくことができると思います。　　　　　　（2023年国家総合職合格者）

😊私の印象に残っている面接試験は、県庁でのものです。それは私にとって初めての面接試験で、とても不安だったので、リアル面接シミュレーションで何度も話す練習を重ね、準備してきました。そして当日、やはり緊張しすぎて、「公平に審査するため、自分の大学や出身地などを話さないでください」と言われていたにもかかわらず、ポロッと話の流れでそれを話してしまいました。面接が終わり、「落ちたかもしれない。話を聞いてなかったのか？と思われただろう。」と、とても落ち込みました。しかし、リアル面接シミュレーションの先生や担任の先生方に大丈夫だと励ましてもらい、なんとかその後の面接ラッシュを切り抜けることができました。何か1つミスをしても、諦めずにそれまで努力を積み重ねてきた自分を信じ、誠意をしっかり伝えることができれば、あとはミスを気にしすぎない

ことも大切なのだなと感じた面接試験でした。　（2023年国税専門官合格者）

😊市役所の面接試験で緊張してしまい、言おうと思っていたことが飛んでしまいました。とても焦りましたが、少し考えても言いたいことを言葉にすることができなかったので素直に謝り、切り替えました。その後も緊張はしていましたが、なんとかその時のミスを挽回できるよう笑顔でハキハキと話すことを意識して頑張りました。結果は合格でした。面接試験は緊張しますが、どんなことがあっても諦めずに頑張ることと、失敗しても素直に謝って切り替えることが重要であると思いました。（2023年滋賀県合格者）

😊私は東京税関に官庁訪問をしました。官庁訪問以前に裁判所や国税専門官の面接を経験していたため、あまり緊張せずに面接が受けられると思っていました。しかし、面接のはじめに受験番号と名前を言う際に、受験番号をド忘れしてしまい、面接官の方々に小声で教えてもらう凡ミスをしてしまいました。それでもその面接が通ったのは、ミスを引きずらずに切り替えられたからだと考えています。面接で大切なことは、すべて完璧に答えようとしないことだと思います。ある程度のハプニングや想定外の質問は受け入れて、リラックスすることができれば、面接で落とされることは少ないので、自分らしさがしっかりと伝えられるように頑張ってください。

（2023年国家一般職合格者）

😊面接練習の段階で、スラスラ言いすぎて本気度が伝わってこないと指摘を受けていました。それを改善できないまま第一志望の面接を受け、結局落ちてしまいました。その後どうやったら改善できるのか考えて、ここで働きたいという気持ちを前面に出して言うことが大切なのだと思いました。詰まりながらでいいから絶対にここで働きたいという気持ちを込めて言うということを意識したら、内定をいただくことができました。

（2022年国家一般職合格者）

😊私が落とされてしまった区面接でのエピソードになります。私はやりたい仕事について聞かれ、自分なりに思いを伝えたところ、君は区の方針と逆のことをやろうとしていると否定の言葉をかけられてしまいました。正

直、かなりショックを受けてしまい、その場ではなんとか食い下がったつもりではありますが、何と答えたのかも覚えていないほど頭が真っ白になりました。
(2022年特別区合格者)

😊政令市の面接試験に落ちてしまいました。その理由は、退出などのマナーがきちんとできていなかったことや、マイナス評価につながってしまうような発言をしてしまったこと、練習不足による過度な緊張が原因でした。
(2022年特別区合格者)

😊お恥ずかしい話なのですが、二次面接の際、ベルトが緩くだらしないことに会場のトイレで気づきました。普段スーツなんて全然着ないし、一人暮らしの家に体全体が写る鏡はなかったし、スーツを着たとしてもスーツの上着によってベルトがあまり目立ってなかったので、ベルトがだらしないことに全然気がつかなかったです。本番は夏でワイシャツなので、ベルトが緩いのがすごく目立っていて本当にまずいと思いました。
(2022年特別区合格者)

😊面接の控え室で2時間待ったことがありました。それだけ長いといつ呼ばれるのか分からず常に緊張はするし、そしてお腹が空きます。緊張と空腹が同時に襲うことはなかなかありませんから、動揺を隠せませんでした。特に音ひとつしない控え室、10人は待つ狭い空間で、お腹が鳴った瞬間はついつい顔が赤くなりました。そんなこんなで面接のために準備したことなどすっかり忘れてしまいますから、前日までに念入りに対策を行うのが大事かなと思います。あと朝ごはんはしっかり食べて行ったほうがいいです。
(2022年国立大学法人合格者)

😊面接でドイツ語の勉強に力を入れていたということを言ったところ、「ドイツ語で特別区の職員として働く意気込みを教えてください。」と言われ、全然答えられず長い間黙ってしまいました。
(2022年特別区合格者)

😊市役所の個別面接は、係の人に面接室まで案内はされず、紙を見て各自で向かうスタイルでした。私も紙に書いてある案内は読んだのですが、何を

思ったのか別の面接室に入室してしまいました。そのときは「ああやってしまった」という思いと、その部屋での面接を中断させてしまった申し訳なさでいっぱいになりながら正しい面接室に移動したことを覚えています。すぐに面接だったので内心は焦ったままでしたが、私の面接官はこのミスを知らないのだから大丈夫と言い聞かせ、何事もなかったかのように、いつも通り面接しました。合格したから笑い話にできますが、この経験をした私からは「切り替えが大事」ということを伝えたいと思います。

（2023年裁判所職員合格者）

☺第1志望の面接会場に新幹線で向かう際、目的地の駅付近に着いているのに新幹線が大雨で進まず降りられなかったことがありました。当初はすぐに運転再開するだろうと思っていたのですが、結局1時間の遅延となってしまいました。30分ほど経ったところで受験先に連絡したところ、遅延証明書があれば受験させてもらえるとのことだったので、安心のあまり新幹線内で号泣してしまいました。この経験で長距離の移動には何があるかわからないことを痛感し、ますます余裕を持った行動を心がけるようになりました。

（2022年名古屋市合格者）

☺面接先の1つで業務内容を間違えて答えてしまうという大失敗をしたことがありますが、そこから内々定をいただきました。もし面接で失敗をしてしまっても、最後まできちんと笑顔で面接をやり通せば、挽回の可能性はあります。

（2023年国家一般職合格者）

(注)著者のところによく相談に来てくれていた受講生が「ぜひ後輩のために話してほしい」というエピソードを最後に紹介します。その方は、面接準備をしっかり行い面接に臨みましたが、緊張で面接中に泣いてしまったそうです。面接官になだめられ本人は「絶対に落ちた」と思っていましたが、しっかりと合格していました。絶対に大丈夫とは言えませんが面接中に泣いてしまっても受かりますので、諦めないで最後まで全力で面接に臨みましょう。

第5章

合格体験記

〈主な合格先〉

1 国家総合職（教養区分）
後藤 健志さん

2 国家一般職
武原 菜央さん

3 国税専門官
佐野 冬芽さん

4 財務専門官
藤田 悠人さん

5 裁判所事務官一般職
藤井 里彩子さん

6 東京都Ⅰ類B
石綿 賢征さん

7 静岡県
土屋 陽奈さん

8 特別区Ⅰ類
高橋 冬馬さん

9 神戸市
林 宏樹さん

10 警視庁警察官Ⅰ類
須田 大河さん

11 東京消防庁Ⅰ類
山木 大輔さん

12 国家総合職
（化学・生物・薬学）
栗谷 萌さん

13 東京都Ⅰ類A（建築）
栗原 慶さん

14 岐阜県（心理）
速田 弥音香さん

15 北海道（社会福祉）
黒田 智哉さん

1 後藤 健志さん

慶應義塾大学　経済学部（在学中）

コース 2023年合格目標 総合職〔経済・教養区分〕Standardコース
合格先 国家総合職（教養区分）、
参議院事務局職員総合職

1 あなたが内定を獲得できた理由は？

> 「入念な準備とサポート」

　私が公務員試験に合格できた理由は、早い時期から面接対策を始められたことだと思います。公務員試験の勉強を始めてすぐは、公務員試験は筆記が最重要というイメージがあり、筆記試験の勉強ばかりしていました。しかし、志望する国会職員の試験要項で配点を見て、面接試験の重要性に気がつきました。そこで、リアル面接シミュレーションを利用して年明け頃から少しずつ面接カードの作成や自治体研究などの面接対策を進めていきました。面接対策の中で、自分自身を見つめ直したり、志望する自治体の事業を知ったりすることで、勉強のモチベーションアップにもつながったと思います。面接は筆記とは異なり、答えがないものなので最初はとても不安でしたが、講師の方々から様々なアドバイスや情報をいただきながら対策を進められたので、とても心強かったです。

2 あなたがLECを選んだ理由は？

> 「手厚いサポート」

　私がLECを選んだ理由の1つは、サポートの手厚さです。もともと、ひとりで公務員試験の合格を目指すことに不安を感じて予備校を探していました。LECは担任相談や教えてチューター、合格者アドバイザーやリアル面接シミュレーションなど、困ったこと、不安なこと、わからないことがあればすぐに相談できる制度がある点に魅力を感じました。これらの制度を活用したおかげで、孤独をあまり感じることなく、自信を持って試験対策に取り組めたと思います。

3 あなたの勉強のポイントは？

「効率的な学習」

　私は試験対策を始めるのが遅いほうであったため、とにかくアウトプット重視で勉強を進めていきました。公務員試験の範囲は膨大で、初めは心が折れそうになると思いますが、LECの問題集を解いていると、出やすいポイントはかなり限られていることがわかります。問題集を解き、間違えた問題にチェックをつけておき、少し時間を置いてもう一度その問題を解くということを繰り返していると、どんどん正解できる割合が上がっていきました。

4 あなたが公務員を目指した理由は？

「誰かのために働きたい」

　私が公務員試験を目指した大きな理由の一つとして、誰かのために働きたいという強い思いがあります。実は、私も民間就活をしていた時期があり、その中でしっくりこない感触が最終的に公務員に決めたことにつながりました。公務員は決して給料が高いわけでも、楽な仕事なわけでもありません。しかし、やりがいはどの仕事よりもあると思っています。それは、相手になるお客様が国民全体だからです。自分の行った仕事が多くの人の幸せにつながる、そんな素敵な仕事をぜひやりたいと思いました。

5 あなたの面接試験でのエピソードを教えてください。

「準備は入念に」

　面接はとにかく慣れだと思い、模擬面接をたくさん受けました。たくさんの講師の方がいらっしゃるので、複数人からアドバイスをいただけてとてもよかったです。本番はあまり緊張せず、面接官との会話を楽しめたように思います。また、面接カードも面接試験の出来に大きく関わってくると感じました。面接カードが面接官の質問を引き出せるように書かれていれば、自ずとアピールしやすくなります。模擬面接の前に面接カードをしっかり練って、講師の方からアドバイスをいただくことをおすすめします。

武原 菜央さん

同志社大学商学部（在学中）

コース　2023年合格目標 スペシャルコース
合格先　国家一般職、国税専門官A、京都府

① あなたが内定を獲得できた理由は？

「情報収集とサポート」

　公務員試験において情報はとても重要だと思います。もちろん自分で入手する姿勢は必要ですが、日々の講義や担任相談、合格者アドバイザーホームルームなど、LECに通うことで得られる情報がとても多く、そのおかげで最終合格まで諦めず頑張れました。公務員試験はやるべきことが多くそのたびに悩んでいたのですが、相談に行き一緒に解決していただきました。手厚いサポートを受けながら、最後まで諦めずに努力したことが合格につながったと思います。

② あなたがLECを選んだ理由は？

「面接対策の充実」

　大学の学内講座と比較したときに、面接対策が充実しているのがLECでした。最終合格するためには筆記の対策だけでは不十分で、知り合いの方にも面接対策ができるところのほうがよいと聞いたためLECを選びました。早くから面接対策を始めることができ、講師の方に相談に行くことで、自分では気づかなかった一面を知ることができました。初めは緊張しましたが、的確なアドバイスをしていただき、本番も無事に乗り切ることができました。

③ あなたの勉強のポイントは？

「効率重視の勉強」

　とにかく科目数が多く、勉強時間も足りていなかった私は何をすべきなのか不安になることが多かったです。科目の優先順位や、どの単元を重点的に

勉強すべきなのか、先生に相談し計画を立て、それにのっとって勉強していました。勉強する科目や配分は、得意・不得意や受験先に応じて変わってくるので、合格者アドバイザーや先生方の意見を参考に、自分に合った勉強方法を見つけていくことが重要だと思います。計画を立てた後は、それを信じて目の前の勉強に励みました。

④ あなたが公務員を目指した理由は？

「暮らしを支える」

人々の暮らしを支えるというスケールの大きさに魅力を感じたからです。民間でも分野を絞れば社会貢献はできると思いますが、広く支えることができるのは公務員ならではだと思います。目指し始めたころは、特にやりたい仕事はなかったのですが、説明会に参加することで様々な側面から暮らしを支えることができると知りました。勉強していくうちに自分のやりたいことや興味のあることが自然と見つかったため、公務員を目指してよかったと思います。

⑤ あなたの面接試験でのエピソードを教えてください。

「会話を意識」

民間企業を受けていなかったため、初めての面接が裁判所事務官の面接でした。それ以降の面接も毎回とても緊張していましたが、どの面接でもしっかり聞いてくださり、話しやすい雰囲気だったように思います。多少回答に困ることがあっても、焦らず、あくまで会話だということを意識しながら話すと乗り越えることができました。模擬面接形式の練習が足りていなかったので、自己分析だけでなく実践を意識して準備すればもっと自信をもって挑めたかと思います。

1 あなたが内定を獲得できた理由は？

> ## 「ラストスパートによる逆転」

　私は、公務員を目指し始めたのはどちらかというと周りよりも早かったと思います。しかしながら、ぼんやりとしか進路について考えられていなかったこともあり、初回のトライアル模試ではＥ判定で、１年弱勉強していても、勉強した「つもり」になっているだけという現実を突きつけられてしまいました。それからも、苦手科目から逃げてしまっていたり、集中力が続かず、しっかりと勉強時間を確保することができませんでした。ただ、「あとどのくらい試験日まで残された時間があるか」を意識してからの半年間の追い込みにより、複数合格をすることができました。

2 あなたがLECを選んだ理由は？

> ## 「担任相談と模試の活用」

　LECでは、担任講師制度があり、そこで勉強方法や面接についてなど、困ったことを幅広く相談に乗っていただくことができました。特に、直前期は焦ってしまい、自分一人では冷静な判断ができないこともあったので、自分を客観的に見て、アドバイスをしていただける場があることは本当に大切だったと思います。また、コース生が定期的に受けることのできる模試の存在も、自分の足りない部分や伸びてきた部分を客観視できる非常によい機会で、LECを選んでよかったです。

3 あなたの勉強のポイントは？

> ## 「相棒は勉強タイマー」

　試験まであと半年という頃に、そろそろまずい、時間が足りない、と焦り

が生まれてきました。そのタイミングで、自分は今どのくらい1日に勉強できているのか、可視化するべきだと思いました。そこで、勉強用のタイマーを購入しました。タイマーだけで変わるのか、と思う方もいるかと思いますが、私自身、このタイマーがモチベーションを上げるツールとして非常に有効でした。質も大切だと思いますが、勉強しているようで実は十分な時間を確保できていないのではないか、と思う私にとってはぴったりの勉強方法でした。

4 **あなたが公務員を目指した理由は？**

「軸から考えた進路」

　私は、大学の学部選びについても、はっきりと将来のビジョンがあって選んだとは言えませんでした。将来の夢や、将来何をやりたいか、という質問にも答えられない状態でした。そこで、自分の軸、将来を決めるにあたって大切にしたいものから考えました。私は、「自分のしたことが広く社会のプラスになるような何かができたらいいな」というのが自分の中にあることに気づきました。また、対価的ではなく、取りこぼすことなく、という条件を加えたときに、公務員という選択肢が輝いて見えたので、公務員を目指しました。

5 **あなたの面接試験でのエピソードを教えてください。**

「熱意の重要性」

　私は、面接対策をするにあたって、想定問答をいくつも用意しました。有効だったのは、単語帳に問答を記入して、自分でそれを適宜シャッフルしながら声に出して話すことです。特に、模擬面接ができない時間帯などにこの練習をして面接力がついたと思います。こういった問答を用意することは、受験先を知るという意味でも有効だと思います。しかしながら、用意した原稿通りに読むのではなく、いかに熱意を持って、自分の言葉で伝えることができるかは、それ以上に重要だと感じました。実際にうまくいったと思える面接は、予想外の質問に対して心から思ったことを面接官に伝えることができたときでした。

4 **藤田 悠人**さん

北海学園大学法学部（在学中）

コース 2023年合格目標 スタンダードコース
合格先 財務専門官、国家一般職、裁判所事務官一般職、札幌市

① あなたが内定を獲得できた理由は？

> 「充実したWeb講義」

　Web講義はいつでもどこでも講義を視聴することができ、勉強中にわからないことがある場合その部分だけを視聴することもできます。また、科目によっては複数の講師がいるため自分に合った講師で楽しく学ぶことができました。講義を視聴してもわからないことや、過去問でわからないところはチューター制度を使っていました。返答が早く、その疑問を解決するためのテキストページなども丁寧に教えていただけたのでたくさん利用していました。私はこれらのWeb講義のおかげで合格できたと考えます。

② あなたがLECを選んだ理由は？

> 「LECの面接対策で他の受験生と差をつける！」

　私は、LEC以外の予備校も検討していました。筆記試験はどこの予備校でも同じだと考えていたので、差がつくのは面接しかない！と考え、面接を重視しているLECを選びました。LECでは面接情報データベースという膨大な面接のデータを閲覧でき、早期から面接対策できたおかげもあり、他の受験生と差をつけることができたと考えています。公務員試験は最終的に面接の勝負です。面接で勝ち切るためにはLECの面接対策を利用し、他の受験生に勝ちましょう！！

③ あなたの勉強のポイントは？

> 「『過去問解きまくり！』を愛する！」

　公務員試験の範囲はかなり広く、それらを詰め込んでいくには繰り返し過去問を解くことが重要です。最初は解けなくても繰り返しやっていくことで

周回スピードが速くなり、たくさん量をこなすことができます。そのためには他の参考書に手を付けるのではなく、過去問解きまくりを愛し続ける。つまりずっとやり続けることが合格につながると考えます。直前期には「直前復習」という抜粋された問題で確認し、本番に挑みました。

④　あなたが公務員を目指した理由は？

> **「大学で学んだ法律を活かしたい！」**

　公務員を目指したきっかけは、大学で法学部に在籍していたため法律を活かした仕事をしたいと考えていたからです。法律事務所など公務員以外にも法律を活かせる職業はありますが、公務員の業務は多くの方の役に立つことができ国民のために貢献できることという点が魅力的であり、私自身多くの人の役に立ちたいという思いがあったので、より一層公務員に興味を持ちました。

⑤　あなたの面接試験でのエピソードを教えてください。

> **「LECの面接情報のおかげでうまくいった！」**

　面接では予想される質問の対策をすることで、的外れな答えを回避することができます。私はLECの面接情報データベースを利用したことで、どのような質問をされるのかを対策でき、本番では初見の質問がなく、うまく回答することができました。また、面接の雰囲気や先輩からのアドバイスも記載してあるため、それらを活かして面接本番に臨むことができました。事前に面接の雰囲気などを知っておくことは気持ち的にも大きなアドバンテージになるので、面接情報データベースはオススメです。

5 藤井 里彩子さん

大阪公立大学(大阪市立大学)経済学部(在学中)

コース 2023年合格目標スペシャルコース
合格先 裁判所事務官一般職(大卒程度・大阪高等裁判所管内)《1位》、
国家一般職(大卒程度・行政近畿地域)《2位》、国税専門官A、大阪府

1 あなたが内定を獲得できた理由は?

> 「LECでできた友人との情報共有」

　私はLECのイベントで、同じ公務員を志す友人を作ることができました。「何曜日の何時にLECの自習室で勉強しよう!」と連絡を取り、同じ教室内で勉強することで、モチベーションを保つことができました。勉強の合間に一緒に自習室の外に出て、談笑しながら息抜きをすることもありました。リアル面接シミュレーションの進捗状況を教え合ったり、併願先の情報を交換したり、気軽に試験について相談できる仲間がいたことで、「絶対にみんなと一緒に合格する!」という強い気持ちを持ち続けることができ、内定に結びついたと思います。

2 あなたがLECを選んだ理由は?

> 「受講スタイルが自由に選べる!」

　私がLECを選んだ1番の理由は、Zoom、Web、通学から自由に受講スタイルを選択できたことです。アルバイトをしながらの試験勉強だったため、毎回の授業を通学で受けることが難しく、受講方法をその日の状況に応じて選べる点に大変惹かれました。特に、Zoom配信なら、自宅にいながらリアルタイムで講義を受けられるため、時事や最新の情報をその場でインプットすることができました。大学の授業、ゼミ、アルバイト、民間就活などと、公務員試験を両立するには、LECの受講スタイルが最適でした。

3 あなたの勉強のポイントは?

> 「スキマ時間を活用!」

　私は大学までの電車内の通学時間を、暗記物のインプットに充てていまし

た。民法や行政法はレジュメを読み返したり、重要ポイントをまとめた表を覚えたりしていました。通学バッグには、「過去問解きまくり！」を常に1冊は入れておくようにし、授業の空きコマがあると、大学の図書館で問題を解いたり、Web講義を受けたりと、公務員試験に触れる時間を作るようにしていました。ただ、息抜きも大切にし、月に1〜2回は友人と遊ぶ予定を入れ、メリハリをつけて勉強していました。

④ あなたが公務員を目指した理由は？

「国を支える仕事への憧れ」

私は「国家公務員ってかっこいい」という漠然とした憧れから、公務員に興味を持ちました。その後、実際に合同説明会などに参加し、国の経済振興に寄与したり、インフラを支えたりと、幅広い業務を通じて国や地域に貢献できると知り、公務員としての働き方が、自分の理想の将来像だと考えるようになりました。きっかけは何であれ、公務員に興味を持ったら、すぐに行動することをおすすめします。早めに対策を始めることで、自分のやりたいことがはっきりと見えてくるはずです。

⑤ あなたの面接試験でのエピソードを教えてください。

「伝えたい思いをコンパクトに！」

私は大学3年生の11月から、リアル面接シミュレーションで面接対策を始めました。夏休み頃から、面接で話したいエピソードを自分の中で言語化する作業を行い、書き溜めていました。私は、つい話しすぎてしまうところがあり、リアル面接シミュレーションの先生にも「よくしゃべるね」と言われていました。そこで、自分の伝えたい思いはそのままに、コンパクトに話す練習をした結果、本番では、面接中に何度か面接官の方から「お話が上手ですね」との言葉をいただきました。

6 石綿 賢征 さん

早稲田大学社会科学部（在学中）

（コース）**2023年合格目標スペシャルコース**
（合格先）**東京都Ⅰ類B（一般方式）、国家一般職、**
裁判所事務官一般職

1 あなたが内定を獲得できた理由は？

「徹底的な情報収集」

　私は担任講師制度や合格者アドバイザー制度、リアル面接シミュレーションなどを通して各種試験の特徴や傾向などを把握し、効率的な勉強につなげていました。中でも、担任講師制度では様々な実績を持った先生方が大勢いらっしゃるので、自分の志望先に詳しい先生を見つけることができました。定期的に利用しながら、今後の勉強の流れや科目ごとの重要度などを明確にすることによって、具体的な合格までのプランを立てていました。また、精神面でも、相談時に先生方からいただく励ましや応援の声があったからこそ、あきらめず最後まで走り抜けられたと思っています。

2 あなたがLECを選んだ理由は？

「手厚い面接対策とコストパフォーマンス」

　私が公務員試験勉強を始めるにあたって、LECに受講相談へ行った際、最も印象に残ったのは面接対策の手厚さでした。もともと、しっかりとした面接経験がなく勉強以上に面接に対する不安が大きかった自分にとって、追加料金なしで何度も面接練習ができる環境というのは非常に魅力的でした。また、コースに組み込まれる形で、早い段階から多くの模試を受けられるという部分も、勉強に対するモチベーション維持につながると考えていたので決め手になりました。

3 あなたの勉強のポイントは？

「完璧を目指さないこと」

　公務員試験は、複数の試験を併願する方がほとんどだと思います。科目数

が非常に多く、試験ごとの特徴もあるので、すべての試験、科目に対して完璧を求めてしまうと時間が掛かりすぎてしまいます。そこで、まずは自分の第一志望に照準を合わせて傾向に沿った勉強をするとともに、過去問演習にも力を入れることで自分なりの得点プランを立てていました。併願先に関しては、自分の得意分野で点数を落とさないこと、苦手分野では最低限を死守することを目標に勉強していました。公務員試験は長い戦いになるからこそ、完璧を追い求めず自分の中で重要度を明確にしながら安定した点数を取れるようになることが大切だと思います。

4 あなたが公務員を目指した理由は？

「人の生活を支えたい」

多くの人の生活の根底を支える公務員に憧れを抱いたからです。大学時に所属していたボランティアサークルの活動を通して、様々な環境の方と触れ合い自分自身の視野が大きく広がりました。その中でも、人の生活を支えること、人の役に立てることにやりがいを感じていました。その経験から、数ある職業の中でも特定の個人だけでなく、そこに住むすべての人のために働くこと、自分自身も人間として成長できることに魅力を感じました。

5 あなたの面接試験でのエピソードを教えてください。

「準備と実践の繰り返し」

私は面接対策として、準備と実践を徹底的に行いました。面接情報データベースを活用しながら想定問答を作成し、考えうる質問にはある程度自分なりの回答を用意していました。中でも、自分がやってきたこと、そしてこれからやりたいことを明確にし、自分の根幹となる部分を固めていました。しかし、準備を万全にしていても想定外の質問やその場で考えなければならない質問がくるので、その際にしっかりと対応できるようにリアル面接シミュレーションはもちろん、友人との模擬面接を直前期はほぼ毎日行いながら対応力を高めていきました。

1 あなたが内定を獲得できた理由は？

「短い時間で計画的に」

　計画性をもって勉強できたことだと考えています。私は大学の研究も並行して進めなければならず、平日や直前期はあまり勉強時間を確保できませんでした。そこで、1週間ごとにやることを計画し、常に前倒しで学習を進めることを意識していました。また、面接練習も2月ごろから少しずつ進め、直前期に面接カード等の作成に時間を使わずに済むことができました。筆記試験終了後、面接日までの日数は短い場合が多いので、筆記の勉強と並行して面接練習することが重要だと感じました。

2 あなたがLECを選んだ理由は？

「手厚い面接指導」

　私がLECを選んだ一番の理由は、面接や集団討論対策が非常に充実していると聞いていたからです。実際に、早い段階から面接対策ができ、講師の方々も熱心に教えてくださるので、面接での対応力をかなり高めることができたと考えています。また、講義もわかりやすく、各単元でハイレベルな知識を身に着けることができました。Web講義も視聴可能なため、わからない部分は何度も聞き返したり講師の方に聞いたりして、自分の中で理解できていない部分をなくすようにしていました。

3 あなたの勉強のポイントは？

「繰り返し解き直し」

　多くの方が活用している勉強法だと思いますが、基本的にA,B,C勉強法を用いて学習していました。勉強のパターンをA,B,Cの3種類にわけて1日ず

つ順番に勉強する方法です。これは短いスパンで多くの科目を頭に入れ、各科目の勉強を何回も繰り返すことができるため、長期記憶につながり効率よく学習できると思います。また、「過去問解きまくり！」で間違えたところには付箋をつけて後から復習できるようにし、模試で間違えた問題はなぜ間違えたかを分析して解き直しを必ず行うようにしていました。

4 あなたが公務員を目指した理由は？

「人々が快適に暮らせるサポートをしたい」

私はすべての人が安心、安全で快適に暮らせるよう支えたいと思い、公務員を志望しました。父が公務員として勤務していたこともあり、幼いころから公務員の仕事に関して興味やあこがれがありましたが、理系科目が得意だったこともあって研究職や品質管理の職業に就くことを目指して大学進学をしました。しかし、就職活動をしていく中で本格的に公務員の仕事を調べていった際に、「人のために働き、快適な暮らしを支える」という点に魅力を感じ、就職活動後半は公務員のみに絞って行いました。

5 あなたの面接試験でのエピソードを教えてください。

「想定問答の準備と正しい言葉遣い」

面接試験に臨む上で大切なことは、面接の場に慣れることだと私は考えています。そこで、3月ごろまでに自分が受験する自治体の面接カードをある程度完成させたり、想定質問の回答を考えることに注力していました。4月以降は模擬面接の回数を増やしていき、面接の空間に慣れることを目標にしていました。また、早いうちから言葉遣いを直すよう、日常生活の中でも意識するようにしていました。それらにより、筆記試験終了後すぐの面接試験でも自分の意見や良さをしっかりアピールすることができ、高い評価を得ることができました。

❶ あなたが内定を獲得できた理由は？

「環境を変えて取り組むこと」

　私は、自分自身で予定を立てながら継続して勉強に取り組むことが苦手でした。そのため、独学では合格できないと思い、予備校に通うことを決めLECに入りました。家などではどうしても集中できないことはわかっていたため、大学の図書館やLECの自習室などを活用し、自分が逃げない環境で学習を進めました。LECで講義のスケジュールが決まっていることも、私に適度な焦りや緊張を与える要因となり、十分な勉強時間を確保できました。勉強から逃げないような環境に身を置いたことが、合格につながったと思っています。

❷ あなたがLECを選んだ理由は？

「友人の紹介」

　公務員受験を決め、公務員志望の友人に相談をした時に、LECを紹介してもらいました。受講相談に訪れた際は、丁寧に説明をしていただき、講義のスケジュールや面接対策、他の予備校と比べたLECの特徴などについて知ることができました。立地が良いこともありLECに決めたのですが、入ってからも担任相談やホームルーム、リアル面接シミュレーションなど入って良かったと思える点が多くありました。講義も通信か通学かを自由に選べ、自分の都合に合わせて勉強を進めていくことができました。

❸ あなたの勉強のポイントは？

「全体を把握しながら」

　公務員試験の特徴に、科目数の多さが挙げられます。初めの頃は、受験先

ではどのくらいの科目数が必要か、今勉強している科目はどのくらいのウエイトを占めるのかなどわからずに学習を進めていました。しかし、それでは、ただ漠然と膨大な量の勉強をしないといけず、モチベーションを保つことは困難でした。そこで、必要な科目やそれぞれ必要と思われる勉強時間などを書き出しながら勉強を進めていきました。全体像を把握できれば、終わりの見えなかった勉強量にも目処が立つようになり、モチベーションを保って学習を進めることができました。

4 あなたが公務員を目指した理由は？

「民間との違い」

　私は、大学で経営学部に所属しており、民間企業について学ぶことが多くありました。そんな中で、民間と公務員の違いについて学ぶ機会があり、ターゲット層を絞らず様々な行政サービスを提供し、国民の暮らしを守る公務員の在り方に惹かれて、公務員を目指そうと思うようになりました。民間であっても、公務員であっても、誰かのためになるような仕事をすることには変わりないかもしれませんが、誰も見捨てないような「全体の奉仕者」として働きたいと考えました。

5 あなたの面接試験でのエピソードを教えてください。

「自分の話しやすい内容で」

　面接本番は、どうしても緊張してしまい、自分の話したいこと、伝えたいことなどが頭から抜け落ちてしまうケースも多くあると思います。難しいことや自分の思ってもいないことで準備を進めると逆に、面接のハードルを自ら上げてしまうことにつながりかねません。そのため、面接準備の時点から、自分の話しやすい内容で面接カードを作ったり、想定質問の答えを考えたりすることが大切だと感じました。私自身、面接で難しいことなどは全く話しませんでしたが、すべて合格をいただくことができました。志望動機や長所、努力してきたことなど、しっかりと自分を出すことができれば、評価につながると思います。

9 林 宏樹さん

関西学院大学法学部（在学中）

コース　2023年合格目標 2年パーフェクトコース
合格先　神戸市、国家一般職（大卒程度・行政近畿地域）《5位》
　　　　裁判所事務官一般職（大卒程度・大阪高等裁判所管内）《8位》、国税専門官A、三田市

1 あなたが内定を獲得できた理由は？

「合格できると信じ、楽しんで取り組んだ」

　自分を信じ、公務員試験を楽しもうと前向きに取り組んだことが最大の勝因だと思います。公務員試験の学習はとても大変でした。本当に合格できるのか不安に思うことも何度もありました。しかし、悩んでいても合格できるものではありません。自分は絶対に合格できると言い聞かせ、公務員試験の勉強は必ず役に立つものだと信じて本番まで頑張りました。また、公務員になることを早めに決意し、民間企業の対策は一切行いませんでした。公務員試験対策一本に絞り込んだのもよかったと感じています。

2 あなたがLECを選んだ理由は？

「充実の面接対策とフォロー制度」

　公務員になろうと予備校を探していた際、LECを知りました。実際に神戸本校に足を運び、公務員試験には面接対策が重要であると教えていただき、面接対策が何度でも利用できるという点に魅力を感じました。また、合格者アドバイザーなどのフォロー制度が充実していたのも、LECを選んだ大きな決め手でした。入学後、駅からのアクセスもよく、自習室も使いやすく、LECにしてよかったなと実感しました。面接対策も十分に行うことができ、第一志望に合格することができました。

3 あなたの勉強のポイントは？

「要点を絞り、何度も繰り返す」

　公務員試験の学習は科目数が多く、膨大な学習時間が必要でした。そのため私は力を入れて学習する科目を絞り、その科目の要点を中心に勉強するよ

うにしていました。不安な気持ちに駆られましたが、新しいテキストや問題に取り組むのではなく、同じ問題集を何度も何度も解き直し、基礎を固めるようにしていました。加えて、アルバイトや友人との時間も大切にし、息抜きをしっかりとするよう心がけていました。気分の切り替えになり、集中して勉強することができたと思います。

④ あなたが公務員を目指した理由は？

> ## 「大好きな地元のために働きたかった」

　私が公務員を目指したのは、大好きな地元で暮らし、地元のために働きたいと考えたからです。高校時代には生徒会長を務めた経験から、「自治」に関心を持っており、様々な業務を通して、地元の発展に携わることができる地元・神戸市での就職を考えました。また、会社のように利益を追求するのではなく、住民の方々の満足度を上げる仕事に魅力を感じたのも理由の一つです。住民の方々の意見に耳を傾け、多くの人に納得していただけるまちづくりに従事していきたいです。

⑤ あなたの面接試験でのエピソードを教えてください。

> ## 「想像より怖くない！ありのままの自分で」

　面接と聞くと、面接官が険しい顔をして厳しい質問をしてくるというイメージがあるかもしれません。しかし、私が受けた面接のほとんどは和やかな雰囲気であり、程よくリラックスをして面接に臨むことができました。中でも印象的なのは神戸市の面接で、第一志望でとても緊張していたのですが、面接官の方が私の経歴に関心を持ってくださり、熱心に話を聞いてくださいました。最後には「個人的にすごい興味があったから詳しく聞いてしまった。もう面接じゃないね！ごめんね！」と言われ、どういう評価になっているのか不安になったのも良い思い出です。程よい緊張で、ありのままの自分でいることを意識すれば、面接は怖くないと思います。

10 須田 大河さん

法政大学経済学部（在学中）

コース　2023年合格目標 警察官合格コース
合格先　警視庁警察官Ⅰ類、群馬県警察官

1 あなたが内定を獲得できた理由は？

「素直さと自覚」

　私が受験したのは警察官採用試験です。警察官は誠実で規範を重んじることが大切だと思っています。そのため、試験以外の行動や会場までの道中での立ち居振る舞いなど細かいところまで気を配って行動することを心がけました。また、面接試験での時事問題ではわからない問題がありました。その時に変に取り繕うと相手は嘘を見破るプロということもあり、突っ込まれて逆に苦しくなることが容易に予想されます。そのため、「申し訳ありません。勉強不足です。」と伝え、その後、自分の意見述べるという形で対応しました。

2 あなたがLECを選んだ理由は？

「説明会を受けてみて」

　私は、公務員試験を受けるにあたってどこかの予備校に入りたいと考えていました。理由は性格的に独学でコツコツ進める自信があまりなかったこと、勉強内容を理解できるとは思えなかったことです。そのため半ば強制的な環境を求めていました。そこで他の予備校の説明会にも参加して吟味した結果、LECにしました。決め手は警察官コースがあったこと、自習室が利用可能なこと、申込み校舎以外の校舎も利用が可能なことで出先での勉強時間を獲得できるからです。

3 あなたの勉強のポイントは？

「優先順位と隙間時間」

　私が勉強を始めたのは比較的遅めかと思います。そのため、全部のことを1から10まで完璧にしようとするのは非効率だと考え、優先順位をつけ取

り組むことを意識しました。私の場合は数的推理と判断推理に力を入れました。基礎から取り組んだので、基礎内容の思い出しから積み上げ式でコツコツ勉強できたと思います。また、秋学期になると大学の授業や試験、アルバイトで忙しく、なかなかまとまった時間を取ることが難しくなってきたため通学時間を有効活用しました。漢字の勉強をアプリで行ったり、教材の写真を撮っておいてそれらを見たりと、隙間時間を無駄にしないようにしました。

4 あなたが公務員を目指した理由は？

「一人暮らしを始めて」

私は、大学1年の秋から東京で一人暮らしを始めました。生活している中で東京には日本を支える企業がたくさんあることを知りました。そんな様々な人が集中する首都東京の治安を守る警察官に触れる機会がありました。それは巡回連絡と拾得物の対応をしてもらったときです。その際の不安を解消してくれた丁寧な対応に心打たれ、それまで何気なく見てきた警察官の仕事に興味を持ちました。調べてみてその魅力を知り、惹かれ、私も国民や市民を守る側になりたいと考え、志望しました。

5 あなたの面接試験でのエピソードを教えてください。

「警察官特有の質問」

私が受験したのは警視庁と群馬県警の2つです。どちらも共通であった警察官特有の質問内容で「いい交番とはどのようなところか」や「交通事故の対処法」などがありました。また、「両親や恋人は警察官になることについてどう考えているか」や「親友は何人いるか」など身の回りの人達との関係を測るような内容もありました。警視庁の特徴としてはやはり時事問題かと思います。わからない質問もありましたが、その際はわからない旨を伝え、意見を述べることで合格をいただいたので、素直さや人となりを見ていると感じました。最後まで気を抜かず、諦めないで思いを伝えて後悔のないようにできればいいと思います。

11	山木 大輔さん
	山形大学工学部（卒業）

〔コース〕 2023年合格目標 消防官合格コース
〔合格先〕 東京消防庁Ⅰ類

1 あなたが内定を獲得できた理由は？

「持ち前の継続力を発揮した」

私は２度目の採用試験で合格することができました。教養試験の勉強や面接、体力試験対策を長期間取り組むのは精神的につらかったですが、毎日継続することで、試験対策をやることが日課となり当たり前になりました。そのため、試験勉強をやらないと歯磨きをせずに就寝するくらい気持ちの悪いものになり、約２年間は試験勉強を欠かしたことは１度もありません。これにより用意周到な準備ができ、試験本番でも自信をもって臨み、合格を勝ち取ることができました。

2 あなたがLECを選んだ理由は？

「自分に合った環境」

私がLECを選んだ理由としては２点あります。１点目は試験対策の環境が自分に適していると感じたからです。私は周囲の人たちと切磋琢磨して試験対策に取り組むよりも、個別で黙々と取り組みたかったため、オンライン講義や自習室の形態が自分に適していると感じたLECを選びました。２点目は面接対策と小論文の対策が充実しているという点で、私が１回目の採用試験の際に出来が良くなかった試験対策に十分な準備ができると思い、受講を決めました。

3 あなたの勉強のポイントは？

「運動と勉強とアルバイトの両立」

私は勉強と運動、そしてアルバイトを両立することで勉強にメリハリをつけて取り組んでいました。私はやることが勉強のみだと時間がたくさんある

と思い込み、集中力が散漫になり効率が悪くなってしまう癖があります。そのため、勉強のほかに運動とアルバイトの予定を入れることで、勉強1つに絞るよりも時間の使い方が上手になり、集中力と1日の充実感が増しました。予定の入れすぎはかえって試験対策に割く時間が少なくなってしまうため、自分にとって適度な計画を心がけました。

④ あなたが公務員を目指した理由は？

「消防官になりたかった」

　私は1人でも多くの人の役に立ちたいと思い、公務員である消防官を目指しました。私は工学部卒業で周囲の友人は民間企業就職が多かったのですが、大学在学中に、腹膜炎で救急車に運ばれた経験と、目の前で倒れたご年配女性のために救急車を要請した経験があり、その経験がきっかけで消防官に興味を持ちました。後者の経験については、女性が搬送される直前に「ありがとう」と言ってくれた一言が私にとってその人の役に立ったことを実感させてくれるものでした。この経験から、市民への奉仕を目的とした公務員の中でも、市民の生命や財産を守る消防官を選び、目指しました。

⑤ あなたの面接試験でのエピソードを教えてください。

「厳しい面接は自分に興味があるのだと捉える」

　東京消防庁は今年で2度目だったので、1度目の面接を想定して挑んだのですが、1度目とは違い、かなり厳しい態度で何を答えても納得していただけず、根掘り葉掘り聞かれるような面接でした。その際に私は平然を装うために、面接官のことをグイグイ距離を詰めてくる人だと見立てて、この人は自分に相当興味があるんだなと思い込みながら受け答えをしました。その作戦が功を奏し、事前に用意してこなかった質問でも冷静に答え、自分が納得できる面接の出来栄えでした。

12 栗谷 萌さん

お茶の水女子大学大学院 （在学中）

コース　2023年合格目標 化学・生物対策コース
合格先　国家総合職（院卒者・化学・生物・薬学）、国家一般職（化学）、
　　　　食品衛生監視員、東京都Ⅰ類B（栄養士）

① あなたが内定を獲得できた理由は？

「合格するためのノウハウを漏れなく吸収」

　LECには、長年公務員試験を研究している先生方がたくさんいらっしゃいます。問題の解法のみならず、試験を突破するためのポイントを授業内に解説してくださるため、ただ講義を聴いているだけにとどまらない点が魅力です。また、面接対策においても、自分の良さを活かしつつ必要なスキルを直接アドバイスしていただけました。その教えをしっかり自分のものにすることで、試験本番では思う存分力を発揮することができたのではないかと考えています。

② あなたがLECを選んだ理由は？

「不安要素であった技術系科目のカバー」

　私は大学で理系に分類される学科を専攻したものの、専門的な色が強い学問領域であり、かつ公務員試験にはほぼ出題のない範囲がほとんどでした。そのため、どの試験区分を選択しても初学の単元が多くあり、独学では厳しいと感じていたことと、対策が間に合うか不安を感じていました。しかし、LECの講義は専門試験対策も幅広くカバーしているため、基礎から順を追って学べ、試験に対応できるレベルまで習得、理解することができると感じ、選びました。講義形態も、忙しい私にとってオンデマンドという方式が合っており、ネット環境さえあれば場所を選ばずに勉強できる点がとても良かったです。

③ あなたの勉強のポイントは？

「講義内でなるべく理解する」

私は、大学での研究活動と公務員試験の勉強を両立させる必要がありました。そのため、時間をかけてでもなるべく講義に集中し、復習はさらっとするだけでも内容が思い出せるくらい講義の時間を濃くしていました。疑問を感じたら一時停止してゆっくり自分で考えて、話がつながったらまた再開するといった方法で、流し見にならないように意識していました。講義の復習の時間もしっかり取れることがベストではありますが、特に理系の方にとっては共通の悩みなのではないでしょうか。

4 あなたが公務員を目指した理由は？

「安心・安全な生活の礎を築くため」

コロナ禍を経て、当たり前の明日は保証されていないことを強く感じました。具体的には、明日突然、食糧が買えなくなるかもしれない、輸入されるはずだった食糧が途絶えるかもしれない。大学では食物栄養学を専攻し、日々の食事の大切さ、食事は老若男女問わずライフステージが変わっても生きている間必要なものであることを学びました。しかし、前述のような決して当たり前ではない環境に一抹の不安を覚えました。そこで、自分の学びを活かしこれからの未来の安心を得るべく、食に関わる国の根幹で働きたいと思うようになりました。

5 あなたの面接試験でのエピソードを教えてください。

「失敗を糧に、内々定へ」

私は、国家総合職、一般職共に農林水産省の官庁訪問を経験しました。総合職の官庁訪問では残念な結果に終わり、その直後は途方に暮れた日もありました。しかし、幸運にも一般職として再度官庁訪問する機会をいただけたため、総合職の官庁訪問時の反省を活かし、自分なりに改善に努めて挑みました。当日の面接官はほとんど同じ方で、最初は少々身構えましたが、面接官の方などが再訪を歓迎してくださったため、ほっと胸をなでおろして、改めて自分の思いを伝えることができ、内々定をいただくことができました。諦めなくて良かったと思った瞬間でした。

栗原 慶さん

東京理科大学大学院（在学中）

コース 2023年合格目標 建築職合格コース
合格先 東京都Ⅰ類A（建築）《2位》
東京都Ⅰ類B（建築一般方式）《3位》

1 あなたが内定を獲得できた理由は？

「勉強を『ルーティン』に」

　私が合格・内定を獲得できた理由は、試験勉強をルーティン化できたからだと考えます。私は1次試験日の4か月前である12月から公務員に向けた勉強を本格的に始めました。しかし、併願先の就職活動や大学での研究も進める必要があったため、長い時間を勉強に充てることができませんでした。そこで、寝る前に数的処理の過去問を10題解く、アルバイトの休み時間に専門記述の講義を1ユニット受講するなどと、隙間時間に勉強することを心がけました。また、直前期には、生活リズムを調整することも兼ねて、毎朝7時に教養試験の過去問を解くことを日課としていました。

2 あなたがLECを選んだ理由は？

「『理系に強い』公務員予備校」

　私がLECを選んだのは、理系公務員試験のデータベースを持っているところに魅力を感じたからです。私は建築系の大学に在学しており、建築職として公務員になりたいと考えていました。しかし、多くの公務員予備校では行政職対策を行っているものの、技術職対策は行っていないことが多いです。その中でLECは、建築職を含む理系公務員に特化した教材を扱い、専門記述に対する過去の出題の傾向も把握しています。さらに、勉強の進め方や他の生徒の体験談も知ることができるため、道がはっきりした状態で勉強できると思いました。

3 あなたの勉強のポイントは？

「勉強しすぎない」

　私は、教養科目では勉強しすぎないよう心がけました。教養科目は数的処理以外にも高校で習った科目がすべて出題されます。しかし、4か月では時間が足りません。そこで私は、勉強範囲を大学受験で使用した科目だけに絞りました。専門記述では解答を採点者にわかるように記述しないといけないため、講義を受けるだけでなく、得た知識を説明することも心がけました。教養論文はその自治体の課題を出し、自治体のプランに沿った事業案を記述することを心がけました。

4 あなたが公務員を目指した理由は？

「『みんな』につながる仕事を」

　私が公務員を目指した理由は、社会へ貢献することを生きがいに働きたいと思っていたからです。民間企業では予算を考える必要があるため、すべての人のニーズに答えられないのではと感じました。公務員のインターンシップに参加した際、公務員は住民の暮らしを豊かにすることを第一に、すべての人のニーズに対する事業を幅広く行っていると知り、社会への貢献度が高いのではと感じ、公務員を目指すことにしました。

5 あなたの面接試験でのエピソードを教えてください。

「気楽に考える」

　東京都庁の面接では面接カードを事前に記入し、当日、面接官に渡します。内容を熟考し、面接官が読みやすいようにとワープロに記入し、準備万端で当日を迎えました。しかし、ⅠB（一般方式）面接当日、会場で昨年のカードに記入していることを指摘され、頭が真っ白の中、急いで手書きで書き直しました。面接でもこれをひきずり、想定した質問にも回答できず撃沈しました。この経験をバネにⅠA試験では見直しを行いつつも、どんなに準備しても当日緊張はするものだと思い、「面接官とおしゃべりしに行こう」と気楽に考えることにしました。すると想定外の質問にも自然と答えられ、手ごたえは圧倒的に上昇しました。結果どちらも合格しましたが、後者のほうが自分の想いも悔いなく伝えられ、気持ちよく挑めました。

14 速田 弥音香さん

南山大学人文学部(在学中)

コース　2023年合格目標 心理系公務員スペシャルコース
合格先　岐阜県(心理)、国立大学法人一橋大学(独自採用)

① あなたが内定を獲得できた理由は？

> 「面接練習を何度も利用」

　私はLECのリアル面接シミュレーションを利用していなければ内定を獲得できなかったと思っています。公務員試験は筆記試験よりも面接試験が重要であるということを何度も先生方がおっしゃっていましたが、入校当初はその意味があまり理解できませんでした。正直、筆記試験さえ受かればなんとかなると甘い気持ちでいました。しかし、いざ公務員試験が始まると、筆記試験に通っても、面接試験でことごとく不合格でした。そこで、リアル面接シミュレーションや担任相談を利用して、自己流であったこれまでの面接を改め何度も練習し、内定を獲得することができました。

② あなたがLECを選んだ理由は？

> 「心理系公務員の対策が充実していた」

　私はもともと心理系公務員、特に科学捜査研究所の職員に憧れてLECに入りました。他の予備校と比較してLECの心理系公務員講座は充実しており、かつ心理系担当の先生もいらっしゃったためLECに決めました。また、駅から近く通いやすい立地であったことも選んだ理由の1つです。さらに、オンデマンド講義で何度も復習できる点も、長距離通学をしている私にとって勉強しやすい環境でした。通学途中で勉強できるため効率よく知識を得ることができました。

③ あなたの勉強のポイントは？

> 「捨て科目を早い段階で決める」

捨て科目を早い段階で決めることを意識して取り組みました。以前の私

は、完璧主義な性格からすべてを一通り勉強していたと思いますが、合格者アドバイザーや担任の先生の助言をもとに、「数的処理」と「高校で履修した科目」の2つを徹底して勉強するようにしました。勉強開始当初は、日本史、生物、世界史などの複数の科目を勉強しないことに不安がありましたが、公務員試験は満点を目指す試験ではないため、早い段階で勉強しない科目を決めてよかったと思います。

4　あなたが公務員を目指した理由は？

「なりたい職業が公務員であったから」

　私は、幼い頃からの目標である科捜研の職員になるために公務員を目指しました。その過程の中で、科捜研の職員以外にも心理の知識が活かせる職種を知り、児童心理司を目指しました。また、家族全員公務員であるため、両親や姉が「街、国をよくしよう」と働いている姿を見て、公務員という職業に憧れを抱きました。そのため、心理職だけでなく行政職や大学事務職員も受験し、様々な立場から「街をよくするにはどうすればいいか」ということを受験するにあたって考えていました。

5　あなたの面接試験でのエピソードを教えてください。

「なんで縁もゆかりもない土地に？」

　私は面接試験で聞かれることとして「どうして縁もゆかりない土地に来たの？」ということでした。私は、心理職もしくは大学職員になりたいという想いが強く、土地で選んだというよりも職種で選んでいたため、この質問に詰まることが多くありました。しかし、LECのリアル面接シミュレーションを何度も利用したことで、公務員試験後半においてはスムーズに答えられるようになり、内定をいただくことができました。面接は何度も数をこなすことで上達すると思うので、複数の自治体にエントリーし、本番の試験を何度も経験するとよいと思います。

15 **黒田 智哉**さん

立命館大学産業社会学部（在学中）

(コース) 2023年合格目標 地方上級福祉職・法務教官・保護観察官併願コース
(合格先) 北海道（社会福祉）

① あなたが内定を獲得できた理由は？

> 「最後まで自分の力を信じ続けたこと」

　私が合格を勝ち取ることができた理由の一つに、自分がこれまで行ってきた勉強や努力を信じ続けたことがあると思います。公務員試験は申し込みから結果発表まで、理不尽なほど果てしなく長いです。受験結果が気になって眠れなくなったこともあります。そんな時こそ、今まで自分が頑張ってきた努力を振り返ってほしいです。参考書など目に見えるものでも構いません。これだけやってきたんだから大丈夫だと信じ続ければ、きっと万事うまくいきますよ。

② あなたがLECを選んだ理由は？

> 「心理・福祉系公務員に強い」

　私がLECを選んだ理由として、心理・福祉系の公務員に対する支援が非常に手厚いことが挙げられます。もともと国家公務員の人間科学区分を狙っていたこともあり、社会福祉学等を学べる予備校を探していましたが、LECのテキストや試験対策に並ぶものはないと思います。なかなか市場に出回らない福祉系公務員の対策を、テキストを使いながら勉強できるこの環境は、同じ試験を受けるライバルに対して強いアドバンテージになると思います。

③ あなたの勉強のポイントは？

> 「過去問を利用した復習」

　公務員試験の過去問は気軽に自分の実力を試す絶好の機会です。志望先の過去問を知ることで、力試しにもなるし、モチベーションアップにもつながると思います。私はデータの少ない福祉系の公務員志望であったこともあ

り、志望先以外にもまんべんなく問題を解きまくりました。もちろん、いきなり満点を目指す必要なんてありません。何度も練習・復習を重ねていく中で、本番に向けた実力が身についてくると思います。解きはじめはしんどいと思いますが、将来のためにぐっと我慢の時です。

4　あなたが公務員を目指した理由は？

「大学で学んだ知識を活かしたい」

私が公務員を目指した理由はたくさんありますが、その1つに大学で学んだ知識を活かしたいという思いがありました。大学で学んだ福祉支援や犯罪心理学に自分も関わってみたいと考え始めた頃、公務員ならば自分のやりたいことを100%達成できると知りました。その勢いのまま公務員試験の勉強や、LECの講座を申し込みました。公務員試験は並大抵の努力じゃ受からないことは重々承知でしたが、人生に大きく関わる就職だからこそ、後悔したくないという思いで今日まで取り組み続けました。

5　あなたの面接試験でのエピソードを教えてください。

「運もあれば努力もあり」

個人的に公務員試験の面接は努力だけじゃ実らない、運も絡んでくると思います。対策して自信もあったのに実らなかったこともあれば、自信がなかった面接で合格をいただいたこともありました。でも、決して対策をおざなりにしていいわけではありません。たった20~30分の面接だからといって侮ることなかれ、志望先が求める人材のリサーチや自己分析を欠かしてはいけません！　私はLECの面接対策を利用して、自分の弱点だけでなく志望先への思いを再確認することができました。運も絡む面接だからこそ、その運を引き付けることができるような努力は大切です。

合格者アンケート

対象者 LEC2023年合格目標公務員各種コース受講生のうち
2023年度公務員試験合格者(1078名)

2023年LEC公務員試験合格者にアンケート調査を行いました。今後皆さんの学習スケジュール計画の参考にしてください。この合格者アンケートから公務員試験の現状も見えてきます。

Q1 勉強をはじめた時期はいつですか

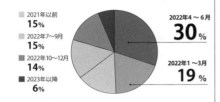

- 2021年以前 **15%**
- 2022年7〜9月 **15%**
- 2022年10〜12月 **14%**
- 2023年以降 **6%**

2022年4〜6月 **30%**

2022年1〜3月 **19%**

●受験前年の4〜6月にスタートされた方が全体の約30%を占めました。スタンダードな公務員試験対策講座は1年カリキュラムで、いつから始めても勉強する量は変わりません！早めのスタートがオススメです。複数年かけて学習する方(大学2年生スタート)が全体の34%を占めており、早期スタートされる方も増加傾向です。

Q2 本年度公務員試験で併願した受験先はいくつですか。

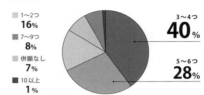

- 1〜2つ **16%**
- 7〜9つ **8%**
- 併願なし **7%**
- 10以上 **1%**

3〜4つ **40%**

5〜6つ **28%**

●公務員試験は就職試験のため、93%の方が併願しています。1番多いのは3〜4つでした。民間就職活動と同様に公務員試験も併願し合格のチャンスを増やしましょう！LECでも、様々な職種にチャレンジできるコースをご用意しています。

Q3 一日あたりの平均学習時間(LEC講義を除く)を教えてください

[通常期]

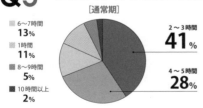

- 6〜7時間 **13%**
- 1時間 **11%**
- 8〜9時間 **5%**
- 10時間以上 **2%**

2〜3時間 **41%**

4〜5時間 **28%**

[直前期]

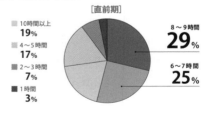

- 10時間以上 **19%**
- 4〜5時間 **17%**
- 2〜3時間 **7%**
- 1時間 **3%**

8〜9時間 **29%**

6〜7時間 **25%**

●通常期は2〜3時間が一番多い結果となりました。LECでの講義後に復習に必要な時間としては大体3時間程度確保するスケジュールが理想です。動画DLや音声DLフォロー等を活用するなどして通学時間を復習時間にあてている合格者も多いようです。計画的な毎日の積み重ねが重要です。

●直前期に入ると大幅に伸び、8時間以上公務員試験に時間を割く受験生が全体の48%を占めました。この直前期に力を伸ばす受験生も多いため、しっかりと時間をとって対策を行いましょう。

第6章

公務員本試験
過去問紹介

1 過去問演習の必要性

　公務員試験では他の資格試験同様に、過去問の研究・演習が重要になります。試験当日に解く問題の中で、過去に1度も出題されていない問題は非常に少なく、ほとんどの問題は過去問集のどこかに掲載されている問題です。他の資格試験同様に、過去問を解いて出題形式に慣れることが大事です。

　また、受験先ごとに問題のレベルも変わりますので、自分の受験先の過去問はしっかり解き、本試験のときに科目ごとにどれくらいの時間を掛けるのかをあらかじめ考えておきましょう。

2 過去問を使い学習範囲を把握する

　例えば、人文科学（日本史・世界史・地理）は高校までに学習している科目ですが、大学受験用の勉強をしたのか否かで習熟度には大きな差があります。大学受験の際に学習した科目は最小限の学習でよいですが、学習していない科目はどのように学習を進めたらよいでしょうか。中学校・高校のように科目ごとにすべての範囲を学習していたら、試験科目数の多い公務員試験の場合、全科目の学習が終わらなくなってしまいます。そこで、過去問を使って頻出分野の確認を行い、暗記系の科目の頻出分野については深く学習を行い、あまり出題されていない分野については、最小限の学習に留めることにより、分野ごとにメリハリをつけたほうが効率のよい学習になります。次頁以降で科目ごとにどんな問題が出題されたのか見ていきましょう。

※解説の正解番号横に記載した正答率はLECの成績診断によるものです。

1 数的処理

> **問題** Aが持っている袋には、缶飲料が5本入っていて、その内訳は、コーヒーが3本、りんごジュースが2本である。また、Bが持っている袋には、缶飲料が4本入っていて、その内訳は、りんごジュースが2本、紅茶が2本である。
>
> いま、Aが持っている袋の中から3本を取り出し、Bが持っている袋に入れて混ぜた後、Bが持っている袋から2本を取り出したとき、取り出した2本が同じ種類の缶飲料である確率はいくらか。
>
> ただし、缶飲料の外側から種類は分からないものとし、どの缶飲料を取る確率も同じとする。
>
> （国家専門職2023年）

1   $\dfrac{1}{15}$

2   $\dfrac{2}{15}$

3   $\dfrac{1}{5}$

4   $\dfrac{4}{15}$

5   $\dfrac{1}{3}$

解答 〈数的推理／確率〉 **正解** **4**（正答率51.8%）

5本の缶飲料が入っているAの袋から取り出す3本の缶飲料の組合せは全部で $_5C_3$ 通り、その後に7本の缶飲料が入っているBの袋から取り出す2本の缶飲料の組合せは全部で $_7C_2$ 通りであることは、以下で断りなしに利用する。まず、Aの袋から3本の缶飲料を取り出す場合の事象として、

　(1)Aの袋からコーヒーを3本取り出す

　(2)Aの袋からコーヒー2本、りんごジュース1本を取り出す

(3)Aの袋からコーヒー1本、りんごジュース2本を取り出す

の3通りが考えられる。そこで、Aの袋から取り出す3本の缶飲料の組合せに応じて場合分けをする。

(1)Aの袋からコーヒー3本を取り出すとき

　(1)の事象の確率は、$\dfrac{{}_3C_3}{{}_5C_3}=\dfrac{1}{10}$である。

　次に、Bの袋には、りんごジュース2本、紅茶2本、コーヒー3本が入っている。ここから同じ種類の2本の缶飲料を取り出す事象として、

　　・りんごジュース2本を取り出す組合せ：${}_2C_2$（通り）
　　・紅茶2本を取り出す組合せ：${}_2C_2$（通り）
　　・コーヒー2本を取り出す組合せ：${}_3C_2$（通り）

が考えられる。したがって、その確率は、

$$\dfrac{{}_2C_2+{}_2C_2+{}_3C_2}{{}_7C_2}=\dfrac{5}{21}$$

である。よって、(1)が起こったときの同じ種類の缶飲料を2本引く確率は、

$$\dfrac{1}{10}\times\dfrac{5}{21}=\dfrac{1}{42}\quad\cdots\cdots①$$

である。

(2)Aの袋からコーヒー2本、りんごジュース1本を取り出すとき

　その場合の数は${}_3C_2\times{}_2C_1$通りであるから、(2)の事象の確率は、

$$\dfrac{{}_3C_2\times{}_2C_1}{{}_5C_3}=\dfrac{3}{5}$$

である。

　次に、Bの袋には、りんごジュース3本、紅茶2本、コーヒー2本が入っている。ここから同じ種類の2本の缶飲料を取り出す事象として、

　　・りんごジュース2本を取り出す組合せ：${}_3C_2$（通り）
　　・紅茶2本を取り出す組合せ：${}_2C_2$（通り）
　　・コーヒー2本を取り出す組合せ：${}_2C_2$（通り）

が考えられる。したがって、その確率は、

$$\dfrac{{}_3C_2+{}_2C_2+{}_2C_2}{{}_7C_2}=\dfrac{5}{21}$$

である。よって、(2)が起こったときの同じ種類の缶飲料を2本引く確率は、

$$\frac{3}{5} \times \frac{5}{21} = \frac{1}{7} \quad \cdots\cdots ②$$

である。

(3)Aの袋からコーヒー1本、りんごジュース2本を取り出すとき

その場合の数は${}_3C_1 \times {}_2C_2$通りであるから、(3)の事象の確率は、

$$\frac{{}_3C_1 \times {}_2C_2}{{}_5C_3} = \frac{3}{10}$$

である。

　次に、Bの袋には、りんごジュース4本、紅茶2本、コーヒー1本が入っている。ここから同じ種類の2本の缶飲料を取り出す事象として、

　　　・りんごジュース2本を取り出す組合せ：${}_4C_2$(通り)

　　　・紅茶2本を取り出す組合せ：${}_2C_2$(通り)

が考えられる。したがって、その確率は、

$$\frac{{}_4C_2 + {}_2C_2}{{}_7C_2} = \frac{1}{3}$$

である。よって、(3)が起こったときの同じ種類の缶飲料を2本引く確率は、

$$\frac{3}{10} \times \frac{1}{3} = \frac{1}{10} \quad \cdots\cdots ③$$

である。

　求めたい確率は、①～③の確率の合計であり、

$$\frac{1}{42} + \frac{1}{7} + \frac{1}{10} = \frac{4}{15}$$

である。

　よって、正解は肢4である。

5チームの各走者が、第1区～第3区をタスキでつなぐ駅伝競走大会において、第2区の走者であるA～Eの5人の順位や走行タイム（走行に掛かった時間）などの状況が次のとおりであったとき、確実にいえるのはどれか。

なお、第2区の走者（A～E）は、それぞれ、自分のチームの第1区の走者からタスキを受け取り、第2区を走行し、自分のチームの第3区の走者にタスキを渡した。また、2チーム以上が同時にタスキを受け渡すことはなかった。

○ Aが第1区の走者からタスキを受け取ったとき、BとEの2人だけが、まだタスキを受け取っていなかった。

○ Bの第2区の走行タイムは、Cよりも速かったが、Aよりも遅かった。

○ Cが第3区の走者にタスキを渡したときの順位は、5チームの中で2位であった。

○ Dは第2区を走行中にCとEの2人だけに抜かれたが、誰も抜かなかった。

(国家一般職2023年)

1　Aは、5チームの中で3位でタスキを渡した。

2　Bは、タスキを受け取ったときも渡したときも、5チームの中で4位であった。

3　Cは、5チームの中で1位でタスキを受け取った。

4　Dの第2区の走行タイムは、5人の中で3番目に速かった。

5　Eの第2区の走行タイムは、5人の中で最も速かった。

解答　〈判断推理／順序関係〉　正解　**5**（正答率74.5%）

　はじめに、5人がタスキを受け取った順位および渡した順位を考察する。

　1番目の条件から、Aは3位でタスキを受け取ったこと、BとEは4位または5位、CとDは1位または2位でタスキを受け取ったことがわかる。

　3番目と4番目の条件を併せると、タスキを受け取った順位はDが1位およびCが2位で、その後DはCとEに抜かれた結果、タスキを渡した順位はEが1位、Cが2位、Dが3位であったことがわかる。また、Aのタスキを

渡した順位が5位とすると、2番目の条件に反する。このため、Aのタスキを渡した順位は4位、Bのそれは5位と決まる。この時点で判明したことを、以下の表にまとめた。

タスキを受け取った順位
1位：D
2位：C
3位：A
4位：B／E
5位：E／B

タスキを渡した順位
1位：E
2位：C
3位：D
4位：A
5位：B

　次に、5人の走行タイムを考察する。各人の走行タイムを小文字のアルファベットで表す。たとえば、A、B、C、D、Eの走行タイムをそれぞれa、b、c、d、eと表す。

　2番目の条件より、

　　　$a < b < c$　……①

である。また、C、D、Eの3人の走行タイムに着目すると、第2区で最も遅くタスキを受け取ったEが最も早くタスキを渡したこと、最も早くタスキを受け取ったDが最も遅くタスキを渡したこと、Cはタスキを受け取った時間も渡した時間も3人の中間に位置することから、

　　　$e < c < d$　……②

がいえる。さらに、EはAよりも遅くタスキを受け取り、かつAよりも早くタスキを渡したことから、

　　　$e < a$　……③

がいえる。①、②、③より、eが最も小さいこと、つまりEの走行タイムが最も速かったことがいえる。

　したがって、肢5は確実にいうことができる。

　よって、正解は肢5である。

2 文章理解

問題 次の英文中に述べられていることと一致するものとして、最も妥当なのはどれか。 (特別区2023年)

From the time he was 16, Einstein often enjoyed thinking about what it might be like to ride a beam of light. In those days, it was just a dream, but he returned to it, and it changed his life.

One day in the spring of 1905, Einstein was riding a bus, and he looked back at a big clock behind him. He imagined what would happen if his bus were going as fast as the speed of light.

When Einstein began to move at the speed of light, the hands of the clock stopped moving! This was one of the most important moments of Einstein's life!

When Einstein looked back at the real clock, time was moving normally, but on the bus moving at the speed of light, time was not moving at all. Why? Because at the speed of light, he is moving so fast that the light from the clock cannot catch up to him. The faster something moves in space, the slower it moves in time.

This was the beginning of Einstein's special theory of relativity. It says that space and time are the same thing. You cannot have space without time, and you cannot have time without space. He called it "space - time*."

No scientist has ever done anything like what Einstein did in that one year. He was very ambitious. Einstein once said, "I want to know God's thoughts.…"

(Jake Ronaldson「英語で読むアインシュタイン」による)

※　space - time ………… 時空

1　16歳の頃から、アインシュタインはしばしば、光に乗ったらどう見えるのかと想像して楽しんでおり、その空想が彼の人生を変えた。
2　アインシュタインは、光の速度で移動を始めることを想像したとき、時計を持つ手の動きを止めた。
3　アインシュタインが振り返ると、時間は通常どおり動いていたが、バスの中の現実の時計は完全に止まっていた。
4　アインシュタインがどんなに速く移動しても、時計からの光に追いつくことはできなかった。
5　科学者は、アインシュタインが成し遂げたことを1年でできると、意欲満々だった。

解答　〈英文／内容把握〉（正解）**1**（正答率59.2%）

1　○　第1パラグラフの内容と一致しており、正しい。
2　×　「時計を持つ手の動きを止めた」という記述が本文にないので誤りである。第3パラグラフを受けた肢であるが、handsは「手」以外に「針」という意味があり、hands of the clockとあるので、「時計を持つ手」ではなく「時計の針」と訳すのが妥当である。
3　×　第4パラグラフで、「アインシュタインが現実の時計を振り返ったとき、時間は正常に動いていた」と述べられているので、誤りである。現実の時計は、高速で動いていると想定されているバスの中にあるのではない。バスの中で動いていないのは時間である。
4　×　主語のすり替えがあるため、誤りである。第4パラグラフ後半で、「時計からの光が追いつけない」と述べられている。追いつけないのは時計からの光であって、アインシュタインではない。仮にアインシュタインが光速で動いたら、時計からの光が追いつけないという文脈である。
5　×　科学者に意欲があるかどうかは本文で述べられていない。

　16歳の頃から、アインシュタインはしばしば光線に乗って行くとはどういうことなのかを想像して楽しんでいた。当時、それは夢に過ぎなかったが、彼はその夢へと戻っていき、それが彼の人生を変えたのだ。

　1905年の春のある日、アインシュタインはバスに乗って、後ろにあった大きな時計の方に振り返った。彼は、もしバスが光速で進んで行くとしたら、何が起こるのかを想像した。

　アインシュタインが光速で動き出すと、その時計の針が動くのを止めたのだ！これはアインシュタインの人生の中で最も大切な瞬間のうちの1つであった！

　アインシュタインが現実の時計を振り返ったとき、時間は正常に動いていたが、光速で動くバスでは、時間はまったく動いていなかった。なぜか。光速においては、とても速く動いているため時計からの光が彼に追いつけないからだ。空間において何かが動くのが速ければ速いほど、時間においては遅くなっていくのだ。

　これが、アインシュタインの特殊相対性理論の始まりであった。それによれば、空間と時間は同じものなのだ。時間なしに空間はなく、空間なしに時間はない。彼はそれを、「時空」と呼んだ。

　アインシュタインがその1年で成したようなことをした科学者はこれまでいない。彼はとても野心的だった。アインシュタインはかつて、「神の考えが知りたい」と口にしたのだ。

③ 社会科学

政治

問題 難民・民族問題に関する記述として最も妥当なものはどれか。

（裁判所事務官2023年）

1 難民を迫害するおそれのある国に難民を送還することは、難民条約により禁止されている。
2 日本は1982年に難民条約に加入して以来、積極的に難民を受け入れており、他の先進国に比べて受け入れ数が多い。
3 既に母国を逃れて難民となっているが避難先の国では保護を受けられない人を保護が可能な別の国が受け入れ、長期的な滞在を認める制度を、暫定自治協定という。
4 一般に、エスノセントリズムに基づいた政策を導入している国では、世界中の国からの移民や難民の受け入れが進んでいるとされる。
5 2000年以前は内戦などにより国内で避難生活を送る国内避難民が多く発生していたが、最近の傾向としては、国内避難民の割合は低下し、外国に逃れる避難民の割合が高まっている。

解答 〈政治／難民・民族問題〉 正解 1（正答率53.0%）

1 ○ 本肢記述のとおりである。難民が入国を拒まれたり、迫害される恐れのある国に難民を送還することを難民条約は禁止している。これは、「ノン・ルフールマン原則」と呼ばれていて、難民保護の基礎となるものである。
2 × 国連難民高等弁務官事務所（UNHCR）によると、日本は1978年にインドシナ難民の定住を認める方針から始まり、1982年には難民条約に加入するなど、難民を受け入れているが、他の先進国に比べて受け入れ数が少ない。よって、本肢記述は誤りである。

3 × 既に母国を逃れて難民となっているが避難先の国では保護を受けられない人を保護が可能な別の国が受け入れ、長期的な滞在を認める制度を、第三国定住という。よって、本肢記述は誤りである。

4 × 一般に、エスノセントリズムとは、自己の文化に最大の価値をおき、どこよりも優れているとする考え方である。エスノセントリズムに基づいた政策を導入している国では、これが極端になるとナチスのユダヤ人迫害にみられるような極端な排外主義になった場合がある。よって、本肢記述は誤りである。

5 × 1951年に採択された難民条約で、難民とは、政治的な迫害などにより国境の外に出てきた人と定義されたことから、かつては国内避難民より外国に逃れる避難民が注目されていた。しかし、1991年の湾岸戦争を機にイラク国内で弾圧を受けていたクルド人が蜂起し、制圧に出たイラク軍から逃れようとした大勢のクルド人が国境を越えられず、行き場を失ったことから国内避難民が注目されるようになった。内戦などにより国内で避難生活を送る国内避難民は、年々増加傾向にあり、2022年度の世界の国内避難民は、故郷を強制的に追われた人々の約58％を占めると言われている。よって、本肢記述は誤りである。

4 人文科学

日本史

問題 明治・大正時代の内閣に関する記述として最も妥当なのはどれか。

(国家一般職2023年)

1 　初代内閣総理大臣である伊藤博文らは、大日本帝国憲法を起草した。大日本帝国憲法により、皇族などで構成される枢密院と国民の選挙で議員が選出される衆議院という二院制の立法機関が創設された。大日本帝国憲法では日本国憲法と同様に、衆議院に内閣不信任決議権などの衆議院の優越を認めていた。

2 　山県有朋内閣総理大臣は、大日本帝国憲法の公布直後に民本主義演説を行い、政党の意向に関係なく、藩閥政府は政策を実現すべきだと主張した。また、山県内閣は、第2回衆議院議員総選挙で激しい選挙干渉を行ったが、その後、日清戦争に備えた軍備拡張のため政党との提携を目指し、立憲政友会を結党した。

3 　第一次大隈重信内閣は、外務大臣に板垣退助を据えたものの、それ以外の閣僚の多くは陸・海軍が占める軍閥内閣であった。さらに、軍部大臣現役武官制を制定することで、軍部に対する政党の影響力を強化した。

4 　陸軍との衝突により総辞職した第二次桂太郎内閣の後、陸軍出身で立憲国民党の西園寺公望内閣が発足した。西園寺公望は議会無視の態度をとったため、立憲同志会の尾崎行雄らが「政費節減・民力休養」を掲げ、倒閣運動を起こした。この倒閣運動は、「米騒動」として全国に広がった。

5 　原敬内閣は、陸・海軍大臣と外務大臣以外の全ての閣僚を立憲政友会の党員が占め、初の本格的政党内閣となった。原内閣は普通選挙制の導入には応じなかったが、衆議院議員選挙法を改正して、選挙権の納税資格を直接国税3円以上に引き下げ、小選挙区制を導入した。

1 ✕ 帝国議会は対等な権限を持つ貴族院と衆議院から成っていた。枢密院は憲法や会計などの問題について天皇の諮問にこたえる機関である。

2 ✕ 民本主義を提唱したのは吉野作造であり、その内容は政党の意向を無視するというものではなく、政党政治を肯定するものであった。また、第2回衆議院議員総選挙で選挙干渉を行ったのは松方正義内閣である。立憲政友会は山県有朋が結党した政党ではない。

3 ✕ 第1次大隈内閣は、板垣退助を内務大臣に据え、陸軍大臣と海軍大臣以外の閣僚をすべて憲政党出身者でかためた内閣である。また、軍部大臣現役武官制を制定したのは第2次山県内閣である。

4 ✕ 第3次桂内閣の組閣後、立憲政友会の尾崎行雄らが「閥族打破・憲政擁護」を掲げる第1次護憲運動を起こした。また「米騒動」はシベリア出兵を見越した米の買い占め等による米価高騰に対して起きた騒動である。

5 ○ 原敬内閣の説明として、妥当である。

5 自然科学

地学

問題 火山活動と災害に関する記述として、最も妥当なのはどれか。

(東京都ⅠB 2023年)

1 火山がある場所はプレート運動に関係し、海嶺・沈み込み帯といった境界部に多いが、ハワイ諸島のようなプレート内部でも火山活動が活発なアスペリティと呼ばれる場所があり、その場所はプレートの動きにあわせて移動する。

2 水蒸気噴火は、マグマからの熱により熱せられた地下水が高温高圧の水蒸気となって噴出する小規模な噴火で、日本では人的被害が発生したことはない。

3 粘性が低い玄武岩質マグマの噴火では、山頂の火口や山腹の割れ目から溶岩が噴出し溶岩流となり、時速100 km以上の高速で流れることもあるため、逃げることは難しい。

4 高温の火砕物が火山ガスとともに山体を流れる火砕流は、流れる速度が遅いため、逃げ場さえあれば歩いて逃げることもできることが多い。

5 都の区域内で住民が居住している火山島のうち、特に活発に活動している伊豆大島と三宅島では、過去の噴火で住民が避難する事態が発生したことがある。

解答 〈地学／火山活動と災害〉 正解 5 （正答率62.3%）

1 ✕ 火山がある場所はプレート運動に関係し、中央海嶺やその一部であるアイスランド島のようなプレート発散境界、日本列島のような沈み込み帯を含む収束境界が多いことは正しい。ハワイ諸島や北アメリカ大陸のイエローストーンのようなプレート内部でも火山活動が活発な地点は、ホットスポットとよばれる。ホットスポットの上をプレート

が移動することで、その上に新しい火山が次々にできて火山列を形成する。なお、アスペリティは、通常は固着しているが、地震時に大きくずれる領域のことである。

2 ✕ 水蒸気噴火は、マグマの熱により沸騰した高温の水蒸気が爆発する噴火である。水の気化による体積の激増が爆発につながる。小規模な水蒸気噴火では、前兆現象による判断が難しいこともあり、2014年の御嶽山の噴火では、水蒸気爆発による噴石が登山者を襲い、死者・行方不明者合わせて60名を超える犠牲者が出た。

3 ✕ 溶岩流についての前半の記述は正しい。溶岩流は、流れる速度が遅いため、逃げ場さえあれば歩いて逃げることもできることが多いが、建物への被害は免れない。ハワイ島は、粘性が低いマグマがなだらかな山体を形成し、島の面積を増加させてきた。

4 ✕ 火砕流についての前半の記述は正しい。火砕流は、時速100 km以上の高速で流れることもあるため、逃げることは難しく、またきわめて破壊的である。1991年の雲仙普賢岳噴火では、溶岩ドームの崩壊によって火砕流が発生し、多くの民家や田畑が失われ、報道関係者ら43名が犠牲となった。

5 ○ 記述のとおりである。1983年の三宅島噴火では、山腹を流れ下った溶岩流が集落を襲い、400戸近くの家屋が埋没・焼失した。緊急避難が円滑に行われたことで、幸い死傷者は出なかった。1986年の伊豆大島噴火でも溶岩流が流れ出し、島民全員が避難する事態となった。2000年にも三宅島は噴火し、二酸化硫黄 SO_2 を主成分とする大量の火山ガスの発生により、全島避難となり、避難解除まで4年半を要した。

6 時事

世界の都市等に関する記述として最も妥当なのはどれか。

(国家専門職2023年)

1 2022年に中東で初めてサッカー・ワールドカップ(W杯)が開催されたカタールの首都ドーハは、地中海東岸に位置し、金融貿易港、金融センターとして繁栄し、「中東のパリ」とも呼ばれている。カタール国民はキリスト教徒が多数を占めていることから、ドーハでは、民族衣装であるヒジャブ(スカーフ)などを着用している女性が多く見られる。

2 ユダヤ教、キリスト教、イスラム教の聖地であるエルサレムは、イエスの生誕地であり、また、ムハンマドがメッカから難を逃れて移住(ヒジュラ(聖遷))した地でもある。2021年、イスラエルがエルサレムを首都としたが、米国やイランなどはこれに反対し、2022年末現在、エルサレムに大使館を置いている国はない。

3 スイスでは、使用される言語がフランス語とオランダ語に二分されている。かつて、言語戦争と呼ばれる対立が続いたため、連邦制に移行し、首都ジュネーブは両言語の併用地域となった。ジュネーブには、WHO(世界保健機関)などの国際機関の本部があり、2022年、WHOの事務局長は、豚熱(豚コレラ)に対してパンデミック宣言を行い、世界各国に注意喚起した。

4 2022年のロシアのウクライナ侵攻後、日本政府は、ウクライナの地名の呼称をロシア語発音からウクライナ語発音に変更し、首都の「キエフ」は「キーウ」に、原子力発電所の事故が起きた「チェルノブイリ」は「チョルノービリ」に変更した。また、2010年代には、日本政府は、ロシア語発音の呼称であった「グルジア」の国名を「ジョージア」に変更した。

5 2022年、G20サミット(主要20カ国・地域首脳会議)が開催されたインドネシアのバリ島には、アンコール＝ワットなどの寺院がある。また、首都ジャカルタの人口の過密化などが問題となり、バリ

島のバンドンへの首都移転が決定している。G20サミットでは、ウクライナ侵攻を理由にロシアの参加を認めず、食料・エネルギー安全保障などの課題が議論され、G20バリ首脳宣言が発出された。

解答 〈時事／世界の都市等〉（正解）**4**（正答率53.8％）

1 × カタールの首都ドーハは、アラビア半島の北東部にあるカタール半島に位置し、ペルシャ湾に面しており、「中東のパリ」とはレバノンのベイルート市の通称なので、本肢記述は誤りである。また、カタールはイスラム教徒が多数を占めていることから、ドーハでは、民族衣装であるヒジャブ（スカーフ）などを着用している女性が多く見られる。

2 × イエスの生誕地はエルサレムの南に10キロメートル離れたベツレヘム市であり、ムハンマドがメッカから難を逃れて移住（ヒジュラ（聖遷））した地はメジナ（マディーナ）市なので、本肢記述は誤りである。また、イスラエルがエルサレムを首都と宣言したのは1980年のことであり、米国は2018年にエルサレムに大使館を移転している。

3 × 「使用される言語がフランス語とオランダ語二分され」、「かつて言語戦争と呼ばれる対立が続いたため、連邦制に移行し」たのはベルギーである。首都ブリュッセルは両言語の併用地域となった。また、家畜の伝染性疾病の伝播を防ぐための国際機関は国際獣疫事務局（WOAH（OIE））なので、WHOの事務局長は、豚熱（豚コレラ）に対してパンデミック宣言を行ったという事実はない。

4 ○ 本肢記述のとおりである。2022年のロシアのウクライナ侵攻後、日本政府は、ウクライナの地名の呼称をロシア語発音からウクライナ語発音に変更し、首都の「キエフ」は「キーウ」に、1986年に原子力発電所の事故が起きた「チェルノブイリ」は「チョルノービリ」に変更した。なお、日本政府は2015年にロシア語発音の呼称であった「グルジア」の国名を「ジョージア」に変更したことがある。

5 × アンコール＝ワットなどの寺院があるのは、カンボジアである。また、インドネシアの首都ジャカルタの移転先は、カリマンタン（ボルネオ）島の東部にあるヌサンタラである。よって、本肢記述は誤りである。2022年にバリで開催されたG20サミットでは、ロシアも参加しているので、これも誤りである。

7 論作文

> **問題** 我が国では、少子化を背景とした人口の減少傾向や、高齢化の更なる進展等による経済社会への影響が懸念されている中で、社会経済活動の維持に向けた新たな人材の確保という課題が生じています。
>
> こうした課題に対して、特別区では少子化対策等の長期的な取組に加え、当面の生産年齢人口の減少に伴う地域活動の担い手不足の解消等の対策が早急に求められています。
>
> このような状況を踏まえ、人口減少下における人材活用について、特別区の職員としてどのように取り組むべきか、あなたの考えを論じなさい。
>
> (特別区2023年)

解答例

　現在、全国的には少子化が進展し、高齢化率が上昇している。現在は人口が増加傾向にある特別区でも、今後、人口減少に転じるとともに、急速な高齢化の進展が懸念される。これにより、現役世代の減少による労働者不足の問題が深刻化することが懸念される。これに対し、長期的には出生数の増加に向けた取組が必要となるが、短期的には地域活動の担い手不足の問題が深刻化する。

　地域活動の担い手として、消防団や自治会などの地域コミュニティを構成する住民が挙げられるが、担い手不足が深刻化することで、災害発生時の共助機能が低下して住民の命を守り切れない可能性がある。また、単身世帯が増加し、コミュニティの希薄化が進む特別区において、地域住民の帰属意識の更なる低下や、住民の声をまとめて行政に届ける立場の者がいなくなることによる、行政と住民の協働の困難化などの課題が考えられる。そこで、地域活動が持続的に行われるよう、従来より幅広い住民が地域活動の担い手となることが必要となる。

　しかし、幅広い担い手を確保するうえでの課題も存在する。一つは、特別区における多国籍化の進展である。日本人が減少傾向にある一方、外国人住

民は増加傾向にあり、今後もその傾向が強まることが予想される。一方、外国人住民によるコミュニティは従来のコミュニティと別に形成されることが多く、地域社会の担い手として参画が図られているとはいえない。また、共働き世帯が増加する中、専業主婦をモデルにした地域コミュニティの形態は今や機能しない。休日や夜に会議を行うなどの必要性はあるが、それとは別に従来の専業主婦や高齢者を中心とする地域コミュニティに、より幅広い世代からの参画を促すことが重要となる。

　では、これらの課題に対して特別区職員としてなし得る取組は何か。

　第1に、外国籍住民の地域コミュニティ参加の推進である。日本に移住・定住する外国人は、比較的年齢層が若いことも多い。一方、日本人住民のコミュニティと分断されているケースも多いため、相互理解が必要となる。例えば、相互の文化を紹介し合う地域イベントを実施するほか、外国人住民が企画する防災訓練の実施を支援し、日本人住民の共同参加を促すなどの取組を行う。これにより、地域の担い手に外国人が含まれることを当然のものとする意識を浸透させ、多国籍化が進む現在の特別区の実態に即した地域活動が行われることを期待できる。

　第2に、高校生や大学生の参加を促すことである。若い視点からなされる商店街振興や防災・防犯などの地域の課題の指摘を促し、自治会や町内会などの住民と協力して解決を目指すのである。この経験は、若年層が地域への問題意識を強く持つことを通じて帰属意識を高めることにもつながるほか、自分の持つ問題意識と解決に向けた行動が変化を生み出すという若年層の自己効力感の醸成にも役立つ。これを推進するため特別区職員としては、高校や区内の大学と連携したうえで、地域課題の解決に携わる授業を導入したり、校内・学内のサークルやボランティア活動の結成支援を行ったりする取組を行う必要がある。

　地域活動の担い手の多様化は、地域課題の発見と解決に向けてより多様な行動を生み出すことにつながる。これらの取組を通じ、私は特別区職員として地域活動の担い手確保を図り、持続的な地域社会の構築に貢献したい。

以　上
（約1,380字）

8 憲 法

問題 財政に関するア〜エの記述のうち、妥当なもののみを全て挙げているのはどれか。

ア 予見し難い予算の不足に充てるため、国会の議決に基づいて予備費を設け、内閣の責任でこれを支出することができる。予備費の支出については、内閣は、事前又は事後に国会の承諾を得なければならない。

イ 形式的には租税ではないとしても、国民から強制的に徴収する金銭は、実質的に租税と同視し得るものであるから、道路占有料などの負担金や電気・ガス料金などの公益事業の料金は、いずれも憲法第84条にいう「租税」に当たり、これらについては具体的金額も含め、法律で定められている。

ウ 内閣は、国会に対し、定期に、少なくとも毎年一回、国の財政状況について報告しなければならないが、国民に対する報告を義務付ける明文の規定は存在しない。

エ 内閣は、毎会計年度の予算を作成し、国会に提出して、その審議を受け議決を経なければならないとされ、国会は、議決に際し、内閣の予算提出権を損なわない範囲内で、予算の減額修正だけでなく、増額修正を行うことができる。

(国家専門職2023年)

1 ウ
2 エ
3 ア、イ
4 ア、ウ
5 イ、エ

解答 〈憲法／財政〉 **正解** **2** (正答率64.9%)

ア ✕ 予見し難い予算の不足に充てるため、国会の議決に基づいて予備費

を設け、内閣の責任でこれを支出することができる(憲法87条1項)。この支出については、内閣は事後に国会の承諾を得なければならない(同条2項)。

イ ✕ 国民から強制的に徴収する金銭は実質的に租税に該当するとする点で、判例の見解と異なるので、本記述は妥当でない。

　判例によれば、憲法84条にいう「租税」とは、国または地方公共団体が、課税権に基づき、その経費に充てるための資金を調達する目的をもって、特別の給付に対する反対給付としてでなく、一定の要件に該当するすべての者に対して課する金銭給付を意味する(旭川市国民健康保険条例事件、最大判平18.3.1)。同判例はこの定義から、国民健康保険料は反対給付として徴収されるので、同条の租税にあたらないが、賦課徴収の強制の度合いでは租税に類似する性質を有するから、同条の趣旨が及ぶとしている。本記述に例示された道路占有料などの負担金や電気・ガス料金などの公益事業料金は、反対給付として徴収されるうえに、徴収の主体が民間企業であるから、「租税」にあたらない。

ウ ✕ 国民に対する報告を義務付ける明文の規定が存在しないとする点で、憲法および財政法の規定と異なるので、本記述は妥当でない。

　内閣は、国会および国民に対し、定期的に、少なくとも毎年1回、国の財政状況について報告しなければならない(憲法91条)。この規定を受けて、財政法には国民に対する報告の方法等に関する規定が存在する(財政法46条)。

エ ◯ 本記述は憲法の規定および通説のとおりであり、妥当である。

　内閣は、毎会計年度の予算を作成し、国会に提出して、その審議を受け議決を経なければならない(憲法86条)。そして、予算の修正については、予算案全体を否決する権限が国会にあることから、部分的否決に当たる減額修正は当然可能とされる。一方、増額修正については、内閣に予算提出権を専属させている(憲法73条5号・86条)ことを考慮して、予算の同一性を損なわない範囲での増額修正が認められると解されている。

以上より、妥当なものはエであり、肢2が正解となる。

9 民法

問題　詐害行為取消権に関する次のア〜オの記述のうち、妥当なもののみを全て挙げているものはどれか（争いのあるときは、判例の見解による。）。

ア　相続放棄は、詐害行為取消請求の対象にすることができる。

イ　詐害行為時に債務者が無資力であったのであれば、その後その資力が回復した場合であっても、債権者は詐害行為取消請求をすることができる。

ウ　不可分な目的物の譲渡契約を取り消す場合、債権者は、自己の債権額にかかわらず、当該譲渡契約の全部を詐害行為として取り消すことができる。

エ　不動産が債務者から受益者に、受益者から転得者に順次譲渡された場合、債務者の行為が債権者を害することについて、受益者が善意であるときは、転得者が悪意であっても、債権者は転得者に詐害行為取消請求をすることができない。

オ　詐害行為取消請求は、債務者及び受益者を共同被告として裁判所に訴えを提起する方法により行う必要がある。

（裁判所事務2023年）

1　ア、イ
2　ア、オ
3　イ、エ
4　ウ、エ
5　ウ、オ

解答　〈民法／詐害行為取消権〉（正解）**4**（正答率72.9%）

ア　×　相続放棄は詐害行為取消請求の対象とならないので、本記述は妥当でない。

財産権を目的としない行為は、詐害行為取消請求の対象とならない（民法424条2項）。財産権を目的としない行為の典型は、婚姻、離婚、養子縁組などの家族法上の行為であるが、これらの行為は行為者本人の意思を尊重すべきであり、債務者の財産状態が悪化しても、第三者の干渉を認めるべきではないからである。もっとも、家族法上の行為であっても、財産の変動を目的とするものについては問題がある。相続放棄について、判例は、①消極的に財産の増加を妨げる行為にすぎないこと、②相続放棄のような身分行為は他人の意思で強制すべきでないことを理由に、詐害行為取消請求の対象とならないとしている（最判昭49.9.20）。

イ　✕　詐害行為後に債務者の資力が回復した場合には、詐害行為取消請求は認められないので、本記述は妥当でない。

詐害行為取消請求の対象となるのは、「債権者を害する」行為である（民法424条1項本文）。「債権者を害する」とは、債権者が十分な弁済を受けられなくなること、すなわち、債務者が無資力となることを意味する。さらに、債務者の無資力は、詐害行為時に必要であるだけでなく、事実審口頭弁論終結時（取消判決に最も近い時点）まで引き続き無資力状態にあることが必要である（大判大15.11.13）。詐害行為後に債務者の資力が回復したのであれば、責任財産保全という詐害行為取消権の目的に照らし、取消しを認める必要はないからである。

ウ　○　本記述は判例のとおりであり、妥当である。

債務者がした詐害行為の目的が金銭のように可分である場合には、債権者は、自己の債権（被保全債権）の額の限度においてのみ、その行為の取消しを請求することができる（民法424条の8第1項）。これに対して、詐害行為の目的が不動産のように不可分である場合には、債権者は、被保全債権の額にかかわらず、原則として、詐害行為の全部を取り消し、現物返還を請求することができる（最判昭30.10.11）。

エ　○　本記述は民法424条の5の規定のとおりであり、妥当である。

転得者に対する詐害行為取消請求が認められるためには、①受益者に対して詐害行為取消請求ができることを前提に、②転得者が悪意であること（受益者からの転得者については、転得者が転得の当時「債務者がした行為が債権者を害することを知っていた」こと、他の転得者

からの転得者については、その転得者およびその前に転得したすべての転得者がそれぞれの転得の当時「債務者がした行為が債権者を害することを知っていた」こと)が必要である(民法424条の5)。受益者が詐害行為の時に債権者を害することを知らなかったときは、債権者はその行為を取り消すことができないので(民法424条1項但書)、受益者が善意であるときは、転得者が悪意であっても、転得者に対する詐害行為取消請求は認められない。

オ × 詐害行為取消請求に係る訴えでは、債務者は被告とならないので、本記述は妥当でない。

詐害行為取消請求は、裁判所に訴えを提起する方法により行う必要があるが(民法424条1項本文)、受益者に対する詐害行為取消請求の場合には、受益者を被告とし、転得者に対する詐害行為取消請求の場合には、転得者を被告とする(民法424条の7第1項)。いずれの場合も、債務者は被告とならない。

以上より、妥当なものはウ、エであり、肢4が正解となる。

問題 行政不服審査法に規定する審査請求に関する記述として、妥当なのはどれか。 (特別区 2023年)

1 　不作為についての審査請求は、当該不作為に係る処分についての申請の日の翌日から起算して3月を経過したときは、正当な理由があるときを除き、することができない。

2 　審査請求は、口頭でできる旨の定めがある場合を除き、審査請求書を提出してしなければならず、審査請求をすべき行政庁が処分庁と異なる場合、審査請求人は、必ず処分庁を経由して審査請求書を提出しなければならない。

3 　審理員は、審理手続を計画的に遂行する必要がある場合に、審理関係人を招集し意見の聴取を行うことができるが、遠隔地に居住している審理関係人と、音声の送受信による通話で意見の聴取を行うことはできない。

4 　処分庁の上級行政庁又は処分庁である審査庁は、必要があると認める場合には、審査請求人の申立てにより又は職権で、処分の効力、処分の執行又は手続の続行の全部又は一部の停止その他の措置をとることができる。

5 　事情裁決の場合を除き、事実上の行為についての審査請求が理由がある場合、処分庁の上級行政庁以外の審査庁は、裁決で、当該事実上の行為を変更すべき旨を当該処分庁に命ずることができる。

解答 〈行政法／審査請求〉(正解) **4**(正答率73.1%)

1 　✕　不作為に対する審査請求に審査請求期間の定めはないので、本肢は妥当でない。

　　　処分についての審査請求には審査請求期間がある(行政不服審査法18条。以下、同法の条文)のとは異なり、不作為についての審査請求

には事柄の性質上、審査請求期間の定めがない。したがって、不作為の状態が継続する限り、審査請求をすることができる。

2　×　審査請求人に経由申請を行う義務はないので、本肢は妥当でない。

審査請求は、個別法や条例で口頭による審査請求を認めている場合を除き、審査請求書を提出して行う（19条1項）。どの行政庁に対して審査請求を行うかは、個別法や条例の定めに従って判断することになるが、審査請求人の便宜のため、処分庁等以外の行政庁に審査請求する場合には、処分庁等を経由して申請することができる（21条1項）。すなわち、審査請求人は、経由申請を選ぶことができるのであって、経由申請をしなければならないわけではない。

3　×　審査請求の審理手続は書面審理主義を原則とする（29条・30条）。しかし、事件が複雑であることその他の事情により、迅速かつ公正な審理を行うため、審理手続を計画的に遂行する必要があると認める場合には、審理員は審理関係人を招集し、意見の聴取を行うことができる（争点・証拠の事前整理手続、37条1項）。この際、審理関係人が遠隔地に居住しているなどの場合には、審理員および審理関係人が音声の送受信による通話で意見の聴取を行うことが認められている（同条2項）。

4　○　審査庁が処分庁の上級行政庁または処分庁である場合は、処分庁の監督機関または自己の事務の処理の一環としての性格があることから、審査請求人の申立てだけではなく職権によっても、処分の効力、処分の執行または手続の続行の全部または一部を停止できる。また、これらに代わるその他の措置もとることができる（25条2項）。

5　×　処分庁の上級行政庁以外の審査庁は、変更を行うことができる審査庁に含まれないので、本肢は妥当でない。

事実上の行為についての審査請求に理由がある場合、審査庁は請求認容の裁決を出すことになる。この場合、審査庁の区分に従って、全部もしくは一部の撤廃、または変更の措置をとるが（47条1項本文）、処分庁の上級行政庁以外の審査庁は当該事実上の行為を変更すべき旨を当該処分庁に命ずることはできない（同項但書）。

ミクロ経済学

問題 ある人の職業選択について考える。職業には、職業Aと職業Bの2種類がある。職業Aは所得に不確実性があり、aの確率で所得は4900となり、$1-a$の確率で所得は900となる。一方、職業Bを選ぶと、確実に所得は2500となる。この人の効用関数は所得に依存し、以下のように与えられる。

$$u = \sqrt{x} \quad (u：効用水準、x：所得)$$

この人が、期待効用を最大化するように行動する場合、職業Aと職業Bが無差別となる確率aとして最も妥当なのはどれか。

（国家一般職2023年）

1　0.3
2　0.4
3　0.5
4　0.6
5　0.7

解答 〈ミクロ経済学／期待効用〉 **正解** **3**（正答率69.0%）

職業Aを選択した場合の期待効用Eu_Aは、
$$Eu_A = a \times \sqrt{4900} + (1-a) \times \sqrt{900}$$
$$= a \times 70 + (1-a) \times 30 = 70a + 30(1-a)$$
$$= 40a + 30 \quad \cdots\cdots ①$$
と求められる。

次に、職業Bを選択した場合の効用u_Bは、
$$u_B = \sqrt{2500} = 50 \quad \cdots\cdots ②$$

と求められる。

　職業Ａと職業Ｂの選択をすることが無差別となるということは、①と②の値が等しくなるということだから、

$$40\,a + 30 = 50$$

$$\therefore a = 0.5$$

が得られる。よって、正解は肢3である。

問題 政治思想に関する次の記述のうち、最も妥当なのはどれか。

(国家一般職2023年)

1　西ローマ帝国末期の教父であったトマス＝アクィナスは、『神の国』において、人間が現世において生きる国家は、「神の国」と「地の国」の混合物であり、正義と不正が混在していると主張し、権力装置としての国家は暫定的な秩序を打ち立てるものにすぎないと批判した。

2　17世紀のフランスの政治思想家であるN.マキアヴェリは、『君主論』において、君主の責任は、自国民に軍役を課すことなく国家を守ることであり、傭兵制度を活用することで強力かつ安定した軍隊を目指すべきと説いた。

3　徳富蘇峰は、『文明論之概略』において、日本が西洋諸国からの独立を維持するためには、まず一人一人が個人として独立することが重要だと主張し、日清戦争以降、自らの命を捨てて国に報いることを是とする全体主義的傾向を憂い、戦争批判を繰り返した。

4　ドイツの哲学者G.ヘーゲルは、国家こそが人倫の最高形態であると考えた。彼によれば、市民社会においては個人の欲望によって成員間の対立や貧困が引き起こされる一方で、国家においては、人々が国家の法を尊重することで、個人の自由や社会の福祉が実現される。

5　アリストテレスは、「善きこと」の真の姿が立ち現れた世界（善のイデア）を知り、それを見ることのできた哲人王が統治する国家こそが理想的な国家であると説いた。また、問答による対話を重視していたために生涯著書を残さず、弟子のプラトンの著書からその思想を知ることができる。

解答 〈政治学／政治思想〉 **正解** **4**（正答率67.3％）

1 ✕ 本肢はアウグスティヌスに関する説明である。トマス＝アクィナスは、『神学大全』において、人間の理性に手を差し伸べる恩寵の存在を重視し、理性には限界があるが、決して信仰と矛盾するわけではないと主張した。信仰の理性に対する優位を認めつつ、理性を否定しないスコラ哲学を代表する人物の一人がトマス＝アクィナスである。

2 ✕ N.マキアヴェリは、15世紀から16世紀にかけて、イタリア・フィレンツェにおいて外交・軍事を担当する書記官を務めた人物である。彼は『君主論』において、君主の責任は、自国民に軍役を課して国家を守ることであり、フィレンツェの周辺から農民を集めて、国民軍を創設することを試みた。軍隊の中核となった傭兵は金銭次第で君主を裏切る可能性があったので、マキアヴェリは信頼していなかった。

3 ✕ 『文明論之概略』において、日本が西洋諸国からの独立を維持するためには、まず一人一人が個人として独立すること（独立自尊）が重要だと主張したのは福沢諭吉である。徳富蘇峰は、日清戦争後の三国干渉に衝撃を受け、平民主義から国家主義へと転じ、戦争を鼓吹した。

4 ◯ そのとおり。G.ヘーゲルにとって、家族、市民社会、国家へと至る人倫の体系は、個人が全体の中での自らの位置を自覚していく過程であった。

5 ✕ 「善きこと」の真の姿が立ち現れた世界（善のイデア）を知り、それを見ることのできた哲人王による哲人王政こそが理想的な政治であると説いたのはプラトンである。また、問答による対話を重視していたために生涯著書を残さず、弟子のプラトンの著書からその思想を知ることができるのはソクラテスである。

問題 アメリカ行政学の展開に関する記述として、妥当なのはどれか。

(特別区2023年)

1 1883年に、ガーフィールド大統領がペンドルトン法を制定し、スポイルズ・システムが見直され、公務員の資格任用制が導入された。

2 ウィルソンは、論文「行政の研究」において、行政の領域は、政治の固有の領域であるビジネスの領域の外にあるとして、政治・行政二分論を主張した。

3 グッドナウは、著書「政治と行政」において、国家の意思の表現を政治、国家の意思の執行を行政とし、行政から司法を除いた狭義の行政のうち、執行的機能についてのみ、政治の統制が必要とした。

4 ウィロビーは、ローズベルト大統領が設置したブラウンロー委員会に参画し、ライン・スタッフ理論を基に、大統領府の創設を提言した。

5 ホワイトは、ニューディール時代の実務経験から、「政策と行政」を著し、行政とは政策形成であり、政治過程の1つであるとし、政治と行政の関係は、連続的であると指摘した。

解答 〈行政学／アメリカ行政学の展開〉 正解 3 (正答率61.8%)

1 ✕ 1883年にペンドルトン法が成立した背景には、1881年にガーフィールド大統領が猟官失意者により暗殺されたことがあったため、「ガーフィールド大統領がペンドルトン法を制定」という記述が誤りである。

2 ✕ W.ウィルソンは、行政は政治の正常な範囲の外に存在するとする「政治・行政二分論」に立ち、その上で、「行政はビジネスの領域」であるとした。

3 ○ F.グッドナウは、政治・行政二分論に立ち、行政には、①準司法

的機能、②法律の執行機能、③複雑な行政組織の設立・保持機能があるとした。その上で、グッドナウは、議会が制定した法律を行政が適切に執行しているか監視する必要があるため、政治は法律の執行機能についてのみ統制するべきであるとした。

4 ✕ F.ローズベルト大統領が設置したブラウンロー委員会に参画し、ライン・スタッフ理論に基づいて、大統領府の創設を提言したのは、L.ギューリックである。

5 ✕ 実務家としてニューディール行政に関わり、政治・行政関係の変容を感じて、「行政とは政策形成であり、多くの基本的政治過程の一つ」という政治・行政融合論を提唱したのは、P.アップルビーである。

問題 パーソナリティや社会的性格に関する学説についての記述として最も妥当なのはどれか。
(国税専門官2023年)

1 D.リースマンは、伝統の自明性に頼らず、明確な目標に導かれて行動する内部指向型の人々は内面にジャイロスコープ(羅針盤)を備えているのに対し、同時代の人間を行動の指針とする他人指向型の人々はレーダーをもっているとした。

2 G.ジンメルは、ファシズムや反ユダヤ主義などの反民主主義的なイデオロギーを受容しやすいパーソナリティ構造である権威主義的パーソナリティを分析し、そこに、上流階級特有の選民意識が存在すると指摘した。

3 K.マルクスは、『サモアの思春期』において、サモアとアメリカの若者を比較し、同じ肉体的な成長の過程をたどるのであれば、属する文化にかかわらず、その心理的な内実も同様に発達することを発見し、文化のパターンとパーソナリティ特性との相関関係を明らかにした。

4 中根千枝は、日本人の行動様式は恥を基調としたもので、自己の内面に確固たる行動基準をもつがゆえに、たとえ他者には知られない非行であっても、恥の意識にさいなまれるとして、罪を基調とする西洋人の行動様式とは大きく異なることを指摘した。

5 T.W.アドルノは、わざと他者の期待に背いた行動をする違背実験を通じて、一つの集団や階層の大部分の成員が共有している性格構造の本質的な中核であり、その集団や階層に共通な基本的経験と生活様式の結果である「社会的性格」を発見した。

解答 〈社会学／パーソナリティ・社会的性格〉 正解 **1** (正答率55.4%)

1 ○ D.リースマンの『孤独な群衆』で述べられた内容である。リースマ

ンは社会的性格を「同調性の様式」とよび、人々の社会的性格が、中世ヨーロッパ社会、近代ヨーロッパ・アメリカ社会、そして現代アメリカ社会という3つの異なる社会状況において、それぞれ「伝統指向型」、「内部指向型」、「他人（外部）指向型」として出現したと指摘した。

2　✕　「権威主義的パーソナリティ」の概念はE.フロムやT.W.アドルノらフランクフルト学派の学者たちが提出したものである。また、フロムによれば、権威主義的パーソナリティは特に下層中産階級に多く見い出される社会的性格であり、上流階級特有の選民意識に由来するものではない。なお、G.ジンメルはドイツの哲学者・社会学者で、形式社会学の提唱者である。

3　✕　『サモアの思春期』は文化人類学者のM.ミードの著作名である。K.マルクスは社会主義の理論を完成し、その思想はマルクス主義と呼ばれて、ソ連や中国などの社会主義国がそれを採用するなど、経済学や哲学といった学術面だけでなく、政治・社会に多大な影響を与えた。なお、ミードの議論としても本文は誤りがあり、彼女は、属する文化が異なるとそのパーソナリティ特性も異なると論じている。

4　✕　本文の内容は、R.ベネディクトが日本文化について研究した『菊と刀』で述べたものである。中根千枝は『タテ社会の人間関係』で、日本社会のインフォーマルな構造を成立させている原理として「タテ社会」の概念を提起した。日本人にとっては「場の共通性」が何よりも重視され、そのような「場の共通性」によって集団が維持され、その中で序列が形成されているとした。なお、本肢はベネディクトの説明としても不正確なところがあり、自己の内面に確固たる行動様式を持つのは罪の文化を持つ西洋の特徴である。

5　✕　社会的性格を、一つの集団や階級の大部分が共有している性格構造の本質的な中核であり、その集団や階層に共通な基本的経験と生活様式の結果であると定義したのは、フロムである。同じフランクフルト学派の社会学者であったアドルノは権威主義的性格の度合いを測定するF尺度を考案している。なお、「違背実験」はエスノメソドロジーを創始したH.ガーフィンケルが用いた手法で、フランクフルト学派とは関係がない。

問題 地方財政計画に関する記述として、妥当なのはどれか。

(特別区 2023 年)

1　地方財政計画とは、地方財政法に基づく翌年度の地方団体の歳入歳出総額の見込額に関する書類のことであり、内閣が毎年度作成し、国会に提出するとともに、一般に公表しなければならない。

2　地方財政計画は、地方財政規模の把握や、地方団体に対し翌年度の財政運営の指針を示すという役割に加えて、地方財源を保障する役割などを担うものである。

3　地方財政計画に示される歳入歳出総額は、地方団体が翌年度において現実に収入及び支出する額を集計して見込んだものであり、実際の決算と差が生じることはない。

4　地方財政計画の歳出は、地方団体の営む全ての財政活動の分野を対象とすることから、普通会計のほか、国民健康保険事業や公営企業会計などの公営事業会計も全て含まれる。

5　地方財政計画の歳入には、一般財源である地方税、地方譲与税、地方交付税が主に計上されるが、特定財源である国庫支出金及び地方債は計上されない。

解答　〈財政学／地方財政計画〉（正解）**2**（正答率 60.6％）

1　✕　地方財政計画は、地方財政法ではなく地方交付税法に基づいて作成される翌年度の地方団体の歳入歳出総額の見込額に関する書類である。なお、内閣が作成し、国会に提出するとともに、一般に公開しなければならないことは正しい。

2　○　本肢の記述のとおりである。地方財政計画は、地方財政規模の把握や、地方団体に対し翌年度の財政運営の指針を示すという役割に加えて、地方団体が標準的な行政水準を確保できるよう地方財源を保障す

る役割がある。

3 ✕　地方財政計画に示される歳入歳出総額は、地方団体が翌年度におい
て現実に収入及び支出する額を集計して見込んだ額ではなく、歳出
は、標準的な行政水準における経費であり、歳入は標準的な収入見込
額であり、例えば地方税では法定税目の収入見込額の標準税率分が計
上され、法定外税による収入や標準税率を超えた課税による収入は計
上されていない。よって、実際の決算と差が生じる。

4 ✕　地方財政計画は、約1,700の地方団体の普通会計を1つの財政主体
とみなしたものであり、公営事業会計は含まれない。なお、地方公共
団体の予算も国と同様に一般会計と特別会計に区分できるが、特別会
計には各地方公共団体が任意に設置できるものがあるため、地方財政
を統一的に把握するため統計上の区分として、普通会計と公営事業会
計に分類する統一基準を設けている。

5 ✕　地方財政計画の歳入には地方交付税は含まれない。各年度の地方交
付税の総額は、地方財政計画の歳入と歳出の差額を補填する中で決定
される。なお、特定財源である国庫支出金及び地方債は地方財政計画
の歳入に計上される。

問題 図のようなxy平面（直交座標系）における長方形形状を組み合わせた断面の寸法のうち、a，b，dが定められている場合に、網掛けで表わされた図形の図心GがX軸上にあるためのcの値として最も妥当なのはどれか。

（国家一般職2023年）

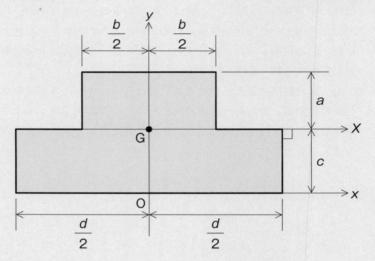

1 $a\sqrt{\dfrac{2\,b}{d}}$

2 $a\sqrt{\dfrac{b}{2\,d}}$

3 $\dfrac{a\,b}{d}$

4 a

5 $a\sqrt{\dfrac{b}{d}}$

解答 〈構造力学／図心〉 (正解) **5** (正答率50.0%)

　まず、x軸まわりの断面1次モーメントSを求める。上側の長方形と下側の長方形に分けて計算すると、

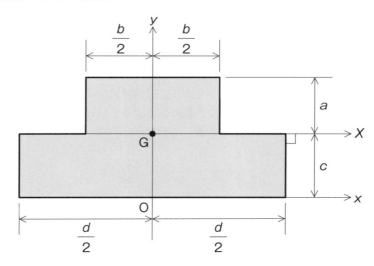

$$S = ab \times \left(c + \frac{a}{2}\right) + cd \times \frac{c}{2} = \frac{2abc + a^2b + c^2d}{2}$$

　これを断面積$(ab + cd)$で割ったものが図心の位置で、それがX軸の位置に来るので、

$$\frac{2abc + a^2b + c^2d}{2(ab + cd)} = c \Leftrightarrow 2abc + a^2b + c^2d = 2(ab + cd)\,c$$

$$= 2abc + 2c^2d$$

$$\Leftrightarrow a^2b = c^2d$$

$$\Leftrightarrow c^2 = \frac{a^2b}{d}$$

$$\therefore \quad c = a\sqrt{\frac{b}{d}}$$

　よって、正解は肢5である

問題 図に示した蛍石CaF_2の結晶構造に関する次の記述の⑦〜㋑に当てはまるものの組合せとして最も妥当なのはどれか。

「蛍石型構造は、その名称を、この構造の典型鉱物である蛍石CaF_2に由来する。これは ⑦ の立方最密充填構造を広げて全ての ㋑ 間隙に ㋒ を入れた構造である。この格子は ㋓ 配位である。」

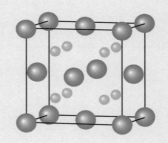

（国家一般職2023年）

	⑦	㋑	㋒	㋓
1	Ca^{2+}	四面体	F^-	8：4
2	Ca^{2+}	四面体	F^-	12：6
3	Ca^{2+}	八面体	F^-	12：6
4	F^-	四面体	Ca^{2+}	8：4
5	F^-	八面体	Ca^{2+}	12：6

解答 〈無機化学／蛍石構造〉 **正解** **1**（正答率40.0％）

　図の立方最密充填構造を構成している大きい球をA原子、A原子の間隙に入っている小さい球をB原子とする。この格子のA原子の数は、

$$\frac{1}{8} \times 8 + \frac{1}{2} \times 6 = 4 \text{（個）}$$

となり、B原子の数は8個であるから、A：B ＝ 4：8 ＝1：2となる。これより、この結晶はAB_2と表されるので、蛍石CaF_2と比較して、立方最密充填構造を構成している原子はCa^{2+}（…㋐）となる。

　したがって、Ca^{2+}の間隙に入っているのはF^-（…㋒）であるが、この間隙は右図の左上のF^-に示されているように四面体（…㋑）である。これより、F^-は4個のCa^{2+}に囲まれているから4配位である。また、右図の右側のCa^{2+}はその左側の4個のF^-に囲まれている。右図の右側にもう1個単位格子を繋げると、このCa^{2+}は右側で4個のF^-に囲まれ

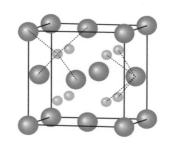

るから、Ca^{2+}は8個のF^-に囲まれていることがわかるので、Ca^{2+}は8配位である。以上より、この格子は8：4配位（…㋓）である。

　よって、正解は肢1である。

問題 東向きに速さ10m/sで飛んでいる質量0.20kgの小球をバットで打ち返したところ、小球は北向きに速さ10m/sで飛んでいった。このとき、小球がバットから受けた力積の大きさとして最も妥当なのはどれか。

ただし、小球の運動は水平面内で起こるものとし、重力の影響は無視するものとする。

（国家一般職2023年）

1 　0.70N·s

2 　1.0N·s

3 　1.4N·s

4 　2.0N·s

5 　2.8N·s

解答 〈物理／力積と運動量変化〉 **正解** 5 （正答率40.0%）

　力積は、力とその作用時間との積であり、それによる物体の運動量の変化を表す。質量 m の物体に対して、時刻 $t_1 \sim t_2$ の間に力 $\vec{F}$ が加えられ、速度が $\vec{v_1} \sim \vec{v_2}$ に変化したとき、力積 $\vec{I}$ は、

$$\vec{I} = \int_{t_1}^{t_2} \vec{F} dt = m\vec{v_2} - m\vec{v_1}$$

となる。

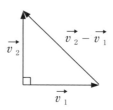

　問題の条件より、$\vec{v_1}$ は東向きに10m/s、$\vec{v_2}$ は北向きに10m/sであるため、右図より（上が北）、

$$|\vec{v_2} - \vec{v_1}| = 10\sqrt{2} \fallingdotseq 14.1 \text{m/s}$$

となるから、求める力積 $\vec{I}$ の大きさは、

$$|\vec{I}| = m|\vec{v_2} - \vec{v_1}| = 0.20 \times 14.1 = 2.82 \ [\text{N·s}]$$

となる。

　よって、正解は肢5である。

19 農学系専門科目

問題 我が国における果実生産の現状に関する記述A〜Dのうち、妥当なもののみを挙げているのはどれか。

A　我が国の果実生産量は、果樹の栽培面積の減少により減少傾向にある。令和2年の品目別栽培面積は、りんご、みかん、ぶどうの順に大きく、りんごの栽培面積は、青森県、福島県、宮城県の順に大きい。

B　果実は、皮が剥きにくいなどの理由により消費量が年々減少している。令和2年においては、5年前と比較して、りんごやぶどうを始めとする主要な品目の卸売価格が低下していることから、果実の国内産出額は減少している。

C　令和2年の果実の品目別産出額をみると、ぶどうが最も大きい。また、同年の都道府県別の農業産出額をみると、山梨県、和歌山県、愛媛県では、農業産出額に占める果実の割合が最も大きい。

D　我が国の高品質な果実は、アジアを始めとする諸外国・地域で評価され、りんご、ぶどう、もも、なしなどが輸出されている。令和3年の果実の品目別輸出額をみると、りんごが最も大きい。

（国家一般職2023年）

1　A、B
2　A、C
3　B、C
4　B、D
5　C、D

解答 〈園芸学／果実の生産〉 (正解) **5** (正答率86.7%)

A　×　令和2（2020）年の品目別栽培面積は、みかん（29,800ha）、りんご（27,100ha）、かき（19,000ha）、くり（17,900ha）、ぶどう（17,800ha）となっている。りんごの栽培面積は青森県が最も多く、長野県が続き、

この2県で8割を占めている。3位は岩手県である。

B　×　果実の消費量の減少は、皮が剥きにくいなどのほか、世帯当たりの人数の減少、価格が高い、毎日の食品というよりは高級品・嗜好品という意識になった、などの要因が挙げられる。卸売数量は減少傾向であるが、卸売価格は増加傾向であるため、国内産出額は横ばいとなっている。

C　○　記述のとおりである。肢Aの解説のとおり、ぶどうの栽培面積は、みかんやりんごより少ないものの、単価が高いため産出額は大きい。山梨県はぶどうともも、和歌山県はみかんとうめ、愛媛県はみかんの主要な産地である。

D　○　記述のとおりである。品目別輸出額およびシェアは、りんご（162億円、51％）、ぶどう（46億円、15％）、いちご（41億円、13％）、もも（23億円、7％）、メロン（11億円、3％）となっている。なお、いちごやメロンは厳密には果樹ではないが、「フルーツ」として果実の輸出として扱われる。

　よって、正解は肢5である。

第7章

合格者座談会

1 はじめに

　2023年度の公務員試験の合格者に集まってもらい体験談を語ってもらいました。オンライン形式で実施し、視聴者からの質問にも答えています。合格者のリアルな体験談が聞ける貴重な座談会を紙面にて再現しました。失敗談や成功談を赤裸々に語ってくれていますので、読者の方はぜひ参考にしてください。

2 参加メンバーの紹介

進行役　野村 豊LEC専任講師

　2011年よりLEC専任講師として数的処理、法律系科目を中心に講義を担当。数的処理ではできるだけ多くの解き方を示し、法律系科目ではただ暗記をするのではなく、法律を学ぶことの面白さを認識できる講義は、受講生から絶大な支持を得ている。10年以上、担当講師を務め、持ち前の面倒見の良さで多くの受講生を合格に導いてきた。

合格者

Aさん

出身学部：法学部
最終合格先：国家一般職・特別区・国税専門官・川崎市

合格者

Bさん

出身学部：商学部
最終合格先：国税専門官・特別区

出身学部：国際系

最終合格先：東京都・国家一般職・国税専門官・裁判所事務官

出身学部：文系

最終合格先：国税専門官・国家一般職・東京都

出身学部：法学部

最終合格先：国家一般職・裁判所事務官・国税専門官・川崎市

出身学部：心理学部

最終合格先：国家一般職・国税専門官・裁判所事務官・特別区

出身学部：文学部

最終合格先：国家一般職・特別区・国税専門官・小さな市

出身学部：理学部

最終合格先：東京都・国家一般職・国税専門官・裁判所事務官

出身学部：法学部

最終合格先：特別区・国家一般職・国税専門官

講師 よろしくお願いします。今日は色んな合格者がいますので、それぞれの話を聞いてもらおうかなと思います。まず、今日来ている合格者は試験が終わった直後なのでまずは感想を聞いてみましょう。

公務員試験を通して、「意外と楽だったな」とか、逆に「思ったよりきつかったな」とか、あるいは「筆記試験が大変だけど、面接ではもっと大変だった」とか感想を聞いていくと面白いかなと思います。

おそらく、勉強を始める前と実際にやってみた後では、思っていたこととのギャップがあったはずです。

 Iさん とりあえずギャップというか感じたこととしては、やっぱり面接が大変だなということです。民間企業とかと比べて回数とかも少ないのでそこまで厳しいっていうようなイメージもなかったのですが、実際にやってみるといろいろと考えなければいけないものがありましたので、いろんな人に協力してもらいながらやり遂げました。

 講師 どの辺が一番大変だった？　具体的に教えて。

Iさん はい、そうですね、やっぱりちょっと恥ずかしい話にはなるんですけど、志望動機を考えるのが一番大変だったなというふうに感じています。

講師 じゃあIさん、受験までにこういうことをしておくと役に立つよって話があったら教えてください。

 Iさん そうですね。やっぱり本当に当然なことではあるんですけど、まず説明会に参加するのが一番重要だなと思っています。今聞いている皆さんには時間に余裕があるタイミングで色んなところの市や、区の役所の説明会などにぜひ参加してみて欲しいです。私はあまり説明

会に行ってなかったので、面接の段階になってもっと参加しておけば良かったと思うことがありました。

講師 じゃあ逆に、説明会にちゃんと行ってる人はH君じゃないかな？　説明会にいっぱい行っていいことがあったって話をしてください。

そうですね。僕は説明会にいっぱい参加して、とある省庁の説明会には15回行きました。

ここでよかったことは結構あると思っていて、一つ目が業務への理解が深められるという点です。同じ説明でも違う職員さんがお話しすることで違う内容が少なからずあります。二つ目が次の説明会情報について教えてくれることです。次回の説明会がいつあるのか、予約開始はいつかなど教えてもらえました。その他、本番の面接で何回か会ったことのある方が面接官だったので、少し緊張が和らぎました。

講師 続いて勉強面についてお願いします。

そうですね。僕は理学部に所属しているので最初は文系科目に対して結構厳しいものがあるのかなと思っていたのですが、勉強をちゃんとやっていく中で印象が変わりました。大学レベルの難しい問題ばかりが出るというわけではないので、しっかりと基礎をやっていけば合格できるなと思いました。

講師 それでは次に勉強面以外になにかありますか？

面接が民間と異なっている部分があります。政策を理解することや、突拍子もないことは聞かれないものの、ちゃんと1つ1つ的確に答える必要があることです。ちゃんと面接対策をコツコツやった人が受かるような試験になっていると思いました。

講師 参加者のみんなが勉強について気になっているのが、大学で経済や法律を勉強していなくても公務員試験の勉強についていけるのかについてです。この中で大学の勉強と公務員試験の勉強内容が同じ内容の人は手を挙げてください。

（3人挙手する）

講師 まぁこんなもんですよね。大学の勉強と異なっていても気にせず公務員試験の勉強を始めてください。
　では、次の方どうぞ。

私は文学部に所属しているので、公務員試験を受けようと思った時には、やっぱり法学部生や、経済学部生に比べてちょっと劣っている点があるんじゃないかと最初はとても不安に思っていました。憲法・民法といった法律系もありますし、ミクロ・マクロといった経済系もありますが、しっかり基礎力を身につけられれば大体の問題を解けたのでそこはいい意味でのギャップがありました。ですから、どんな学部の方でも公務員試験を挑戦できるのかなと思いました。また、面接においても学部などは全然考慮されることなく、良い意味で平等に面接を受けさせていただくことができるので、学部などを今不安に思っている方は気にせずに挑戦してほしいなと思います。

講師 では、次の方。

はい、公務員試験を受けてギャップに思ったことですが、私は結構面接がうまくいったのかなと思っています。面接については、最初は難しいという印象があったのですが、実はそんなことなくて、私は試験の一年ぐらい前からガクチカとかいろいろ準備して対策していたのでうまくいきました。きちんと準備をすれば受かる試験なのかなと思います。ですから、これから受ける皆さんにはしっかりと準備してほしいです。

講師 これを聞いた方はまだ十分に間に合うと思いますから、しっかりと準備してもらえればと思います。準備していないと失敗してしまいますよね。はい、それでは次の方。

 Eさん 勉強面のギャップについて話をしたくて、さっきまでは大学の勉強と公務員試験は関係がなかったって話が多かったですけど、僕は法学部に所属していて法律を勉強していたので、大学の勉強と試験の勉強が同じということでお話をさせていただきます。僕は大学の最初のほうで憲法・民法は勉強していたのである程度公務員試験に対応することができました。公務員試験の最初の印象として科目の幅が広くて勉強することも多いのではないかと思っていたのですが、実際にテキストとか問題集とか解いていく中で特に憲法とか民法はある程度言葉を理解していたので、比較的少ない勉強時間で対応できたと思います。得意な法律に時間を割くのではなくて、苦手な科目に使うことができたので、この点で大学の授業で学んだ内容と公務員試験が同じ人は利点があるのかなと感じました。

講師 では、次の方。

 Dさん 私は今の方とは違って、法学部じゃないのですが、公務員試験対策を受ける前は難しいというイメージもありましたし、大学受験のようにものすごい勉強しないといけないだろうなと思っていました。実際受けてみて、LECに入ったからというのもあるんですが、ちゃんとカリキュラムが組まれていて、その通りにやって早めに準備を始めれば直前期になっても休憩の時間が取れないことはなく、年末年始も十分休み、毎週必ず休みの日を作ることもできました。直前期も焦るということもなく、体調を崩してもそれをリカバリーできるような余裕もあったので、法学部じゃなくてもちゃんとLECに入って、そのカリキュラム通りにちゃんと授業を受けて復習して演習してというところを繰り返していれば、それほど苦労することなく合格することができると感じています。

講師 では、次の方。

私も試験に対するギャップですけれど、選択科目が非常に多くてハードルが高いものだと思っていました。しかし、たしかに大変ではあったんですが、当初のイメージより大変ではなかったというのが実際のところです。LECの教材とかをフルに活用すれば効率よく勉強することができると思ったからです。具体的に言うと、LECの教材である「過去問解きまくり！」を何周もすれば似たような問題が本番でも出題されますし、担任相談などを活用すれば効率よく計画を立てていただくことができるので、予想ほどはきつくありませんでした。

 講師 じゃあ、次の方。

 私は、面接に対しては想像よりずっと簡単に感じました。勉強面に関しては想像通りでした。1番辛かったのが、合格までに長い時間を要することです。

 講師 民間より内定が出るまでの期間がちょっと長いですもんね。
では、次の方。

自分は面接で大きなギャップを感じまして、やっぱり公務員っていう職業なので面接官はすごい怖くて硬いイメージが正直ありました。もちろん面接の下準備をしているというのが前提ですが、ちゃんとやれば実際の面接でも結構優しくてちょっと笑いもあったりしたので、面接官も人間なんだと思いました。企業用のユーチューブとかの面接動画を見て勉強していたので、ちょっと怖いなというイメージがあったのですけど、それより楽しく面接できたので、そこは良い意味でギャップを感じました。

講師 受験生が総じて言うのが「面接は思ったよりできた」ということです。一部例外の方もいらっしゃいましたけれども、準備しておけば対応できるっていうのが公務員試験のいいところですよね。よくわからない謎の圧迫面接とかないですし、たまにあっても合格は出来るんですよね。だからちゃんと準備してください。

勉強科目も多いですけど、意外とみんな出来ていると。勉強始める前は、科目多いからビビるんだけど、意外といけるっていうケースが多いんだなってことですね。

次に、皆さんいつから勉強したのかっていうのを聞いていきたいです。

（合格者回答）
3年の9月
3年の11月
2年の12月
2年の2月
3年の4月
3年の4月
2年の3月
3年の4月
2年の12月

講師 まあ早い人なら2年生の後半ぐらいから開始して、多くの人は3年生になる前後ぐらいから開始しています。一部の人は、一念発起して3年生の秋とかから始めているということですね。ただ、皆さん、来年は試験日程が早まるかもしれないのでその点は気をつけてください。

次に、受験生の時に気になっていたことで今回聞いてみたいことって何かありますか。

視聴者 勉強法について今までの勉強（大学入試まで）と異なったことは何か。

高校受験や大学受験の勉強と違ったのは勉強法ですね。大学入試とか高校受験の場合は暗記科目とかインプット中心の勉強でした。具体的には、教科書に線を引いたりしました。しかし、公務員試験は基本的にアウトプット中心で問題演習を中心に行いました。ノート作って内容をまとめる暇があったらアウトプットをしたほうがいいです。LECの場合、「過去問解きまくり！」という問題集があり、その問題集を解いてアウトプットしながら進めていくという勉強法が最初の印象と違っていました。

まとめノートについてですが、間違えた所だけ作るようにしてください。科目全部について作ると時間的にきついです。公務員試験は科目が多すぎるからパンクしてしまいます。
　次に、勉強時間について聞いてみようか。勉強開始時期と直前期の勉強時間を教えてください。平均的に勉強した方とか、直前期のみ頑張った方とか色々な方がいると思います。

3年生の4月から年明けくらいまでは基本的に3時間とか4時間とかくらいしかやってなかったです。直前期にかなりやばいと感じて12時間くらいぶっ通しでやりました。そんな感じなので計画的に勉強しておいたほうが後々楽になると思います。

僕の場合は逆で、先にやっちゃおうということで4〜9月くらいまで毎日7〜12時間以上勉強して大丈夫かなと思ったから、そこから減速していったという感じです。

私は大学2年生の3月からLECに入って勉強始めたんですけど、大学2年の3月から大学3年の夏休みまでは大学の授業がたくさんあったので、大学がある日は2時間程度でない日は大体、3時間程度やっていました。夏休みからは6時間くらいになって、直前期は大体10時間を超えるように頑張って勉強しました。

僕の場合、数的処理がちょっと得意だったので勉強時間はそんなに多くはないですけど、基本的に4月から12月くらいまで1日3時間くらいやって、1月・2月でちょっと増やそうかなと思って6～7時間ぐらい、3月・4月は自信を持てたので勉強時間をだんだん減らして、面接対策を開始しました。

3年の4月にLECに入ってそこから年明ける前ぐらいまでは3～4時間くらいで、年が明けてからは6～7時間勉強して、直前期は10時間くらい勉強するという感じでした。

私は大学2年生の2月から受講を開始したんですけれども、2月ぐらいの時期から夏休みぐらいまでは大学時の授業が少なかったので毎日5～6時間ぐらいを目安に、講義の受講を中心に勉強しました。夏から少し勉強時間を増やして6～7時間、年明けてから直前期までは7時間ちょっとで、直前期とか試験が始まるぐらいの時期は8～10時間勉強しました。

私は大学2年生の12月からLECに入ったんですけど、初めは全くやる気が出なくて大学3年生の5月くらいまでは1日2時間とかできればよかったほうかなと思います。3年生の5月から12月までの間は毎日だいたい6時間くらいはやっていました。年明けからは10時間くらいで、3月・4月の直前期は12時間くらいやっていました。

大学3年生の11月から勉強を始めて、1日1時間くらい勉強しました。12月もそれぐらいで年明けて1月は1日3～4時間くらい勉強しました。2月もバイトをしてたのでまた1日1時間くらいで、4月・5月が1日8時間くらいでした。

自分は大学3年生の9月にLECに入りました。9月くらいから勉強を開始するのは結構遅いって言われたので、かなり焦っていて9月から1日7時間くらいやって、年明けからは1日10時間

くらいやって、直前期は１日12時間くらいやってました。

講師 一部例外の方がいらっしゃるけれど、だいたい同じような傾向が出てますね。数字系の科目（数的処理・経済学）が得意な人は勉強時間が短い傾向にあります。

　最初の頃は、２〜３時間やって、だんだん増やしていくことが多いですね。逆に、初めに一気に勉強をして減らしていく方もいましたね。色んなパターンがあるということですね。言えることは、総勉強時間はそんなに変わらないっていうことです。

　結局、大事なのは総勉強時間なので、早くやったら後が楽になるし、遅く始めると後が大変ってことですね。
あとは、皆さん気になるのが小論文とか面接をどれくらいから始めたかだと思います。特に、面接はなんとなく面接対策を始める時期と、本格的に面接練習し始める時期があると思います。それがいつぐらいかっていうのを聞いていこうかなと思います。

　まとめて聞いちゃいましょうか。まず、小論文を始めた時期はだいたいどれくらいですか？　おそらく皆さん１月くらいになるかと思います。

（合格者うなずく）

講師 小論文は先にやる必要ないですね。
　早くやりたいと思うかもしれないけど、学科の試験ができていないと論文は読んでもらえません。ですから大体１月くらいに開始ですかね。

　あとは面接だよね。面接準備は段階があって、ネタ作りを始めましたっていう段階と、本格的にやり始める段階ってあると思うんですよ。それを聞いてみようかなと思います。

Aさん 私は大学３年生の夏にインターンに行ったので、大学３年生の５月くらいには、ほぼ公務員試験本番で出すようなESはもう完成していました。正直面接カードはもう大学３年生の５月ぐらいに完成していたので、そのまま大学４年生の面接に持っていったっていう感じ。

講師 Aさんは結構早かったもんね。じゃあ次、Bさん。

 面接の練習をちょっとしたのは、3年生の2月くらいです。そこから筆記試験が始まってからは全然やってなくて、ちゃんとやり出したのは一次試験に合格して面接日が決まってからです。

 私は東京都庁が第一志望だったので、やりたい仕事を面接カードに書く必要があるのでそれを考え始めたのは大学3年生の11月からでした。具体的には、都庁は結構イベントを開催しているので、自分のやりたいことに関連したイベントに参加できるようにする準備のため早くから始めました。一方で、他の試験種の面接カードを書き始めたりしたのは一次試験合格後で、話す練習をしたのは6月からでした。

 面接カードを書き始めたのは5月くらいで、一次試験が終わり始めた頃でした。面接練習を始めたのも一次の結果が出始めた6月以降という感じでした。

 1年前の夏ぐらいからネタ作りを軽くしていました。実際の面接練習は一次試験が終わった後の6月中旬ぐらいからです。

 私の場合は1年前の4月から11月ぐらいまでに志望動機を作りにボランティア行ったりとか、ガクチカを作るためにアルバイトをいくつかやったりして結構完成させていました。3年生の12月ぐらいからESをなんとなく考え始め3月までには完成させました。その後はしばらく何もせず、面接練習を本格的に始めたのは、一次試験終わった後なので6月半ば頃ですね、そこから毎日友達と想定問答集を作って、ズームや対面で練習をしました。

特別区を受けることは、初めのほうから決めていたので、大学3年の夏休みぐらいから特別区に向けてネタ作りしていました。特に私は課外活動をあんまりしてこなかったのでガクチカを早めにまとめるようにして、大学3年生の夏頃に面接で何を話そうかなっていうネタ作りをしていました。面接練習は一次試験が終了した6月以降から力を入れて取り組みました。

私の場合はガクチカに対しては特別意識したというわけではないですが、持ちネタを増やすように1年の頃から色々と経験することで何かしら書けるんじゃないかと思っていました。面接カードに軽く書けるかどうか試したのが3年生の12月くらいで、ちゃんと書き出したのは4年生の4月、本当の面接練習を始めたのは5月ぐらいになっていたと思います。

面接カードの記載事項について考え始めた時期としましては、大体前年の12月くらいです。自分も特別区を受けたので3月にある程度作って、一次試験を受けてその後の6月ぐらいから面接の練習を行っていました。

講師 皆さん結構気にするんだけど、そんなに早くはやってないんですよ。ネタを作ることが大事なんですよ。面接ではバイトやサークル、ゼミのことなどを話す人が多いですが、そういったことをあまりしていない人、やっていたけど真剣にやっていたとは言えない人は、様々な社会経験を積むことが必要です。
　準備のためにやってよかったことはなにかある？

私の場合は、ネットで調べて接客業で一番厳しいと評判のところにバイトに行きました。まず、ガクチカをどんなこと言えばいいかを最初にLECの動画で見て意識してからアルバイトに取り組んだのが良かった。ガクチカはやっぱり3つぐらいは必要なんで、その準備を早めにする必要があります。

講師 他に、これをやってよかったってものありますか。

Eさん 志望動機にやりたい仕事を書くと思うんですけど、その志望動機と関連するボランティアをやっておくと、後々自分の経験について話をしやすくなると思います。

講師 本当に、志望動機は皆さん苦労しますからね。
皆さん、志望動機、つまり公務員になって具体的に取組みたいことは、公務員試験を受けることを決めたときから決まってましたか？

（1人挙手）

講師 実際に、多くの人は、人の役に立ちたいとか、地元に貢献したいとか安定のような待遇とかなんとなく、ふわっとした理由で、公務員試験の受験を決めた感じかな？

（7人挙手）

講師 1対7でこんなもんですよね。
公務員試験の勉強を開始する段階では、具体的に何をしたいかまでは決まっていなくて、漠然と公務員という感じの人が多いですね。公務員試験の勉強をする中で、説明会に参加したり、パンフレットを読んでいく中で、やりたい仕事が明確になっていくという人が多いですね。

（一同うなずく）

講師 ということで、これから公務員を受験しようか悩んでいる方も、勉強を開始する時点では、漠然とした理由でいいので、勉強を開始しましょう。悩んでいる間に試験が始まってしまいますので。
　次に聞きたいのが、最初の第一志望と実際の就職先が変わった人、手を挙げてください。

（多くの人が挙手）

 講師 じゃあ、なぜ変わったのかを聞いていきたいと思います。

 私の変わった理由は説明会に行ったからです。最初は公務員っていうか役所っていうイメージで区役所とか市役所かなって思ってたんですけど、いろんなところを聞いてみると知らなかった仕事がいっぱいあるって分かって国家公務員に変わりました。

 面接対策・自治体研究や説明会に参加することを通じて、各受験先がやっている政策などが明らかになっていき、自身のやりたいことが明確化されたことから最終的には変わりました。
それまでは漠然と公務員になりたいなと思っていたのですが、やりたいことが明確化されたので志望先を変えました。

 私が変えた理由としては、大きな軸として働き方を大事にしていて、1番働きやすいところを最初志望していて勉強していく中でもっと働きやすいところが見つかったからです。
あとは説明会に参加していく中で、尊敬できる職員さんに出会えたことも理由になっています。

 私は人と接することが好きだったので最初は基礎自治体を第一志望としていたんですけど、最終的には国家一般職の方にすることにしました。最終的に決めた理由としては、今自分が一番挑戦したいことを第一に決めました。やっぱり基礎自治体の方が働き方は合っていたんですけど、自分自身が挑戦してみたいことという観点では国家一般職の方に魅力を感じていたので変更しました。

 色々と合格した場所を比較した上でどっちの方が、働いて面白そうだろうかということを考えました。その上で元々志望していたところではなく、別の合格したところに行こうと決めました。

講師 結構変わったりするんで、色々説明会に行ってほしいですよね。あまり初志貫徹する方は多くないですね。
他に何か話したいことある方いますか？

 Eさん どれくらい勉強すればいいか、反面どれぐらい遊んでいいのか気になっていました。私は周りの人の状況がよく分からなかったのであくまで一例ですけど、私自身は直前期まで月に1、2回ぐらいは勉強しない日を作って遊んでました。直前期も月に1回ぐらいは遊んだりして勉強しない日を作らないようにはしていました。あとは旅行とかも1年で2回くらい行ったので、これでも受かるってことをお伝えできればと思います。

講師 メリハリですよね。適宜ストレスを抜かないと長い期間勉強できないので上手くやって欲しいかなと思います。Eさんみたいに皆さん周りの状況は気になってましたか？

（一同うなずく）

講師 Hくんはどうでしたか？

 Hさん 気になっていたんですが、LECでは、合格者ゼミや交流会があって、他の受験生と話したり仲良くなれる機会がけっこうあるので、そこで話すことで悩みを共有したり、お互いの状況を確認することができたので、よかったです。

講師 見てくれている方から「皆さんどんなボランティアやってましたか？」という質問が来ています。やっていた人はボランティアの内容を教えてください。

私が参加していたボランティアは具体的な内容としましては、ダイビング機材を背負って水中に潜るというものです。このボランティアの内容が元々自分が考えていた志望動機と全く絡まないことだったので、もっと吟味すればよかったのかなと思います。参加した理由としましては、一応大学生の時にそのダイビング資格を取っていたので資格を活かせるのをやりたいなって考えたのと、単純になんか面白そうなボランティアを選んだ結果です。

 じゃあ、次は役に立ったという話だと嬉しいんですけど。

 特別区の障害者支援ボランティアに行きました。例えば車椅子の使い方を小・中学校の子たちに教える手伝いをしたり、あとは障害者施設で清掃とかのお手伝いに行きました。施設で聞いた現状や、利用者の悩みから志望動機を作りました。
もう一個は、一人親家庭の教育支援ボランティアをやりました。

 私はずっと部活しかしてこなかったので、部活以外にいろいろな経験をしておいた方がいいと思いました。民間の学童で子供たちと運んだり、一緒に勉強するというボランティアをしていました。

 障害のある子どもたちの学童でボランティアをしていて、今はそこでアルバイトさせていただいています。きっかけは別に公務員試験とは関係なくて、本当にそこに興味があったから行ったんですけれども結果としては、障害のある子どもとか、その親御さんとか、それを支える人たちがどういう状況に置かれているのかを自分の体験として知ることができました。自分の経験をESに書くことができるのでやってよかったと思います。

 公務員試験の面接で話すという観点からすると、単発のボランティアだと、あまり問題に触れる機会も少ないかと思います。施設に通うとかみ

たいに継続的な方がいいかなと思います。ほかに何か質問ありますか？　特に、面接で受けがよかった話とかあります？

ホームページを結構細かく見たことを言うと人事の方が「見てくれてるんですね！」と喜んでくれたので、必ず受ける前はホームページを見ていました。

私は人事の人を褒めることをしました。具体的には、「説明会に行って人事の○○さんとお話しさせていただいたんですけど丁寧に仕事を教えてくれてうれしかったです。」と言うと面接官もその方を知っているのですごく面接の雰囲気がよくなりました。

特別区でちょっとアルバイトしていたんですけれども、その経験は面接のときにすごく使えるなぁと思って、窓口業務での経験を話しました。

講師　取得したほうがいい資格とかありますか？　という質問が来ています。一般的にはあんまりないんですけど、簿記は国税専門官の職務にも試験にも関係があるのでやっておくといいですね。。

他は、国家公務員の総合職ではTOEICなど英語のスコアでの加点があるのでやってもよいかと思います。公務員試験の勉強時間を削ってまでやる必要はないですね。

今日、改めてわかったことはちゃんと勉強＆面接対策を行えば受かる試験ということですね。では、今日は以上で終わりにしようと思います。

（注）
①なるべく座談会の雰囲気を味わってほしいので各自の発言は口語調のままにしてあります。
②個人が特定されそうな内容に関しては一部脚色をしてあります。

第8章

テキスト・問題集の紹介

1 テキスト・問題集について

2 社会科学（政治分野）テキスト見本

3 社会科学（政治分野）問題集見本

1 テキスト・問題集について

1 完全オリジナルの基本テキストKマスター

　LECのインプット講義で使われるテキスト「Kマスター」は、実際に講義を行っている講師が作成・改訂に携わる完全オリジナルのテキストです。合格に必要なエッセンスはもちろんのこと、法改正や判例変更、統計データの改訂、最新の出題傾向など、毎年のように変わっていく情報にもキャッチアップしていますので、安心して学習することができます。

①「学習のポイント」で効率的な学習を！

　各セクションのはじめには、そのセクションでの学習ポイントを簡潔に説明していますので、事前に一読すれば、学習を効率よく進めることができます。

②図表を多用しわかりやすさを追求！

　内容をわかりやすくするために、各所に図表をふんだんに掲載しています。単に文章を羅列しただけの一般的なテキストと比べて、学習内容の定着度が違います。また、側注の重要ポイントの補足解説で理解力もアップします。

③受講後すぐに過去問にチャレンジ！

　テキストの各所に『過去問解きまくり！』（問題集）のリファレンスを掲載していますので、毎回受講後すぐに、受講範囲の本試験過去問に取り組むことができます。

④本試験の出題傾向が一目でわかる！

　テキストの冒頭部分に主要試験で出題されている項目一覧があります。志望職種の出題傾向を知ることで、その科目の重要項目を知ることができ学習計画を立てやすくなります。

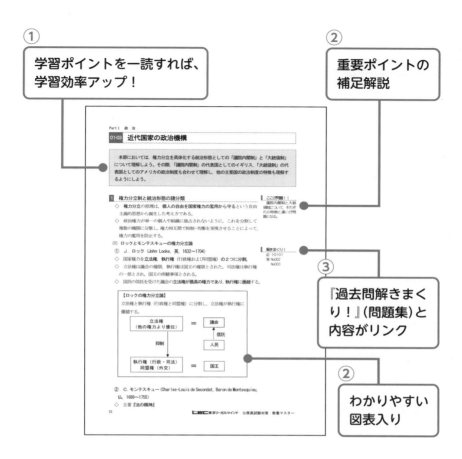

① 学習ポイントを一読すれば、学習効率アップ！

② 重要ポイントの補足解説

③ 『過去問解きまくり！』(問題集)と内容がリンク

② わかりやすい図表入り

④出題傾向～憲法(参考)

			国家一般職						国税・財務・労基						
			16	17	18	19	20	21	22	16	17	18	19	20	21	22
人権	1-1	人権の意味・限界														
		法の下の平等	○		○				○	○					○	○
	1-2	思想・良心の自由				○	○		○							
		信教の自由		○				○		○		○			○	
		学問の自由	○													
		表現の自由	○			○		○				○	○		○	
		集会・結社の自由,通信の秘密							○							
	1-3	職業選択の自由		○						○				○		
		財産権		○			○			○				○		
		住居・移転の自由,国籍離脱の自由		○												

2 過去問解きまくり！（問題集）

〈本問題集の特徴〉

⑴見開きで学習しやすい！

　過去問の問題と解説を一題ずつ見開きで掲載していますので、誤肢のどの箇所が誤りなのか確認しながら学習できます。

⑵出題傾向と対策が一目瞭然！

　各章のはじめには、その章で扱うテーマに関する過去９年の出題傾向の分析と対策が見開き２ページでまとめられていますので、志望職種の出題傾向と対策を、ひと目で確認することができます。

⑶対策に十分な問題数！

　一冊（一科目）平均170題の過去問を分野別に網羅的に掲載していますので、科目別の対策に十分な数の過去問を解くことができます。

〈本問題集の利用方法〉

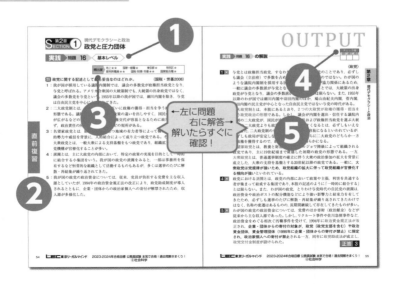

❶難易度

収録された問題について、その難易度を「基本レベル」「応用レベル」で表しています。

1周目は「基本レベル」を中心に取り組んでください。2周目からは、志望先の採用試験について頻出度が高い「応用レベル」の問題にもチャレンジしてみましょう。

❷直前復習

LEC専任講師が厳選した重要な問題には、「直前復習」のマークを付けました。試験の直前に改めて復習しておきたい問題です。

❸頻出度

各採用試験において、この問題がどのくらい出題頻度が高いかを★の数で表しています。志望先に応じて学習の優先度を付ける目安にしてください。

❹チェック欄

繰り返し学習するのに役立つ、書き込み式のチェックボックスです。学習日時と正解したかを書き込んで復習の際に利用してください。

❺解答・解説

解答と解説が問題文の右ページに掲載されています。選択肢の正誤を判断する問題では、肢1つずつに正誤と詳しく丁寧な解説を載せてあります。また、重要な語句や記述は太字や色文字などで強調しています。

〈LEC専任講師からのメッセージ〉

LECのテキスト・問題集を使い公務員試験の合格を勝ち取ってください。次頁から社会科学のテキストの政治分野のページと『過去問解きまくり！』(問題集)の一部抜粋を掲載いたします。教材の良さがわかってもらえるはずです。

2 社会科学（政治分野）テキスト見本

01 政治原理と政治制度

01-01 国家観の変遷

> 国家をその機能的な側面から分類した場合の「夜警国家」から「福祉国家」への移り変わりは，政治，法律，経済の各分野において大きな影響を与えている。この国家の機能的な変遷を理解することは，社会科学（政治経済）を学習し，深く理解するための土台となる。

1 近代初期の国家

強力な君主（**絶対君主**）をその頂点に置く**近代主権国家**においては，君主が無制限の政治権力を掌握し，国家全体を直接かつ絶対的に支配する**絶対主義国家**体制を採用する。

2 市民革命以後の国家

市民革命は，**市民の自由（権力からの自由）**が保障される政府を求めて遂行されたため，**政治権力の制限（コントロール）**に主眼が置かれることになった。絶対主義国家のような**人の支配**に代わり**法の支配**が確立し，政府の**権力分立制**が導入された。自由主義思想に裏打ちされた国家観といえる。

> **ここが問題！！**
> 「夜警国家」とはどのような国家観であるのかが問題となる。

> **解きまくり！**
> 実 No.001

(1) **夜警国家**
- ◇　支配階級に上昇したブルジョワジーの自由放任主義（レッセ・フェール）思想に適合した国家像で，**国家の役割を国内の治安維持と防衛など最小限に限定**している。
- ◇　国家は，国民の私的経済活動や社会活動には介入すべきではないとされ，小さな政府（安価な政府）が理想とされる。
- ◇　ドイツの国家社会主義者**F．ラッサール**（Ferdinand Lassalle, 独, 1825～1864）によって夜警国家と揶揄された。
- ◇　消極国家，自由国家とよばれることもある。

(2) **立法国家**
- ◇　夜警国家の時代には，政治的領域が限定され，議会は立法機能を十全に発揮できた。
- ◇　行政活動は議会の定めた法律に基づいて行われることとなり，ここに**立**

Part I　政　治

法権の行政権に対する相対的優位が成立するようになる。この意味でこの時期の国家は**立法国家**とよばれた。

問題の答え：×

> 問題：夜警国家は大衆民主主義の下で成立した国家観であり，国家の機能を最小限に止めようとするものである。(地上)

③　20世紀の国家

高度に発展した資本主義経済は，富の偏在や労働条件の劣悪化といった社会問題を生み出したことから，国民の生活保障も国家の重要な任務として認識されるようになっていく。自由民主主義思想に裏打ちされた国家観であるといえる。

ここが問題！！
「福祉国家」や「行政国家」とは，どのような国家観であるのかが問題となる。近代市民社会から現代大衆社会への変遷を理解しよう。

(1) 福祉国家

◇　富の偏在などの問題を克服するため，**国家が国民生活に介入し，社会的・経済的弱者を救済**することを目指す。

◇　政府が社会保障や完全雇用の達成を目指す経済政策などの実施を通じて，国民の生活水準や福祉の向上が図られることとなった。

◇　**積極国家，社会国家**ともよばれることもある。

解きまくり！
実 No.001

(2) 行政国家

◇　福祉国家化に伴い，政治領域は量的に拡大するとともに質的に複雑化し，政治における専門的技能の必要性が飛躍的に増大し，議会の中心的地位は揺らいでくる。

◇　質的に複雑化した政治問題の処理は議会では困難になり，行政部の政治的比重が高まる。

◇　この結果，国政の中心は立法府から行政府へと移行していき，**行政権の立法権に対する優位**が生まれた。このような現象を**行政国家化現象**とよぶ。

◇　行政国家化現象が進展するにつれ，**行政権の肥大化**という問題が生じる。

01-02　近代の政治原理

　ここで取り上げる近代の代表的な思想家については，その哲学を国家観の変遷と関連付けて理解するようにしよう。また，社会契約説の代表的論者であるホッブズ，ロック，ルソーの3者については，本試験において頻出するので，3者の考えの異同を確実に理解しよう。

1　絶対主義時代の政治思想

　　絶対主義時代は政治が宗教権力から独立してその自律性を獲得していく時代である。

　　当時のヨーロッパでは，ルネサンスと宗教改革を経て，一方でローマ・カトリック教会と中世封建貴族の勢力が衰退し，他方では絶対君主の権力基盤が強化されるというかたちで，**中央集権国家**が形成されていった。

(1) N．マキャヴェリ（Niccolo Machiavelli，伊（フィレンツェ），1469～1527）

◇　主著『**君主論**』

◇　マキャヴェリの政治思想は，**徹底したリアリズム**と**目的合理主義**の立場に立つもの。

◇　**政治思想を神学や倫理学から解放**することにより，政治の自律化と世俗化を推進。

◇　政治においては美徳の行使は役に立たないばかりか時には有害でさえあり，逆に目的達成のためには道徳的に悪とされる手段であっても正当化される。

　　＝「（支配者は）**ライオンの力とキツネの狡さを持て**」「**目的は手段を正当化する**」（マキャベリズム）

(2) J．ボーダン（Jean Bodin，仏，1530頃～96）

◇　主著『**国家論**』

◇　**国家**と**主権**という2つの概念により，絶対王政の確立に思想的な武器を提供した。

◇　「国家とは多数の家族とそれらに共通なものに対する，主権をともなった正しい統治である」と定義し，国家と家族を類似関係において捉えて，君主（→家父長）の絶対的な支配を強調した。

◇　国家をほかの団体などから決定的に区別する基準を主権であると定義し，**主権という概念を「国家の絶対的かつ恒久的な権力である」**とした。

ここが問題！！
マキャヴェリとボーダンの政治思想の概要と主著をおさえることが大切となる。

解きまくり！
実 No.001

王権神授説
　16世紀から17世紀のヨーロッパにおいては，絶対君主の権力を根拠づけるための理論として王権神授説が用いられた。
　王権神授説では，君主政は神によって定められた政体であり，王位継承権の不可侵性や国王に対する絶対服従は，背後に神が位置づけられているがゆえに正当なものとされた。

主権の絶対性と恒久性
　主権の絶対性は，国内的にはこれを超える権力が存在しない（国内的最高性）ことと，対外的には独立している（対外的自立）ということを含意。
　主権の恒久性は，主権が直接国家に帰属し，個々の君主や機関に帰属するものではないことを含意。

Part I 政 治

2 社会契約説

ここが問題!!
ホッブズ, ロック, ルソーの社会契約説の理解と, それぞれの特徴の比較が問題となる。

◇ 17世紀から18世紀の市民革命期の代表的な政治思想である**社会契約説**では, 一切の社会的秩序のない**自然状態を想定**し, そこから個人がその自然権を確保するために相互に社会契約を結び, その結果として国家が設立されるという理論構成をとる。

◇ 代表的な思想家として, **ホッブズ, ロック, ルソー**が挙げられる。

(1) T．ホッブズ (Thomas Hobbes, 英, 1588〜1679)

◇ 主著『**リヴァイアサン**』

解きまくり!
必 1-01-01
実 No003
No006

◇ 自然権は自己保存権 (自己の生命身体を保全するために必要な一切のことをなす権利)。

◇ 人間は自然状態において自由で平等であるが, 各人が自己保存権の実現を求めるために相互不信と恐怖が生まれ, **自然状態は「万人の万人に対する闘争」**状態となる。

◇ 人民は, 自己の自然権である自己保存権を唯一の人間または唯一の合議体に委譲する契約を人民相互に結び, 主権をもった国家が設立される。

◇ 国家は, 再び自然状態へと転落する危険性を回避するために絶対・不可分・不可侵の主権をもち, これに対する**抵抗・反逆は許されない**。

(2) J．ロック (John Locke, 英, 1632〜1704)

◇ 主著『**統治二論**』(『統治論』,『市民政府二論』)

解きまくり!
必 1-01-01
実 No003
No006

◇ 自然権は生命, 自由, 財産に対する権利。

◇ 自然状態は, 一応は**平和な状態であるが不安定**で潜在的には常に闘争状態へと転落する可能性がある。

◇ 不安定状態を脱却して自然権の享受を確実なものとするために人民は契約によって共同社会を形成し, 次いでそこに統治機関を設立してその権力を信託する。

◇ 権力の集中による政府の暴政を防ぐため, **統治機関を立法機関と執行機関に分割する**。

◇ 統治機関が設立目的に反する活動をした場合, **人民には一方的に信託を取り消し政府を交代させる権利が留保されている** (抵抗権・革命権)。

(3) J．J．ルソー (Jean-Jacques Rousseau, 仏, 1712〜1778)

◇ 主著『**人間不平等起源論**』,『**社会契約論**』

解きまくり!
必 1-01-01
実 No004
No006

◇ 自然状態は, 人間は相互の依存関係を欠いた完全に孤立した状態であり, 自由で自足的な幸福を享有している。

◇ 現実の社会 (文明社会) は, 自然状態で人間が有していた善性や自由や平等が失われ, 私有財産制に基づく不平等と支配と悪徳のはびこる社会である。

6

◇　人間性が堕落した現実社会を改めて人間性を回復するために各人は自身のもつすべての権利とともに自分自身をも共同体に完全に委譲する（ここで成立する共同体の意思が**一般意思**）。

◇　一般意思は、常に公共の利益を目指し、決して誤りを犯すことがないものとされており、それゆえに人民は一般意思に服従することを義務付けられる。

◇　人民は一般意思の表現形態である法に遵うことによって完全な自由を獲得するとされる。

◇　一般意思は、他者に譲渡することも分割することもできないため、代議政治は否定される（**人民主権・直接民主制**）。

> 問題：ホッブズは、自然権を守るために、契約によって政府を作るべきであるとし、政府が人民の信頼を裏切って自然権を侵したときは、人民はそれを作り変える正当な権利を有すると説いた。（特別区）

問題の答え：×

③　自由主義と民主主義

(1) 自由主義

◇　自由主義は、単純化していえば個人の自由を尊重する考え方で、財産権や経済的自由の保障を求めたり、思想・良心の自由や政治的な自由を要求するものである。

◇　自由主義には、他人から干渉されずに放任されているという強制の欠如（消極的自由）を意味すると同時に、他人や欲望に支配されず、自己の主人であること（積極的自由）という２つの側面がある。

◇　自由主義は個人の自由を擁護することを求めるものであり、何よりも個人の自由を侵害するのはと考えられたのは国家権力であったため、自由主義思想は個人の諸権利や自由を国家権力の濫用から擁護するための制度に結実していった。

(2) 民主主義

◇　民主主義は、基本的には人民による支配を特徴とする政治形態、あるいは、治者と被治者の同一性に基づく統治形態（「多数者の支配」）である。

◇　市民革命によって成立した議会制民主主義は、当初は財産資格によって参政権が厳しく制限されていたため、民主主義的要素よりも自由主義的要素がはるかに強かった。

◇　自由主義を支える立憲主義や議会主義は 19 世紀までは少数政治の道具として機能しており、民主主義自体に対する否定的評価も根強かった。

→　多数者の支配とされる民主主義は、貧困で教養に乏しい大衆による支配とされ、否定的に評価されていた。

A. トクヴィル
アメリカを訪問し、アメリカ社会を分析するなかで、民主主義社会でも自由が維持されうるとした。
民主主義と自由主義との矛盾にも注目し、民主主義が多数派による意思決定のみになるならば、少数派の自由が多数派によって侵害されるとした（多数者の専制の危険性）。

Part I 政治

4 現代の自由主義・共同体主義理論

(1) ロールズの正義論

ここが問題！！
ロールズの理論そのものが問題となることも多いが，他の理論との違いや争点が問題となる。

◇ J．ロールズ（John Bordley Rawls, 米，1921〜2002）は，功利主義を批判し，公正な条件の下において合理的に選択された原理を正義の原理とする**公正としての正義**を提唱した。

解きまくり！
実 No.005

◇ ロールズによれば，すべての人々が社会契約状態に入った場合に自らが占める地位をまったく知ることができないとする「無知のヴェール」という情報制約下では，その最も不利な状態が受け入れがたいものではないようにする正義の原理を全員一致で合理的に選択する（マクシミン・ルール）。

◇ **第一原理**：「**平等な自由の原理**」

各人は，ほかの人々にとっての同様な自由と両立しうる最大限の基本的自由への平等な権利を持つべきであるとする考え方。

◇ **第二原理**

a 「**格差原理**」：社会的・経済的不平等は，最も恵まれない人々の最大の利益になるよう，配置されるべきとする考え方。

b 「**公正な機会均等原理**」：社会的・経済的不平等は，公正な機会均等という条件の下にすべての人に開かれている職務や地位にのみ伴うよう，配置されるべきとする考え方。

◇ ロールズの理論は，アメリカリベラリズムの基盤として位置づけられた。

問題：1970年代に『正義論』を著したアメリカの政治哲学者ジョン・ロールズは，正義の原理をもとに所得の再分配等の福祉政策を理論的に擁護した。ロールズは，「無知のヴェール」に覆われているとする仮想的条件を提言し，そのような「原初状態」において，市民は社会的・経済的不平等を是正する福祉政策の充実を合理的に選択するはずであると論じた。（裁事・家裁）

問題の答え：○

(2) ノージックのリバタリアニズム

◇ R．ノージック（Robert Nozick, 米，1938〜2002）は，『**アナーキー・国家・ユートピア**』（1974）において，福祉国家を批判して，政府は市場に介入することなく，市場における取引の結果を尊重すべきであると主張。

◇ 市場の取引の結果は，我々の自由な行動の結果であり，これに対して政府が介入することは，個人の自由の侵害にすぎず，道徳的・倫理的正当性をもたないと主張した。

◇ ノージックのように，自由を最大限に尊重する立場は「リバタリアニズム」（自由至上主義）と呼ばれ，アメリカ保守主義の基盤となった。

① 最小国家論

- ・ 自然状態（無政府状態）
  - →自らとその権利を守る「相互的保護結社」を形成
  - →「最小国家」へ包含される。（夜警国家的発想）
- ・ 社会契約的な論理構成を用いながらも，ロールズとはまったく異なった結論を導出。

② 権原理論　　使用・収益・処分可

- ・ 所有物を正しく取得（交換を含む）した人は，その所有物への権原をもつとされ，それ以外の**権原**は存在しないという。
- ・ 取得における手続が正しいならば，その結果もまた正しいということ。
- ・ ロールズらリベラリズムの陣営が主張するような財の再配分は何ら正当性を持たないということになる。

> **権原**
> ある行為をすることを正当なものとする（法律上の）原因。

(3) M．サンデルによるリベラリズム批判

◇ M．サンデル（Michael J. Sandel, 米, 1953～）は，ロールズが考えるあらゆる社会的属性を欠いた，共同体の伝統や歴史から切り離された人間像（「負荷なき自己」）を批判，現実には共同体に先立つ個人はないと主張した。

◇ 個人を社会的な存在と考え，共同体やその伝統を重視する**コミュニタリズム**（共同体主義）を提唱し，リベラル - コミュニタリアン論争が起こる。

◇ 主な著書に『自由主義と正義の限界』(1982)がある。

(4) A．センによるリベラリズム批判

◇ A．セン（Amartya K Sen, 印, 1933～）は，自由・機会・所得などのようなものが公正に分配されるだけでは不十分であると主張した。

◇ センは，財を利用することで得られる状態や活動を「**機能**」とし，機能を合わせたものを「**潜在能力**」（ケイパビリティ）と呼んで，人々が潜在能力において平等であることを提唱した。

◇ 人々の潜在能力を拡大することが**福祉の目的**であると主張した。

◇ 主な著書に『**貧困と飢餓**』(1981)，『**不平等の再検討**』(1992) などがある。

Part I 政 治

01-03 近代国家の政治機構

　本節においては，権力分立を具体化する統治形態としての「議院内閣制」と「大統領制」について理解しよう。その際，「議院内閣制」の代表としてのイギリス，「大統領制」の代表国としてのアメリカの政治制度も合わせて理解し，他の主要国の政治制度の特徴も理解するようにしよう。

1 権力分立制と統治形態の諸分類

◇　権力分立の原理は，個人の自由を国家権力の濫用から守るという自由主義的思想から誕生した考え方である。

◇　政治権力が単一の個人や組織に独占されないように，これを分割して複数の機関に分散し，権力相互間で抑制・均衡を実現させることによって，権力の濫用を防止する。

ここが問題!!
議院内閣制と大統領制について，それぞれの特徴と違いが問題となる。

(1) ロックとモンテスキューの権力分立論

① J. ロック (John Locke, 英, 1632〜1704)

◇　国家権力を**立法権**，**執行権**（行政権および同盟権）の２つに**分割**。

◇　立法権は議会の権限，執行権は国王の権限とされた。司法権は執行権の一部とされ，国王の所轄事項とされる。

◇　国民の信託を受けた議会の**立法権が最高の権力**であり，**執行権に優越**する。

解きまくり!
必 1-01-01
実 No002
　 No003

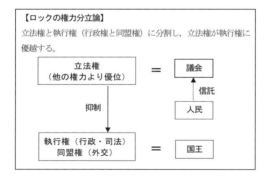

【ロックの権力分立論】
立法権と執行権（行政権と同盟権）に分割し，立法権が執行権に優越する。

② C. モンテスキュー (Charles-Louis de Secondat, Baron de Montesquieu, 仏, 1689〜1755)

◇　主著『法の精神』

10

◇ 立法権，執行権（行政権），裁判権（司法権）の三権が分割されるのみならず，独立した機関に属し，相互に抑制と均衡を保つことにより市民の自由や権利が保障される。

【モンテスキューの権力分立論】

立法権・行政権・司法権の３権に分割し，おのおのが独立して相互に均衡を保つ。

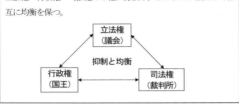

君主制と共和制
　君主制は，国家元首の地位が世襲によって継承される国家形態で，イギリスやオランダが代表例。
　共和制は，国家元首を選挙によって選び出す国家形態で，アメリカやフランス，ドイツが代表例。

(2) 統治形態の諸分類

① 議院内閣制

◇ 一般的に行政府（内閣）が立法府（議会）の信任の上に成立している政治制度のことをいう。

◇ 行政府に対する立法府の優位を体現した**イギリス**において発展した。

◇ 一般的に**議会の第一院**における多数派から首相が選出され，選出された首相が内閣を組織し，内閣は議会に対して連帯して責任を負う。

◇ **閣僚は国会議員の中から選出**されることが多い。

◇ **立法府と行政府は協力関係**にあり，この協力関係が維持されなくなった場合に国民の審判を仰ぐ（内閣には**議会の解散権**，議会には内閣に対する**不信任決議権**がそれぞれ付与されることがある）。

単一国家と連邦国家
　単一国家は，広範囲な地域社会に対して排他的かつ絶対的な唯一の権威（主権）を集めている国家形態。
　連邦国家は，複数の支分国（地方政府（国家））が単一の主権の下に結合して１つの国家を形成する国家形態。

【議院内閣制】

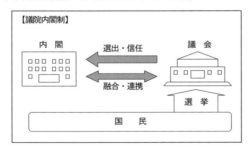

Part I 政 治

② 大統領制

◇ 行政府の長である**大統領にきわめて強い権限**が与えられている制度。

◇ 行政を担当する大統領は，**立法を担当する議会とは無関係に選出**されることが多く，原則として議会に対して責任を負わない。

◇ **立法府と行政府の役割が厳格に分離**されることによって両者の権能が明確化されているため，議会による大統領の不信任決議権や大統領による議会の解散権などは存在しないことが多い。

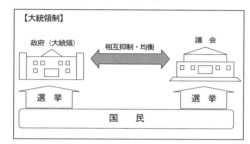

【大統領制】

政府（大統領） ← 相互抑制・均衡 → 議 会

選 挙　　　　　　選 挙

国　民

---

2 主要国の政治機構

(1) イギリスの政治機構

① 基本的原理

◇ **立憲君主制**（議会主義的君主制）の国家で，**成文の憲法典をもたない**（憲法習律に依拠）。議院内閣制を採る国の典型で，諸権力の分立は必ずしも明確ではない。

② 国 王

◇ 長い伝統の中で**「君臨すれども統治せず」**の原則が確立。

◇ 内閣（首相）の助言に基づきその**大権**（理論上は現在も国王の手中に留められている諸権限）を行使する慣習となっている。

③ 議 会

◇ 二院制で，非民選の上院（貴族院）と民選の下院（庶民院）からなる。

◇ 上院の議員は，宗教貴族，世襲貴族，一代貴族から構成されているが，大半は一代貴族である。

◇ 上院は，実質的な権限の多くが奪われており，選挙に基づき構成される**下院が上院に優越する立場にある。**

◇ 任期は下院が5年に対して，上院は終身となっている。

◇ 下院には内閣不信任決議権がある。

ここが問題！！
イギリスやアメリカの政治機構などが，議院内閣制と大統領制の特徴と共に問題となる。

解きまくり！
実 No.007
　 No.008
　 No.009
　 No.014
　 No.015
　 No.030

◇ 議会任期固定法により，下院の解散は，内閣不信任決議に対する解散権の行使，または，下院の3分の2以上の賛成による自主解散権によってのみと限定されている。

④ 内 閣

◇ 首相と閣僚からなる内閣は，議会（下院）に対して連帯して責任を負い，その存立も議会（下院）の信任に基づいている。

◇ **下院総選挙の直後に，通常は，下院第一党の党首が国王から首相に任命**される（首相の指名選挙をすることはない）。

◇ 任命された新首相は，行政事務を分掌する大臣の人選を行う（**大臣は全員議員**）。

◇ 内閣は予算案・法律案を議会に提出する権限を有する。

◇ 下院に内閣不信任案が決議された場合，首相は内閣総辞職を決定するか，国王に下院の解散を要請しなければならない（実質的な下院解散権）。

⑤ 裁判所

◇ 従来，大法官を中心に法律貴族とよばれる人々が**上院内に上院上訴委員会を形成し，最高裁判所の役割**を果たしていたが，2009年10月に**最高裁判所が設置**され，上院から最高裁機能が分離された。

◇ **下級審では陪審制度が広く採用**されている。

◇ 議会主権の原理の論理的帰結として，**裁判所には違憲立法審査権**がない。

枢密院
枢密院は，国王の勧言機関という位置づけである。枢密顧問官は終身制で，歴代の閣僚や英国や英連邦有識者などから任命される。

影の内閣 (シャト゛ウ・キャヒ゛ネット)
イギリスでは，政権を担当できなった野党は，「影の内閣（シャドウ・キャビネット）」を組織し，次期政権を担う準備をする。影の内閣のメンバーには特別報酬や特別調査費が支給されている。

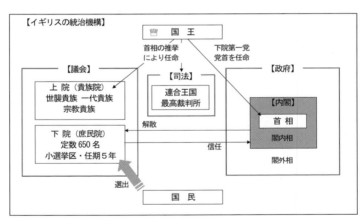

【イギリスの統治機構】

Part I 政治

> 問題：(イギリスの) 議会は，上院（貴族院）と下院（庶民院）からなり，各院の議員はいずれも国民の選挙により選出されるが，議会法により下院の優越が確立している。(地上・改題)

問題の答え：×

(2) アメリカ合衆国の政治機構
① 基本的原理
◇ **連邦共和制**で，現存のものとしては**世界最古の成文憲法典**（1787 年制定，翌年発効）をもち，きわめて**厳格な権力分立制**をとっている。

② 合衆国大統領
◇ **国家元首**であり，**行政権の長**である。高級官吏の任免を行い，連邦裁判所裁判官の任命を行う（上院の助言と承認が必要）。

◇ **大統領選挙人団による間接選挙**によって**任期4年**で選出される。**3選は禁止**されている。

◇ 反逆罪で**弾劾裁判**を受ける場合を除き，議会から責任を追及されることはない（政府閣僚ももっぱら大統領に対して責任を負う）。

→ 議会は大統領（や閣僚）を不信任することができず，大統領も議会を解散することができない。

→ 弾劾裁判については，まず，下院の過半数の議員が弾劾決議に同意すれば弾劾訴追され，上院による弾劾裁判となる。弾劾裁判では，上院の出席議員の3分の2以上が有罪の判断を下せば，大統領は罷免されるが，弾劾裁判で罷免された大統領はいない（2023 年1月現在）。

◇ 議会に対して**一般法案や予算法案を提出することができない**が，**教書**という形式で，議会に対して自己の意見や希望を述べる権限を有している。

◇ 議会で可決された法案に対し，法案を受け取ってから 10 日以内であれば**拒否権**を行使できる。ただし，上下両院が3分の2以上の特別多数で同一の法案を再可決した場合には，当該法案は大統領の署名なしで法律として成立する（**オーバーライド**）。

③ 連邦議会
◇ **州を基礎とする上院（元老院）**と**人口を基礎とする下院（代議院）**からなる二院制。

◇ 議会の行政権からの独立性が高く，**法案提出権は議員のみが有し，閣僚と議員の兼職は禁止されている**。

◇ 上院は，**定数 100 名，任期6年**。人口・地理的規模のいかんを問わず各州（全米 50 州）に2名議席が配分されており，各州では1人ずつ改選され，全国規模でみると**2年ごとに定数の約3分の1**ずつが改選されてい

解きまくり！
必 1-01-02
実 No.008
No.009
No.010
No.011
No.012
No.013
No.014
No.015
No.030

弾劾訴追されたアメリカ大統領
弾劾訴追されたアメリカ大統領はジョンソン氏（1868 年），クリントン氏（1998 年），トランプ氏（2019 年，2021 年の2回）の3人である（2023 年1月現在）。

教書
教書には，一般教書（年頭教書），予算教書，経済教書などがあり，大統領が必要に応じて随時議会に送る教書は特別教書といわれる。

上院の独自権限
条約締結の同意権，高級公務員の人事同意権など。

下院の独自権限
歳入法案（租税法案）先議権，高級公務員の弾劾訴追権など。

る。
◇ 下院は**議員定数435名**で，各州ごとに人口比に応じて議席が配分されて
おり，それぞれ小選挙区制によって当選者を決定する。**任期は2年で，2
年ごとに一斉に改選される。**

④ 裁判所

◇ 各州は独自の法律を制定する権限をもっており，裁判所も州法に関する
事件を裁く**州裁判所**と，連邦法に関する事件を裁く**連邦裁判所の二元的な
構成**となっている。
◇ どちらも**三審制**（ただし一部の州は二審制）が採用され，また**陪審制**も
広く用いられている。
◇ **違憲立法審査権**については憲法に明示規定がないが，**憲法慣習として確
立**されている。

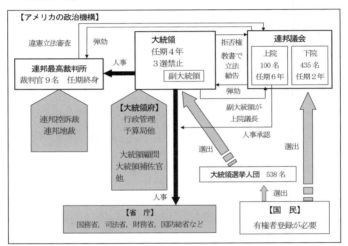

【アメリカの政治機構】

問題：連邦議会は上院と下院からなる二院制が採られており，両院は，州を選挙区の
単位とするかどうかに違いはあるが，選挙区ごとの定数は原則的には人口に比
例した配分となっている。（国税）

問題の答え：×

Part I 政 治

(3) フランスの政治機構

① 基本的原理

◇ **議院内閣制と大統領制を折衷**した現在の体制（**半大統領制**）が確立している。

◇ 大統領と首相の政治的党派が異なる**保革共存政権（コアビタシオン）**となることもある。

② 共和国大統領

◇ **国家元首**であり，反逆罪以外でその責任を追及されることはない（政治的無答責）一方で，首相の任免権や下院の解散権，非常大権など，**国政に関する強大な実質的権能**を有している。

◇ **任期は5年**で**直接公選**される。3選は禁止。

③ 内 閣

◇ 大統領が任命する**首相**，および首相の提案により大統領が任命する他の大臣によって構成。

◇ 国政の運営につき議会（下院）に対して責任を負い，下院が信任案を否決するか，不信任決議案を可決した場合には，首相は大統領に対して内閣総辞職を申し出なければならない（その後の措置は大統領の自由意思）。

◇ 政府閣僚は国会議員との兼職は禁じられている。

解きまくり！
実 No.007
No.010
No.011
No.012
No.014
No.015

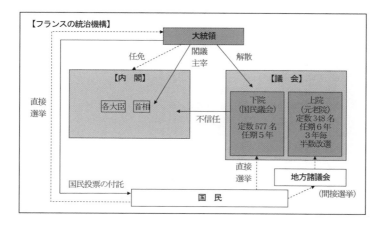

【フランスの統治機構】

④　議　会

◇　下院（国民議会）と，上院（元老院）によって構成される二院制。下院の優越が認められる。

◇　下院は定数577名で任期5年，解散制度がある。国民の直接選挙により選出（小選挙区2回投票制）。

◇　上院は定数348名で任期6年，3年ごとに半数が改選される。国民議会議員，地方議会議員等による間接選挙で選出される。

⑤　違憲審査機関

◇　違憲立法審査権を行使する機関として，大統領・上下両院議長がそれぞれ3名ずつ任命する計9人の評定官および大統領経験者によって構成される**憲法評議会（憲法院）**が設置されている。⇒　裁判所が違憲審査を行うのではない。

（4）　ドイツの政治機構

①　基本的原理

◇　**大統領と首相とが併存**するが，フランスとは異なり，**大統領は国政上名目的・形式的存在**で，連邦宰相（首相）が行政権を行使している。

②　連邦大統領

◇　**国家元首であるが儀礼的**な機能しかもたない。任期は5年で，再任は1回のみ可能。

◇　大統領を選出することを目的として招集される連邦会議（下院議員と，州議会によって選挙されるこれと同数の議員によって構成）によって選出される（**公選ではない**）。

③　連邦宰相（首相）

◇　行政府の長であり非常に大きな権限を有している。

◇　大統領が候補者を提議し，連邦議会（下院）の過半数がこれを支持することによって選出される（この支持が得られなかった場合，下院が別の候補者を提案し，過半数によって宰相に選出する）。

◇　宰相は，宰相の提案に基づき大統領が任免する大臣とともに内閣を組織するが，議会に対して政治的責任を負うのは宰相のみ。

◇　下院による政府不信任は，原則として，代わりの宰相の推挙をもってする**建設的不信任**しか認められない。

④　議　会

◇　下院（連邦議会）と，上院（連邦参議院）からなる二院制を採っている。**下院が第一院**であり，宰相の選出などは下院が行う。

◇　下院（連邦議会）は基本定数598名で，多少の議席増があり得る（**小選**

解きまくり！
実 No.009
No.011
No.012
No.014
No.030

Part I　政　治

挙区比例代表併用制を採用している）。3議席5%阻止条項が存在し，比
例区での得票数が有効投票総数の5％以上か，小選挙区での当選者が3人
以上なければ，その政党は議席配分から排除される。

◇　上院（連邦参議院）は定数69名で，選挙ではなく，各州政府の首相や
閣僚の中から，人口比に応じて州ごとに3〜6名が議員として派遣される。
任期の定めはなく，解散制度も存在しない。

⑤　違憲審査機関

◇　連邦憲法裁判所のみが違憲立法審査権をもち，その判断はすべての権力
機関を拘束する。

問題：ドイツでは，連邦議会で後任を選出した場合にのみ現職首相に対し，不信任決議
ができるという「建設的不信任」の制度が設けられている。（裁判所）

問題の答え：○

【ドイツの統治機構】

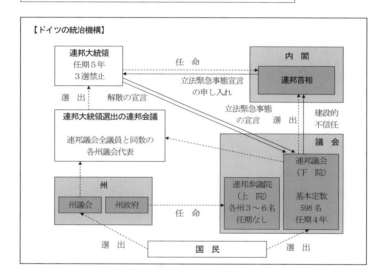

(5) 中華人民共和国の政治機構

◇　中国の国家機構は**民主集中制の原則**を実行するものとされ，人民によって選挙され，人民に対して責任を負う**全国人民代表会議**（全人代）が，すべての国家行政機関を組織し，それを監督し責任を負う。

◇　全人代は**最高の国家権力機関**とされ，年1回，10日間ほど開催される。全人代は，常設機関である**全国人民代表大会常務委員会**とともに国家の立法権を行使する。

◇　**国家主席**は，外国使節の接受を行うなどして対外的に国家を代表し，対内的にも，栄典授与・恩赦，全人代ないし全人代常務委員会の決定に基づく法律の公布および国務院総理・副総理・国務委員の任免などの権限を有する，国家元首的存在である。

◇　**国務院**（中央人民政府）は，**最高国家権力の執行機関**であり，最高の国家行政機関であるとされる。構成員は，総理，若干名の副総理，若干名の国務委員，各部部長，各委員会主任，会計検査長および秘書長であり，そのうち総理・副総理・国務委員および秘書長をもって国務院常務委員会を構成する。

◇　**中央軍事委員会**は全国の武装力を主宰する機関であり，主席，若干名の副主席および若干名の委員によって構成される。

解きまくり！
実 No.007
No.008
No.010
No.011
No.014
No.015

国家主席の任期撤廃
従来，中国の国家主席の任期は2期10年までと憲法に規定されていた。2018年の全人代で，この憲法の条文を削除する議案が採択され，中国の国家主席の任期は撤廃された。これにより，習近平氏は2022年の中国共産党大会で総書記に再任され，総書記は国家主席と兼任することから国家主席も再任，2023年から中国の国家主席で初めて3期目を迎える。

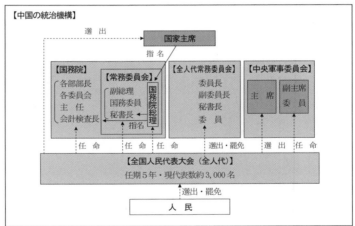

【中国の統治機構】

Part I　政　治

(6) ロシアの政治機構

◇　ロシアの大統領制は，**フランスの「半大統領制」をモデル**にしたものであるため，大統領と内閣が並存している。

◇　ロシアの大統領は国家元首として，首相の任命権，下院解散権，非常大権などの強大な権限を有する。

◇　2008 年 12 月，大統領の任期を現行の4年から**6年に延長**し，下院議員の任期を現行の4年から5年に延長する憲法改正案が成立した。

◇　2020 年7月，ロシアの憲法が改正され，大統領は同一人物が「連続2期」から「2期」までと改正された。ただし，現職大統領および大統領経験者のこれまでの就任した任期は対象とならない。

◇　ロシア連邦議会は連邦院（上院）と国家院（下院）の二院制である。

◇　大統領に対し，上院は解任決議を，下院は弾劾発議を行うことができる。

◇　連邦院（上院）は，各連邦構成主体から行政府及び立法機関の代表各1名ずつ選出され，任期は各連邦構成主体首長及び議会ごとに異なるので一定ではないが，概ね4～5年となっている。

◇　国家院（下院）は 2007 年 12 月から完全比例代表制へ移行したが，2016年9月の選挙から**小選挙区比例代表並立制**に移行した。

◇　国家院（下院）の定数は 450 名で，小選挙区から 225 名，比例代表から225 名が選出され，任期は5年となっている。

解きまくり！
実 No.007
　No.012

ロシア大統領の任期
　2020 年7月，ロシアの憲法が改正され，大統領は2期 12 年までということになった。ただし，現職大統領および大統領経験者のこれまでの就任した任期は対象にならないという条項があり，プーチン大統領は現行の任期を終えた後，さらに2期 12 年，大統領を務めることができるとされている。

【ロシアの統治機構】

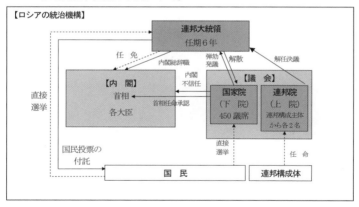

(7) 韓国の政治機構

解きまくり！
実 No009

◇　大統領は，国民による直接選挙により選出され，**任期5年で再選禁止**。

◇　大統領の被選挙権は40歳以上。

◇　大統領は，憲法ないし法律違反で弾劾される以外は，国会から責任を問われない（政治的無答責）。

◇　大統領は国家元首であるため，法律の公布や外交使節の接受などの形式的な行為も行うが，栄典授与，恩赦権のほか，国政上の重要案件を国民投票に付託する権限，外交・宣戦・講和の権限，国軍統帥権，緊急処分，命令権など広範かつ強大な政治的権能を有している。

◇　国務会議は内閣に相当し，大統領が議長，国務総理（首相）が副議長を務める。国務会議の審議結果は大統領の意思決定を拘束しない。

◇　韓国の議会は，**一院制**で，任期4年で**解散制度は無い**。

◇　韓国の選挙権年齢は2019年に満18歳以上に引き下げられ，2022年に国会議員と地方選挙の被選挙権についても満18歳以上に引き下げられた。

◇　大統領は議会で可決された法案の再議要求権を有するが，これが行使された場合，議会は，在籍議員の過半数が出席し，出席議員の3分の2以上の賛成で再可決させることで，法案を成立させることができる。

◇　議会は大統領が職務に関連し，憲法や法律に違反した場合に弾劾訴追ができる。議会が弾劾訴追を可決した場合，大統領は職務停止となり，憲法裁判所が罷免の是非を判断する。憲法裁判所が罷免に賛成の場合，大統領は失職し，大統領選挙が行われる。

韓国大統領の弾劾

2016年12月，韓国の議会は弾劾訴追案を可決し，朴槿恵大統領（当時）は職務停止となった。議会が大統領の弾劾訴追をしたのは，1987年の民主化以降では2004年盧武鉉大統領（後に最高裁判所が訴追案を棄却したため職務復帰）以来，2例目である。
2017年3月，議会の弾劾訴追案を憲法裁判所が賛成したため，朴大統領は失職した。

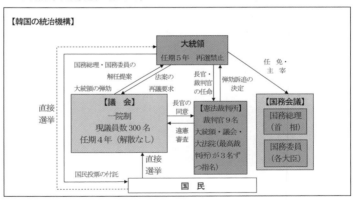

【韓国の統治機構】

Part I　政治

01-04　政治権力をめぐる代表的理論

　本節においては，政治と政治権力に関する代表的な思想家とその理論を学習する。支配する側（支配者）と支配される側（被支配者）の関係に注目するとともに，思想家の名前とその理論の概要をしっかりと覚えることを目標にしてほしい。

1　政治権力の諸概念

（1）実体概念と関係概念

① 実体概念（古典的な考え方）

◇　権力は何らかの**社会的価値の所有**によってもたらされる。

◇　権力者が何らかの権力の基礎資源を有している。

◇　K．**マルクス**（Karl Marx, 独，1818〜1883）らの権力概念がこの考えに近い。

② 関係概念（新しい考え方）

◇　**支配者と被支配者の影響力関係に着目**し，権力とは被支配者の側がそのような権力関係を認めるところに成立するというもの。

◇　R．**ダール**（Robert A. Dahl, 米，1915〜2014）らによって，実体概念的な権力論を補うかたちで提唱された。

◇　ダールは，「AがBに普通ならBが行わないことを行わせた場合，AはBに対して権力を持つ」と規定している。

（2）少数支配の原理（R．ミヘルス）

◇　R．**ミヘルス**（Robert Michels, 独，1876〜1936）は，ドイツ社会民主党の分析を通じて**寡頭制（オリガーキー）**の鉄則を提起した。

◇　あらゆる組織は運営上の効率を良くするために少数支配に進む傾向にあり，政党のような**民主的な組織であっても巨大化すれば必ず非民主的な少数支配**が生み出されるとした。

◇　寡頭制は，①効率的運営という組織上の要請から進行し，②大衆の指導者を望む欲求と指導者の権力飢餓とが対応することによって促進される。

2　権力の正当性

（1）支配の3類型

　M．**ウェーバー**（Max Weber, 独，1864〜1920）は権力が正当性を獲得するあり様を3つの理念型で提示した。

　これらの類型はあくまでも**理念型**であり，実際の場面においては，これら

解きまくり！
実 No.003

ここが問題！！
ウェーバーが提示した支配の3類型が問題となる。

が混合したかたちで**支配体制**を維持しており，これらの類型を各時代にその
まま対応させることはできない。

解きまくり！
実 No.032
　 No.212
　 No.213

① **カリスマ的支配**

◇ **支配者個人の資質**を前提に，その能力や魅力などによって正当化され
た支配形態をいう。

◇ 支配はあくまでも個人的な資質への帰依に基づいているため，支配者と
被支配者との関係は情緒的で，その支配のあり方は組織化されていないこ
とが多い。

◇ カリスマ的支配はしばしば不安定であり，支配者のカリスマ性が消える
か，もしくは認められなくなったときには，正当性を失うことになる。

② **伝統的支配**

◇ 被支配者が，**伝統**や**慣習**などが有する重みによって権威づけられた支配
者に正当性を認めて服従している支配形態である。

◇ 伝統的支配は，慣習などに則して行われ，支配者も伝統に拘束される。
したがって，支配者が伝統に反する行動をとった場合には，支配の正当性
を失うことになる。

③ **合法的支配**

◇ 制度・秩序・地位などの合法性に権力の源泉をおく支配形態をいう。

◇ 法に基礎をおいているため，合理的で永続性をもった支配を可能とする。

◇ 権力行使は適切な手続により作成された法律に従うものであるため，権
力に対する服従は，個人でなく，法で定められた地位や権限に対して向け
られることになる。

(2) **ミランダとクレデンダ（C．E．メリアム）**

◇ **C．E．メリアム**（Charles Edward Merriam, 米, 1874〜1953）は，**権
威が安定化する仕組み**として，**ミランダとクレデンダ**という概念を提示し
た。

◇ 支配者は，支配の維持と強化を図るため，物理的強制力だけでなく，被
支配者の心理に訴えるさまざまな手段を用いる（権力の心理的補強）。

◇ **ミランダ**とは，呪術的・感情的な象徴の体系であり，象徴を用いて人々
の感情に訴えかけ，服従を獲得するもの（国旗や国歌，記念日，記念碑，
儀式など）。

◇ **クレデンダ**とは，知的な象徴の体系であり，人々の知性や理性に対して権
威の継続性を同意させようとするもの（イデオロギーや政治的神話など）。

Part I 政治

	象徴形式	対象	例
ミランダ	神秘的で非合理的	人々の感情	国旗，国歌，記念日，記念物など
クレデンダ	合理的	人々の知性	イデオロギー，政治的神話など

(3) パワー・エリート（C. W. ミルズ）

◇ C. W. ミルズ（Charles Wright Mills, 米, 1916〜1962）は，アメリカ社会では，経済界と政界とが相互に癒着する傾向が顕著であり，これに軍人を加えた**政府高官・財界幹部・高級軍人によってパワー・エリートが構成されている**とした。

◇ アメリカではパワー・エリート層が一枚岩となって君臨し，その下にエリート層へ上がることのできない非エリート層を従えているという構造を暴露した。

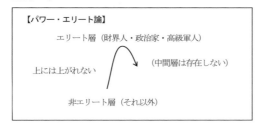

24

01-05　官僚制論

　ここでは，近代官僚制の機能と逆機能を学習する。官僚制は「単独の長を頂点としてピラミッド型の階層構造を持つ組織」を意味し，行政機関ばかりでなく，軍隊や民間企業などの大規模かつ一定の階層構造を持つ組織にみられる特徴である。「ウェーバーの官僚制の機能」と「マートンの官僚制の逆機能」は，対比させて理解するようにしよう。

1　官僚制論と官僚制の逆機能

◇　「**官僚制**」という語は，大規模な社会集団や国家における階統制を広く指し，国家の出現や権力関係の社会化現象に伴って必然的に登場してくる近代社会の合理的な組織を意味する。

◇　「**官僚制**」とは，行政機関・政党・軍隊・民間企業・労働組合・教会など公私の別なく，今日みられる大規模な形態をもつすべての社会集団における組織と行動形態を指す。

ここが問題！！
ウェーバーの官僚制論とマートンの官僚制の逆機能について問題となる。

(1) M．ウェーバー (Max Weber，独，1864〜1920) の官僚制論

　M．ウェーバーは，自身が唱えた支配の３類型のうち，**合法的支配**は，制定された法規範の秩序の合理性に正当性の根拠を置くものであり，近代官僚制の特徴であるとしている。さらに近代官僚制に求められる構成要素として以下の５つを指摘した。

解きまくり！
実 No.032
　No.212
　No.213

① 権限（明確化）の原則

　職務の執行は客観的に定められた法律や規則に基づいて実施され，権限の範囲も明確に規定。

② 専門分化の原則

　官僚になるには専門的な訓練を経た職業人が必要であり，専門性の追求により分業体制が採られる。組織への採用は専門能力によってなされ，世襲や情実などは廃止。

③ 公私分離の原則

　職務活動と私生活とは明確に区別され，私的利益と結び付かないように区別される。

④ 階統制の原則

　各業務は，ピラミッド型をした階統制（階層）に編成されており，上下の指揮命令系統が一元的に明確化されており，下級機関は上級機関の命令に従う。

⑤ 文書主義の原則

　官僚制に基づく活動は，すべて客観的に記録され，保存された文書に基づう

Part I 政 治

いて行われる。

> 問題：ヴェーバーは，社会の大衆化が進む中で，宗教，経済，文化など社会のあらゆる面において専門性や合理性が低下し，近代社会で高度に発展していった官僚制はその優位性を失いつつあるとした。このような状況において，大衆は政治に無関心になり，政治権力は一部の政治家によって独占されるおそれがあるとした。（国Ⅰ）

問題の答え：×

(2) 官僚制の逆機能

第2次世界大戦後には，官僚制の合理的機能を認めつつも，「機能障害」も存在し，かえって問題を引き起こす可能性があるという主張が高まる。R. K. マートン（Robert King Merton, 米，1910～2003）はこれを「訓練された無能力」と指摘し，官僚制の逆機能として抽出した。

解きまくり！ 実 No.032

① 法規万能主義（形式主義，杓子定規）

規則を遵守すること自体が至上目的化することで，法規万能主義に陥る可能性がある。

② セクショナリズム（割拠主義）

自らの所掌事務を中心に考え，ほかの機関との調整・協調に努めようとしない機能障害。

③ 権威主義・保身主義・事なかれ主義

官僚に対する安定した身分と地位の保障は，強固な仲間意識を生み出し，権威主義・保身主義・事なかれ主義といった弊害となる。

④ 責任回避（たらい回し）

業務を回避し，ほかの職員や機関に押し付けるといった責任回避の行動様式を生み出す。

⑤ レッド・テープ（繁文縟礼）

文書作成の煩わしさは，不平・不満の種になり，レッド・テープという病理となる。

【官僚制の機能と逆機能】

権限（明確化）の原則	⇒法規万能主義
専門分化の原則	⇒セクショナリズム
公私分離の原則	⇒権威主義
階統制の原則	⇒責任回避
文書主義の原則	⇒レッド・テープ

まとめ（1）

1　国家観の変遷
・夜警国家観は，市民間の私的経済活動や社会活動に国家は介入すべきでない。小さな政府（安価な政府）を旨とする。
・福祉国家観は，国家が一定程度国民生活の領域に積極介入し，社会的・経済的弱者を救済する。

2　絶対主義時代の政治思想
・マキャヴェリは，政治権力の必要性や作為的行使を重視する現実的政治論を展開。政治指導者は，愛や善意よりも暴力や狡知を用いるべきと主張する。
・ボーダンは，国家の最終意思を決定する，最高権力としての主権の概念を確立し，その絶対性と恒久性を主張した。

3　社会契約説

	ホッブズ	ロック	ルソー
主著	『リヴァイアサン』	『統治二論』	『社会契約論』
自然状態	万人の万人に対する闘争　→　無秩序状態	自然法に基づく平和　→　不安定	他者のいない平和　→　現実は堕落
契約目的	自己保存のまっとう	財産権の確保	人間性の回復

4　主要国の政治機構
・イギリスは議院内閣制を採用。首相は下院総選挙後に下院第一党の党首が国王から任命され，大臣は全員議員。下院（庶民院）優越の原則が採られている。
・ドイツやイタリアには大統領が存在するが，実質的に国政を担うのは議会から選出された首相（内閣）なので，議員内閣制を採用した国といえる。
・アメリカは大統領制を採用。厳格な三権分立制の下，大統領は法案提出権，議会解散権を持たず，議会は大統領に対する不信任決議権を持たない。
・フランスは国民の投票で選ばれた大統領が行政権の一部を行使するが，同時に議会から選出された首相が内閣を形成するので，半大統領制ともいう。

Part I　政　治

まとめ（2）

5　権力の正当性
・ウェーバーの支配の3類型（伝統的支配・カリスマ的支配・合法的支配）は，理念系で
　あり，現実社会において，3者は混同した形態で，相互に補完しあいながら存在する。

6　官僚制の機能と逆機能
(1)　官僚制の機能（M．ウェーバー）
・「権限（明確化）の原則」「専門分化の原則」「公私分離の原則」「階統制の原則」
　「文書主義の原則」
(2)　官僚制の逆機能（R．K．マートン）
・「法規万能主義」「セクショナリズム」「権威主義」「責任回避」「レッド・テープ」

3 社会科学（政治分野）問題集見本

第1章 政治原理と政治制度
SECTION ① 政治原理・政治思想

実践 問題 **1** 基本レベル

頻出度	地上★★★	国家一般職★	東京都★	特別区★★★
	裁判所職員★★★	国税・財務・労基★★		国家総合職★★

問 国家に関する次のA〜Dの記述の正誤の組合せとして最も適当なのはどれか。
（裁事・家裁2009）

A：夜警国家とは，「個人の財産と人格的自由」の保護だけを任務とした近代自由主義国家を批判する表現であり，ドイツの社会主義者ラッサールによって初めて用いられた。現在では，一般的に「安価な政府」，「消極国家」などとともに，近代自由主義国家を特徴づける言葉として用いられる。

B：福祉国家とは，政府が積極的な社会政策や経済政策を実施することによって国民生活の安定と福利の増進を図る国家を指し，20世紀前半から徐々に形成され，1930年代の大恐慌を経て，西欧先進諸国で定着した。特にイギリスでは，経済学者ケインズが示した政府の財政政策と社会保障に関する総合計画に基づいて，体系的な社会保障制度が形成された。

C：権力国家とは，支配と被支配の権力関係または権力機構を中心に考えられた理念的な国家概念である。例えば，反抗的な有力者や人民を服従させ，彼らから積極的な支持を獲得する「支配の技術」を教えているという点で，マキアヴェッリの『君主論』は権力国家論の系譜に属している。

D：破綻国家は，1980年代のラテンアメリカ諸国の経済危機に際してIMFが経済破綻をした国につけた名称である。インフレ率，経常収支赤字比率，貿易収支赤字比率，対外債務残高などの指標が一定の基準を超えると，破綻国家と呼ばれ，IMFや世界銀行が救済策を発動することになっている。

	A	B	C	D
1：	正	正	正	誤
2：	正	誤	正	誤
3：	正	誤	誤	正
4：	誤	正	正	正
5：	誤	誤	誤	正

10　**LEC**東京リーガルマインド　2023-2024年合格目標 公務員試験 本気で合格！過去問解きまくり！
④社会科学

340　**LEC**東京リーガルマインド　2025年版 1000人の合格者が教える公務員試験合格法

OUTPUT

実践 ▶ 問題 **1** ▶ の解説

チェック欄		
1回目	2回目	3回目

〈国家観〉

A ○ 夜警国家とは，「安価な政府」や消極国家などとともに，国家機能を国防や治安維持など最低限にとどめた自由放任の国家観として今日では用いられる。もともとは，本記述にあるように，ドイツの政治学者F.ラッサールが主著『労働者綱領』において，当時の資本主義国家を夜警国家と非難したことに由来する。なお，ラッサールはK.マルクスとも親交があった社会主義者である。

B × 福祉国家とは，狭義には政府が積極的な社会保障制度を整えて国民生活の安定と福利の増進を図る国家である。イギリスにおいて今日的な社会保障制度が成立し，福祉国家の体制の整備が進められたのは，1942年のベヴァリッジ報告（社会保険および関連サービスに関する報告）後のことであり，ケインズ経済学と福祉国家を直接結び付けるのは妥当であるとはいいがたく，広義の福祉国家概念では財政政策や雇用政策をも含めた意味で用いることもあるが，一般的ではない。

C ○ ルネサンス期のイタリアの政治学者であるN.マキャヴェリ（マキアヴェッリ）は，主著『君主論』の中で政治を宗教から切り離し，徹底したリアリズムと目的合理主義を主張した。マキャヴェリは，被支配者の服従を獲得するために，常備軍を編制して君主の権力を強固にすることを重視した。このような国家のあり方は，支配と被支配の権力関係または権力機構を中心に考えられた権力国家の系譜に位置づけられる。

D × 破綻国家とは，一般的に国家機能を喪失して，境界内における武装衝突や内戦，政治の腐敗などにより国民に適切な行政サービスを提供できない国家をいうので，特に財政的に破綻した国家のみが対象となるわけではない。失敗国家，崩壊国家ともいわれることがあり，主に開発途上国で発生しやすく，犯罪者やテロリストなどの温床となりやすい。

以上より，正しい記述はAとCであり，正解は肢2となる。

正答 2

実践 ▶ 問題 **2** ◀ 基本レベル

頻出度	地上★★★	国家一般職★	東京都★	特別区★★★
	裁判所職員★★★	国税・財務・労基★★	国家総合職★★	

問 **権力分立の具体的態様について，次の記述1～5があるが，そのうち妥当でないものはどれか。**
(地上2014)

1：権力分立の原理は，権力集中による権力濫用から国民の自由を守ることを究極の目的とし，そうしたことからすぐれて自由主義的な原理と言われる。

2：権力分立の原理は，「自由な政府は，信頼だけでなく，猜疑に基づいて建設せられる」という悲観的人間観を前提としている。

3：権力分立の原理は，権力相互の摩擦によって専制政治を防止することにより，権力行使の効率性が高いとされている。

4：権力分立の原理は，政治的中立性を有し，君主主義・民主主義と矛盾せずに結びつく。

5：権力分立の原理の政治的意義は，法の下において，恣意的な権力を防止し，立憲主義を保つことにある。

12　**LEC**東京リーガルマインド　2023-2024年合格目標 公務員試験 本気で合格！過去問解きまくり！
④社会科学

342　**LEC**東京リーガルマインド　2025年版 1000人の合格者が教える公務員試験合格法

OUTPUT

実践 問題 **2** の解説

〈権力分立〉

1 妥当である　権力分立の原理は，個人の自由を国家権力の濫用から守るという自由主義的な原理である。この原理は，政治権力が単一の個人や組織に独占されないように，これを分割して複数の機関に分散し，権力相互間での抑制・均衡を実現させることによって，権力の濫用を防止することに意義があるとする考え方である。

2 妥当である　本肢記述は，アメリカ独立宣言を起草し，後に第3代アメリカ合衆国大統領となったトマス・ジェファーソンが1798年のケンタッキー州議会決議で示した言葉である。権力分立は，国家権力およびそれを行使する者に対する信頼ではなく，猜疑に由来するとされる。

3 妥当でない　権力分立の原理は，権力行使の効率性については触れていない。アメリカ合衆国連邦最高裁判所判事を歴任したルイス・ブランダイスによると，権力分立は不可避的な権力間の摩擦によって国民の自由を確保し，専制政治から守る政治原理であるとされる。

4 妥当である　権力分立の原理は，政治的に中立性を有し，君主主義でも，民主主義的でもないとされる。ちなみに，C.モンテスキューは，君主主義を前提に立法・行政・司法の三権分立を提唱したが，民主主義にも矛盾なく当てはまる。

5 妥当である　恣意的な権力行使を防止する立憲主義を現実として保つために，権力分立の原理には，国家権力を分立して，権力行使をする機関の権限を分立する政治的意義があるとされる。

以上より，妥当でないものは肢3であり，正解は肢3となる。

正答 3

実践 問題 **3** 基本レベル

頻出度	地上 ★★★	国家一般職 ★	東京都 ★	特別区 ★★★
	裁判所職員 ★★★	国税・財務・労基 ★★★		国家総合職 ★★

問 政治思想に関する記述として最も妥当なのはどれか。 （国税・労基2007）

1：アダム＝スミスは，神の「見えざる手」によって統治権が国王に委任されているとする，王権神授説を唱えた。この理論に目をとめたヘンリ8世によって英国に招かれると，英国の経済制度をモデルとして『国富論（諸国民の富）』を著した。

2：ホッブズは『リヴァイアサン』の中で，自然状態では「万人の，万人に対する闘争」が生じるので，生存のために人は自然権を国家に委譲しているとする，社会契約説を唱えた。この理論は社会契約説の先駆となったが，結果的に君主による絶対的な支配を容認した。

3：ロックは『市民政府二論（統治二論）』の中で，国家権力による権利の侵害を防止するために，国家権力のうち立法権，行政権及び司法権の三権は分離されるべきとする，三権分立論を唱えた。この三権分立論は，英国の名誉革命に多大な影響を与えた。

4：ベヴァリッジは『ベヴァリッジ報告』の中で，国家は国民に対し「ゆりかごから墓場まで」最低限度の生活を保障するべきとする，福祉国家論を唱えた。この報告の影響を受けて英国ではチャーティスト運動が盛り上がり，ドイツではワイマール憲法が制定された。

5：マルクスは『共産党宣言』の中で，私有財産を否定する空想的社会主義を唱えた。この理論を『資本論』で科学的社会主義に発展させると，エンゲルスとともにロシア革命を指導し，ソビエト連邦を成立させた。

直前復習

14 LEC東京リーガルマインド　2023-2024年合格目標 公務員試験 本気で合格！過去問解きまくり！
④社会科学

344 LEC東京リーガルマインド 2025年版 1000人の合格者が教える公務員試験合格法

実践 ▶ 問題 **3** の解説 ─────────

〈政治思想〉

1✕ アダム・スミスは，著書『国富論（諸国民の富）』の中で，**市場原理に基づく自由競争によって社会全体の厚生が最大化される**と唱えた。スミスは，経済においても政府の干渉を排除することを主張し，近代経済学の父とよばれている。

2○ T.ホッブズは，著書『リヴァイアサン』の中で**王権神授説を否定し社会契約説を唱えた**。ホッブズの社会契約説によれば，市民は自然状態から脱して自己保存を図るために，自然権を唯一の人間または唯一の合議体に委譲することにより国家が設立される。ただし，この自然権は絶対・不可分・不可侵であり，抵抗や反逆を認めないため，結果的に，絶対王政を擁護することになった。

3✕ J.ロックは，その著書『市民政府二論（統治二論）』の中で，政府が権力を行使するのは国民の信託によるものであるとし，議会優位の権力分立を唱えた。そして，政府が国民の意向に反して生命や自由，財産を侵害することがあれば，抵抗権・革命権を行使して政府を変更することができるとしている。なお，三権分立論を唱えたのは，『法の精神』を著したC.モンテスキューである。

4✕ イギリスの第2次世界大戦後における社会保障制度の確立に寄与した『ベヴァリッジ報告』とは，経済学者であるW.H.ベヴァリッジが，1942年に発表した**社会保障制度に関する報告書**であり，「ゆりかごから墓場まで」とは，戦後，イギリスの労働党が掲げた社会福祉政策のスローガンである。一方，ワイマール憲法は1919年のワイマール・ドイツで誕生し，**世界で初めて社会権を保障した憲法**である。

5✕ K.マルクスとF.エンゲルスは，その共著『共産党宣言』の中で，労働者階級による政治権力の奪取と私有財産の廃止を呼びかけ，「科学的に構築される社会主義（科学的社会主義）」を唱えた。空想的社会主義という語句は，科学的社会主義との対比として非科学的で観念的な社会主義を指して使用されている。なお，ロシア革命を指導し，ソビエト連邦を成立させたのは，V.レーニンである。

正答 2

SECTION ① 政治原理・政治思想

実践 問題 **4** 〈基本レベル〉

頻出度	地上★★★	国家一般職★	東京都★★	特別区★★
	裁判所職員★★	国税・財務・労基★		国家総合職★★

問 近代民主政治と基本的人権の保障に関する記述として最も妥当なものはどれ
か。 (裁判所職員2022)

1：イギリスではマグナ＝カルタのような慣習法が早くから作られていたこともあ
り，ホッブズは，「国王といえども神と法のもとにあるべきだ」と主張した。

2：ロックは，政府とは国民が自然権を守るために代表者に政治権力を信託したも
のであるから，政府が自然権を侵害した場合，国民には抵抗権（革命権）が
生じるとした。

3：ルソーは，ロックの唱えた権力分立制を修正して，国家権力を立法権・行政権・
司法権の三権に分離し，相互の抑制と均衡を図ろうと考えた。

4：アメリカのヴァージニア権利章典・独立宣言は，どちらもフランス人権宣言の
影響を受けて採択されたものであり，いずれも人が平等であることを宣言して
いる。

5：イギリスの裁判官クック（コーク）は，国家の任務を国防や治安維持など必要
最小限のものに限る自由放任主義の国家を，夜警国家と呼んで批判した。

OUTPUT

実践 ▶ 問題 **4** **の解説**

チェック欄

1回目	2回目	3回目

〈近代民主政治と基本的人権の保障〉

1 × 「国王といえども神と法のもとにあるべきだ」と主張したのは，E.コークなので，本肢記述は誤りである。コークは，13世紀のイギリスの裁判官であったH.ブラクトンの言葉を引用して，王権神授説を信奉する国王をいさめた。

2 ○ 本肢記述のとおりである。J.ロックは，政府とは国民が自然権を守るために代表者に政治権力を信託したものであるから，政府が自然権を侵害した場合,国民には一方的に信託を取り消して政府を交代させる抵抗権 (革命権) が留保されているとした。

3 × J.ロックの唱えた権力分立制を修正して，国家権力を立法権・行政権・司法権の三権に分離し，相互の抑制と均衡を図ろうと考えたのはC.モンテスキューである。よって，本肢記述は誤りである。

4 × アメリカのヴァージニア権利章典・独立宣言が，フランス人権宣言に影響を与えたので，本肢記述は誤りである。

5 × 国家の任務を国防や治安維持など必要最小限のものに限る自由放任主義の国家を，夜警国家とよんで批判したのは，ドイツの社会主義者であるF.ラッサールなので，本肢記述は誤りである。

正答 **2**

LEC東京リーガルマインド　2023-2024年合格目標 公務員試験 本気で合格！過去問解きまくり！ 17
④社会科学

LEC東京リーガルマインド　2025年版 1000人の合格者が教える公務員試験合格法　347

実践 問題 **5** 基本レベル

頻出度	地上★★★	国家一般職★	東京都★	特別区★★★
	裁判所職員★★★	国税・財務・労基★★		国家総合職★★

問 政府の役割に関する次のA〜Dの記述の正誤の組合せとして最も適当なのはどれか。　　　　　　　　　　　　　　　　　　　　（裁事・家裁2011）

A：18世紀，イギリスの経済学者アダム・スミスは，個人の経済的自由の範囲を広くし，政府の干渉をできる限り小さくすることが，諸個人が生まれ持つ「自然権」を守る上で重要であると説いた。スミスが理想とする国家は，最小国家，ないし夜警国家と呼ばれ，この国家観は，古典的自由主義の基礎を成すものであった。

B：20世紀に入ると，失業や貧困等の様々な社会的問題を解決する「大きな政府」への期待が高まり，多くの先進国では，公共事業により雇用を創出し，国内需要を喚起するケインズ型の経済政策が採り入れられるようになった。所得の再分配を目的とした逆進課税制度も，「大きな政府」に特徴的な税制である。

C：福祉国家の肥大化に伴い，「政府の失敗」が指摘されるようになると，多くの先進国において市場志向型の改革が行われるようになった。日本でも，1990年代に，日本国有鉄道，日本電信電話公社，日本専売公社等の国有企業が民営化されたのは，このような新自由主義的な改革の流れを受けたものである。

D：1970年代に『正義論』を著したアメリカの政治哲学者ジョン・ロールズは，正義の原理をもとに所得の再分配等の福祉政策を理論的に擁護した。ロールズは，「無知のヴェール」に覆われているとする仮想的条件を提言し，そのような「原初状態」において，市民は社会的・経済的不平等を是正する福祉政策の充実を合理的に選択するはずであると論じた。

```
     A   B   C   D
1 ： 正   正   誤   正
2 ： 正   誤   正   正
3 ： 誤   正   誤   誤
4 ： 正   誤   誤   正
5 ： 誤   正   正   誤
```

OUTPUT

実践 問題 **5** の解説

チェック欄		
1回目	2回目	3回目

〈政府の役割〉

A○ アダム・スミスは，イギリスの経済学者・思想家で，古典派経済学の大家として知られる。『国富論』（『諸国民の富』），『道徳感情論』などの著作で知られる。彼は，個人の利己的な利益追求が，市場においては「見えざる手」に導かれて，自然に予定調和状態が実現するとした。それゆえ個人の自由な経済活動や市場の自律的な動きを重んじ，国家は市場に介入すべきではないとする概念（自由放任経済）を主張した。このような国家観は，「夜警国家」，「最小国家」に類するとされるが，これらは「国家からの自由」をモチーフとする古典的自由主義の基礎をなすものといえる。

B× 「所得の再配分を目的とした逆進課税制度も，「大きな政府」に特徴的な税制である」としている点が誤りである。**逆進課税制度とは，累進課税制度と異なり，所得の少ない者ほど負担が重くなるような税制をいう。**J.M.ケインズは所得の再分配のために累進課税制度の必要性を主張した。ケインズは，完全雇用を実現するためには有効需要を創出する必要があり，公共投資や減税などの国家による政策によってそれを実現すべきであると説いた。

C× 福祉国家の肥大化により「政府の失敗」が指摘され，市場志向型の改革が展開された点は正しい。例として，イギリスのサッチャー政権やアメリカ合衆国のレーガン政権による政策展開が挙げられる。しかし，日本国有鉄道，日本電信電話公社，日本専売公社などの国有企業が民営化されたのは，1990年代ではなく1980年代で，いずれも中曽根康弘内閣により行われた。

D○ J.ロールズは『正義論』において，人々が「原初状態」においてどのような正義の原理を採用するかに関して，人々が他人の能力や資産などについての情報をまったく持っていない（「無知のヴェール」）ならば，社会状態に入ったとき，自分が社会的に最も弱者であったとしてもその状態が受け入れがたくないように社会の正義を全員一致で決定するだろうとした。そして彼はここから第一原理「平等な自由の原理」と第二原理「格差原理」「公正な機会均等原理」を導いた。とりわけ第二原理の「格差原理」は社会的・経済的不平等を是正するものであり，ロールズの学説は長くアメリカにおけるリベラルの理論的支柱とされた。

以上より，正解は肢4となる。

正答 4

実践 問題 **6** 応用レベル

頻出度	地上★★★	国家一般職★	東京都★	特別区★★
	裁判所職員★★★	国税・財務・労基★★	国家総合職★★	

問 政治思想に関する記述として最も妥当なものはどれか。 **（裁判所職員2019）**

1：モンテスキューは，政治的自由を実現するためには権力の制限が必要であると考え，いわゆる権力分立論を展開した。その主張は，イギリスにみられるような立法（議会）と執行（国王）の間における権力分立，すなわち二権分立の確立に集約される。

2：グロティウス（グロチウス）は，「国際法の父」とも呼ばれている。自然法を正しい理性の命令ととらえ，国際社会にも自然法が存在するとし，法によらず戦争に訴える国家を批判した。また，海洋はいずれの国も占有できない自由な場所であると主張した。

3：ホッブズは，「万人の万人に対する戦争」において勝利した者が，社会契約に基づいて人民から自然権を譲渡され，絶対的な権力者になると考えた。そして，たとえ人民の権利が侵害されたとしても，人民が抵抗権を行使することは認められないと主張した。

4：ロックは，社会契約に基づいて人民から自然権を信託された政府が人民を統治することになると考えた。そして，政府による統治が不当なものであったとしても，人民が抵抗権や革命権を行使することはできないと主張した。

5：ルソーは，人民がみずからの手で選出した代表者を共同体の統治機関と位置づけて自然権を全面譲渡し，その支配に服すべきだと主張した。なぜならば，ここにおいて人民は主権者であると同時に臣民となり，自己統治が完成することになるためである。

実践 ▶ 問題 6 の解説

〈政治思想〉

1 × 本肢記述はJ.ロックに関する説明なので誤りである。ロックは，政治的自由を実現するためには権力の集中による政府の暴政を防ぐ必要があると考え，いわゆる権力分立論を展開した。その主張は，イギリスに見られるような統治機関を立法（議会）と執行（国王）の間における権力分立，すなわち二権分立の確立に集約された。

2 ○ 本肢記述のとおりである。近代国際法の成立にあたっては，H.グロティウス（グロチウス）が寄与するところが大きいことから，「国際法の父」ともよばれている。なお，「海洋はいずれの国も占有できない自由な場所である」との主張は「公海自由の原則」とよばれている。

3 × T.ホッブズは，自然状態である「万人の万人に対する戦争」状態において，人民は自己の自然権である自己保存権を唯一の人間または唯一の合議体に委譲する契約を人民相互に結び，主権を持った国家が設立されると考えた。したがって，「万人の万人に対する戦争」において勝利したものが，絶対的な権力者になるわけではないので，本肢記述は誤りである。

4 × J.ロックは，統治機関が設立目的に反する活動をした場合，人民は一方的に信託を取り消し，政府（統治機関）を交代させる権利が留保されている（抵抗権・革命権）と主張したので，本肢記述は誤りである。

5 × J.J.ルソーは，各人の自身の持つすべての権利とともに自分自身をも共同体に完全に委譲することによって成立する共同体の意思である「一般意思」が，他者に譲渡することも分割することもできないものであるとして，代議者による代議政治を否定していたので，本肢記述は誤りである。

正答 2

〈監修者〉

岡田 淳一郎（おかだ じゅんいちろう）

東京工業大学工学部化学工学科卒業。行政書士。

大学在学中より中・高・大学の受験指導を行い、2011年よりLEC東京リーガルマインド専任講師として公務員試験対策の受験指導を担当。本校では担任講師として活躍する一方で、数多くの大学内の公務員試験対策講座にも登壇している。

数的処理、自然科学、法律科目、工学の基礎、化学系専門科目など幅広い科目を指導している。

2025年版　1000人の合格者が教える公務員試験合格法

2023年6月5日　第1版　第1刷発行
2024年8月15日　第2版　第1刷発行

　　　　監　修●岡田 淳一郎
　　　編著者●株式会社　東京リーガルマインド
　　　　　　　LEC総合研究所　公務員試験部

　　　発行所●株式会社　東京リーガルマインド
　　　　　　　〒164-0001　東京都中野区中野4-11-10
　　　　　　　　　　　　　アーバンネット中野ビル
　　　　　　　LECコールセンター　☎ 0570-064-464
　　　　　　　受付時間　平日9：30～19：30/土・日・祝10：00～18：00
　　　　　　　※このナビダイヤルは通話料お客様ご負担となります。
　　　　　　　書店様専用受注センター　TEL 048-999-7581 / FAX 048-999-7591
　　　　　　　受付時間　平日9：00～17：00/土・日・祝休み
　　　　　　　www.lec-jp.com/

　　　本文デザイン●株式会社リリーフ・システムズ
　　　本文イラスト●小牧 良次
　　　印刷・製本●三美印刷株式会社

LEC公務員サイト

LEC独自の情報満載の公務員試験サイト!

www.lec-jp.com/koumuin/

最新情報
試験データなど

ここに来れば「公務員試験の知りたい」のすべてがわかる!!

LINE公式アカウント [LEC公務員]

公務員試験に関する全般的な情報をお届けします!
さらに学習コンテンツを活用して公務員試験対策もできます。

友だち追加はこちらから!

@leckoumuin

❶ **公務員を動画で紹介!「公務員とは?」**
公務員についてよりわかりやすく動画で解説!

❷ **LINE でかんたん公務員受験相談**
公務員試験に関する疑問・不明点をトーク画面に送信
するだけ!

❸ **復習に活用!「一問一答」**
公務員試験で出題される科目を○×解答!

❹ **LINE 限定配信!学習動画**
公務員試験対策に役立つ動画を LINE 限定配信!!

❺ **LINE 登録者限定!オープンチャット**
同じ公務員を目指す仲間が集う場所

公務員試験 応援サイト 直前対策&成績診断

www.lec-jp.com/koumuin/juken/

LEC公開模試

多彩な本試験に対応できる

毎年、全国規模で実施するLECの公開模試は国家総合職、国家一般職、地方上級だけでなく国税専門官や裁判所職員といった専門職や心理・福祉系公務員、理系（技術職）公務員といった多彩な本試験に対応できる模試を実施しています。職種ごとの試験の最新傾向を踏まえた公開模試で、本試験直前の総仕上げは万全です。どなたでもお申し込みできます。

【2024年度実施例】

	職種	対応状況
国家総合職	法律	基礎能力（択一式）試験,専門（択一式）試験,専門（記述式）試験,政策論文試験
	経済	
	人間科学	基礎能力（択一式）試験,専門（択一式）試験,政策論文試験
	工学	基礎能力（択一式）試験,政策論文試験専門（択一式）試験は、一部科目のみ対応。
	政治・国際・人文	基礎能力（択一式）試験,政策論文試験
	化学・生物・薬学	
	農業科学・水産	
	農業農村工学	
	数理科学・物理・地球科学	
	森林・自然環境	
	デジタル	
国家一般職	行政	基礎能力（択一式）試験,専門（択一式）試験,一般論文試験
	デジタル・電気・電子	基礎能力（択一式）試験,専門（択一式）試験
	土木	
	化学	
	農学	
	建築	
	機械	基礎能力（択一式）試験,専門（択一式）の一部試験（工学の基礎）
	物理	
	農業農村工学	基礎能力（択一式）試験
	林学	

	職種	対応状況
国家専門職	国税専門官A	基礎能力（択一式）試験,専門（択一式）試験,専門（記述式）試験
	財務専門官	
	労働基準監督官A	
	法務省専門職員（人間科学）	
	国税専門官B	基礎能力（択一式）試験
	労働基準監督官B	
裁判所職員	家庭裁判所調査官補	基礎能力（択一式）試験,専門（記述式）試験,政策論文試験
	裁判所事務官（大卒程度・一般職）	基礎能力（択一式）試験,専門（択一式）試験,専門（記述式）試験,小論文試験
警察官・消防官・その他※	警察官（警視庁）	教養（択一式）試験,論（作）文試験,国語試験
	警察官（道府県警）消防官（東京消防庁）	教養（択一式）試験,論（作）文試験
	市役所消防官	
	国立大学法人等職員	教養（択一式）試験
	高卒程度（国家公務員・事務）	教養（択一式）試験,適性試験,作文試験
	高卒程度（地方公務員・事務）	
	高卒程度（警察官・消防官）	教養（択一式）試験,作文試験

	職種	対応状況
	東京都I類B事務（一般方式）	教養（択一式）試験,専門（記述式）試験,教養論文試験
	東京都I類B事務（新方式）	教養（択一式）試験
	東京都I類B技術（一般方式）	教養（択一式）試験,教養論文試験
	東京都I類Bその他（一般方式）	
	特別区I類事務（一般方式）	教養（択一式）試験,専門（択一式）試験,教養論文試験
	特別区I類心理系/福祉系	教養（択一式）試験,教養論文試験
	北海道庁	職務基礎能力試験,小論文試験
地方上級・市役所など※	全国型	教養（択一式）試験,専門（択一式）試験,教養論文試験
	関東型	
	中部北陸型	
	知能重視型	
	その他地上型	
	心理職	
	福祉職	
	土木	
	建築	
	電気・情報	
	化学	
	農学	
	横浜市	教養（択一式）試験,論文試験
	札幌市	総合試験
	機械	教養（択一式）試験,教養論文試験
	その他技術	
	市役所（事務上級）	教養（択一式）試験,専門（択一式）試験,論（作）文試験
	市役所（教養のみ・その他）	教養（択一式）試験,論（作）文試験
	経験者採用	教養（択一式）試験,経験者論文試験,論（作）文試験

※「地方上級・市役所」「警察官・消防官・その他」の筆記試験につきましては、LECの模試と各自治体実施の本試験とで、出題科目・出題数・試験時間などが異なる場合がございます。

資料請求・模試の詳細などについては、LEC公務員サイトをご覧ください。
https://www.lec-jp.com/koumuin/

最新傾向を踏まえた公開模試

本試験リサーチからみえる最新の傾向に対応

本試験受験生からリサーチした、本試験問題別の正答率や本試験受験者全体の正答率から見た受験生レベル、本試験問題レベルその他にも様々な情報を集約し、最新傾向にあった公開模試の問題作成を行っています。LEC公開模試を受験して本試験予想・総仕上げを行いましょう。

信頼度の高い成績分析

充実した個人成績表と総合成績表であなたの実力がはっきり分かる

『時事ナビゲーション』とは…

公務員試験で必須項目の「時事・社会事情」の学習を日々
進めることができるように、その時々の重要な出来事に
ついて、公務員試験に対応する形で解説した記事を毎週
金曜日に配信するサービスです。

PCやスマートフォンからいつでも閲覧することができ、
普段学習している時間の合間に時事情報に接していくこ
とで、択一試験の時事対策だけでなく、面接対策や論文
試験対策、集団討論対策にも活用することができます。

※当サービスを利用するためにはLEC時事対策講座
　『時事白書ダイジェスト』をお申込いただく必要があり
　ます。

時事ナビゲーションコンテンツ

① ポイント時事

公務員試験で出題される
可能性の高い出来事につい
て、LEC講師陣が試験で解
答するのに必要な知識を整
理して提供します。単に出
来事を「知っている」だけ
ではなく、「理解」も含めて
学習するためのコンテンツ
です。

② 一問一答

「ポイント時事」で学習し
た内容を、しっかりとした
知識として定着させるため
の演習問題です。

学習した内容を理解してい
るかを簡単な質問形式で確
認できます。質問に対する
答えを選んで「解答する」
をクリックすると正答と、
解説が見られます。

時事ナビゲーションを利用するためには……

「時事ナビゲーション」を利用されたい方はお近くのLEC本校または、コールセンターに
て「時事白書ダイジェスト」をお申込みください。お申込み完了後、Myページよりご利用
いただくことができます。

詳しくはこちら　時事ナビゲーション　検索

こう使え！　時事ナビゲーション活用術

教養択一対策に使え！

時事・社会事情の択一試験は、正確な時事知識をどれだけ多く身につけるかに尽きます。そのために「ポイント時事」で多くの知識をインプットし、「一問一答」でアウトプットの練習を行います。

専門択一対策に使え！

経済事情や財政学、国際関係は時事的な問題が多く出題されます。「時事ナビゲーション」を使って、その時々の重要な時事事項を確認することができます。講義の重要論点の復習にも活用しましょう！

教養論文対策に使え！

自治体をはじめ、多くの公務員試験で出題される教養論文は課題式となっています。その課題は、その時々で関心の高い出来事や社会問題となっている事項が選ばれます。正確な時事知識は、教養論文の内容に厚みを持たせることができるとともに、説得力ある文章を書くのにも役立ちます。

面接・集団討論対策に使え！

面接試験では、関心を持った出来事やそれに対する意見が求められることがあります。また、集団討論のテーマも時事要素の強いテーマが頻出です。これらの発言に説得力を持たせるためにも「時事ナビゲーション」を活用しましょう。

時事ナビゲーションを活用！〜合格者の声〜

時事ナビゲーションの見出しはニュースなどで見聞きしたものがありましたが、キーワードの意味や詳しい内容などを知らないケースが多々ありました。そこで、電車などの移動時間で一問一答をすることで内容の理解に努めるようにしていました！

私は勉強を始めるのが遅かったためテレビや新聞を読む時間がほとんどありませんでした。時事ナビゲーションではこの一年の出来事をコンパクトにまとめてくれており、また重要度も一目で分かるようにしてくれているのでとても分かりやすかったです。

毎週更新されるため、週に1回内容をチェックすることを習慣としていました。移動中や空き時間を活用してスマホで時事をチェックしていました。

詳しくはこちら⇒ www.lec-jp.com/koumuin/

■お電話での講座に関するお問い合わせ 平日：9:30〜19:30　土・日・祝：10:00〜18:00
※このナビダイヤルは通話料お客様ご負担になります。※固定電話・携帯電話共通（一部の PHS・IP 電話からのご利用可能）。

LECコールセンター　📱携帯OK　**0570-064-464**

LEC Webサイト ▷▷▷ **www.lec-jp.com/**

情報盛りだくさん！

 資格を選ぶときも，
講座を選ぶときも，
最新情報でサポートします！

最新情報
各試験の試験日程や法改正情報，対策講座，模擬試験の最新情報を日々更新しています。

資料請求
講座案内など無料でお届けいたします。

受講・受験相談
メールでのご質問を随時受付けております。

よくある質問
LECのシステムから，資格試験についてまで，よくある質問をまとめました。疑問を今すぐ解決したいなら，まずチェック！

書籍・問題集（LEC書籍部）
LECが出版している書籍・問題集・レジュメをこちらで紹介しています。

充実の動画コンテンツ！

 ガイダンスや講演会動画，
講義の無料試聴まで
Webで今すぐCheck！

動画視聴OK
パンフレットやWebサイトを見てもわかりづらいところを動画で説明。いつでもすぐに問題解決！

Web無料試聴
講座の第1回目を動画で無料試聴！気になる講義内容をすぐに確認できます。

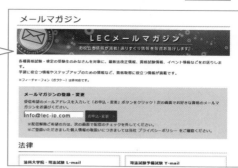

LEC 全国学校案内

*講座のお問合せ，受講相談は最寄りのLEC各校へ

LEC本校

■ 北海道・東北

札 幌本校 ☎011(210)5002
〒060-0004 北海道札幌市中央区北4条西5-1　アスティ45ビル

仙 台本校 ☎022(380)7001
〒980-0022 宮城県仙台市青葉区五橋1-1-10　第二河北ビル

■ 関東

渋谷駅前本校 ☎03(3464)5001
〒150-0043 東京都渋谷区道玄坂2-6-17　渋東シネタワー

池 袋本校 ☎03(3984)5001
〒171-0022 東京都豊島区南池袋1-25-11　第15野萩ビル

水道橋本校 ☎03(3265)5001
〒101-0061 東京都千代田区神田三崎町2-2-15　Daiwa三崎町ビル

新宿エルタワー本校 ☎03(5325)6001
〒163-1518 東京都新宿区西新宿1-6-1　新宿エルタワー

早稲田本校 ☎03(5155)5501
〒162-0045 東京都新宿区馬場下町62　三朝庵ビル

中 野本校 ☎03(5913)6005
〒164-0001 東京都中野区中野4-11-10　アーバンネット中野ビル

立 川本校 ☎042(524)5001
〒190-0012 東京都立川市曙町1-14-13　立川MKビル

町 田本校 ☎042(709)0581
〒194-0013 東京都町田市原町田4-5-8　MIキューブ町田イースト

横 浜本校 ☎045(311)5001
〒220-0004 神奈川県横浜市西区北幸2-4-3　北幸GM21ビル

千 葉本校 ☎043(222)5009
〒260-0015 千葉県千葉市中央区富士見2-3-1　塚本大千葉ビル

大 宮本校 ☎048(740)5501
〒330-0802 埼玉県さいたま市大宮区宮町1-24　大宮GSビル

■ 東海

名古屋駅前本校 ☎052(586)5001
〒450-0002 愛知県名古屋市中村区名駅4-6-23　第三堀内ビル

静 岡本校 ☎054(255)5001
〒420-0857 静岡県静岡市葵区御幸町3-21　ペガサート

■ 北陸

富 山本校 ☎076(443)5810
〒930-0002 富山県富山市新富町2-4-25　カーニープレイス富山

■ 関西

梅田駅前本校 ☎06(6374)5001
〒530-0013 大阪府大阪市北区茶屋町1-27　ABC-MART梅田ビル

難波駅前本校 ☎06(6646)6911
〒556−0017 大阪府大阪市浪速区湊町1-4-1
大阪シティエアターミナルビル

京都駅前本校 ☎075(353)9531
〒600-8216 京都府京都市下京区東洞院通七条下ル2丁目
東塩小路町680-2　木村食品ビル

四条烏丸本校 ☎075(353)2531
〒600-8413　京都府京都市下京区烏丸通仏光寺下ル
大政所町680-1　第八長谷ビル

神 戸本校 ☎078(325)0511
〒650-0021 兵庫県神戸市中央区三宮町1-1-2　三宮セントラルビル

■ 中国・四国

岡 山本校 ☎086(227)5001
〒700-0901 岡山県岡山市北区本町10-22　本町ビル

広 島本校 ☎082(511)7001
〒730-0011 広島県広島市中区基町11-13　合人社広島紙屋町アネクス

山 口本校 ☎083(921)8911
〒753-0814 山口県山口市吉敷下東 3-4-7　リアライズⅢ

高 松本校 ☎087(851)3411
〒760-0023 香川県高松市寿町2-4-20　高松センタービル

松 山本校 ☎089(961)1333
〒790-0003 愛媛県松山市三番町7-13-13　ミツネビルディング

■ 九州・沖縄

福 岡本校 ☎092(715)5001
〒810-0001 福岡県福岡市中央区天神4-4-11　天神ショッパーズ
福岡

那 覇本校 ☎098(867)5001
〒902-0067 沖縄県那覇市安里2-9-10　丸姫産業第2ビル

■ EYE関西

EYE 大阪本校 ☎06(7222)3655
〒530-0013　大阪府大阪市北区茶屋町1-27　ABC-MART梅田ビル

EYE 京都本校 ☎075(353)2531
〒600-8413　京都府京都市下京区烏丸通仏光寺下ル
大政所町680-1　第八長谷ビル

LEC提携校

＊提携校はLECとは別の経営母体が運営をしております。
＊提携校は実施講座およびサービスにおいてLECと異なる部分がございます。

北海道・東北

八戸中央校【提携校】 ☎0178(47)5011
〒031-0035 青森県八戸市寺横町13 第1朋友ビル 新教育センター内

弘前校【提携校】 ☎0172(55)8831
〒036-8093 青森県弘前市城東中央1-5-2
まなびの森 弘前城東予備校内

秋田校【提携校】 ☎018(863)9341
〒010-0964 秋田県秋田市八橋鯲沼町1-60
株式会社アキタシステムマネジメント内

関東

水戸校【提携校】 ☎029(297)6611
〒310-0912 茨城県水戸市見川2-3092-3

所沢校【提携校】 ☎050(6865)6996
〒359-0037 埼玉県所沢市くすのき台3-18-4 所沢K・Sビル
合同会社LPエデュケーション内

東京駅八重洲口校【提携校】 ☎03(3527)9304
〒103-0027 東京都中央区日本橋3-7-7 日本橋アーバンビル
グランデスク内

日本橋校【提携校】 ☎03(6661)1188
〒103-0025 東京都中央区日本橋茅場町2-5-6 日本橋大江戸ビル
株式会社大江戸コンサルタント内

東海

沼津校【提携校】 ☎055(928)4621
〒410-0048 静岡県沼津市新宿町3-15 萩原ビル
M-netパソコンスクール沼津校内

北陸

新潟校【提携校】 ☎025(240)7781
〒950-0901 新潟県新潟市中央区弁天3-2-20 弁天501ビル
株式会社大江戸コンサルタント内

金沢校【提携校】 ☎076(237)3925
〒920-8217 石川県金沢市近岡町845-1 株式会社アイ・アイ・ピー金沢内

福井南校【提携校】 ☎0776(35)8230
〒918-8114 福井県福井市羽水2-701 株式会社ヒューマン・デザイン内

関西

和歌山駅前校【提携校】 ☎073(402)2888
〒640-8342 和歌山県和歌山市友田町2-145
KEG教育センタービル 株式会社KEGキャリア・アカデミー内

中国・四国

松江殿町校【提携校】 ☎0852(31)1661
〒690-0887 島根県松江市殿町517 アルファステイツ殿町
山路イングリッシュスクール内

岩国駅前校【提携校】 ☎0827(23)7424
〒740-0018 山口県岩国市麻里布町1-3-3 岡村ビル 英光学院内

新居浜駅前校【提携校】 ☎0897(32)5356
〒792-0812 愛媛県新居浜市坂井町2-3-8 パルティフジ新居浜駅前店内

九州・沖縄

佐世保駅前校【提携校】 ☎0956(22)8623
〒857-0862 長崎県佐世保市白南風町5-15 智翔館内

日野校【提携校】 ☎0956(48)2239
〒858-0925 長崎県佐世保市椎木町336-1 智翔館日野校内

長崎駅前校【提携校】 ☎095(895)5917
〒850-0057 長崎県長崎市大黒町10-10 KoKoRoビル
minatoコワーキングスペース内

高原校【提携校】 ☎098(989)8009
〒904-2163 沖縄県沖縄市大里2-24-1
有限会社スキップヒューマンワーク内

※上記は2024年7月1日現在のものです。

書籍の訂正情報について

このたびは，弊社発行書籍をご購入いただき，誠にありがとうございます。
万が一誤りの箇所がございましたら，以下の方法にてご確認ください。

1 訂正情報の確認方法

書籍発行後に判明した訂正情報を順次掲載しております。
下記Webサイトよりご確認ください。

www.lec-jp.com/system/correct/

2 ご連絡方法

上記Webサイトに訂正情報の掲載がない場合は，下記Webサイトの
入力フォームよりご連絡ください。

lec.jp/system/soudan/web.html

フォームのご入力にあたりましては，「Web教材・サービスのご利用について」の
最下部の「ご質問内容」に下記事項をご記載ください。

> ・対象書籍名（○○年版，第○版の記載がある書籍は併せてご記載ください）
> ・ご指摘箇所（具体的にページ数と内容の記載をお願いいたします）

ご連絡期限は，次の改訂版の発行日までとさせていただきます。
また，改訂版を発行しない書籍は，販売終了日までとさせていただきます。

※上記「2ご連絡方法」のフォームをご利用になれない場合は，①書籍名，②発行年月日，③ご指摘箇所，を記載の上，郵送にて下記送付先にご送付ください。確認した上で，内容理解の妨げとなる誤りについては，訂正情報として掲載させていただきます。なお，郵送でご連絡いただいた場合は個別に返信しておりません。

送付先：〒164-0001 東京都中野区中野4-11-10 アーバンネット中野ビル
株式会社東京リーガルマインド 出版部 訂正情報係

> ・誤りの箇所のご連絡以外の書籍の内容に関する質問は受け付けておりません。
> また，書籍の内容に関する解説，受験指導等は一切行っておりませんので，あらかじめ
> ご了承ください。
> ・お電話でのお問合せは受け付けておりません。

講座・資料のお問合せ・お申込み

LECコールセンター 📞 0570-064-464

受付時間：平日9:30〜19:30/土・日・祝10:00〜18:00

※このナビダイヤルの通話料はお客様のご負担となります。
※このナビダイヤルは講座のお申込みや資料のご請求に関するお問合せ専用ですので，書籍の正誤に関するご質問をいただいた場合，上記「2ご連絡方法」のフォームをご案内させていただきます。